NORTHBROOK PUBLIC LIBRARY
1201 CEDAR LANE
NORTHBROOK, IL 60062

K

W9-BNU-899

Northbrook Public Library

3 1123 00702 7124

Grochola, Katarzyna.
Ja wam pokaze!

Fiction.

Katarzyna
Grochola

Ja wam pokażę!

w cyklu

żaby i anioły

Nigdy w życiu!
Serce na temblaku
Ja wam pokażę!

Katarzyna
Grochola

Ja wam pokażę!

Warszawa

Copyright © by Wydawnictwo W.A.B., 2004
Wydanie I
Warszawa 2004

Książkę tę dedykuję z serca Wojtkowi Eichelbergerowi
za to, że nieopatrznie namawiał mnie do pisania,
a nawet, o zgrozo, czytał prawie każdy maszynopis.

Zespół napięcia

Siedzę w kuchni i gapię się smętnie w okno. Ilekroć siedzę w kuchni i się gapię, od razu mnie nachodzą jakieś niespokojne myśli. Co będzie ze wszechświatem, skoro się tak ociepla i ociepla w jednej gazecie, a znowu w innej oziębia i oziębia? W tej drugiej gazecie przypomnieli, że co dziesięć tysięcy lat jest epoka lodowcową i właśnie te dziesięć tysięcy lat mija, nie wiem, czy dokładnie obliczyli, w tym czy w przyszłym roku. Świat jest doprawdy straszny, jak człowiek zajrzy do prasy. Epoka lodowcowa! Oby po maturze Tosi!

Zaraz wszedł do kuchni i skoczył na blat prowokująco. A co mi tam, niech sobie chodzi po blacie, skoro świat i tak zaraz przestanie istnieć. I na dodatek ten Mars zbliża się do nas na bardzo niebezpieczną odległość. Czy to nie idiotyczne, że używa się słowa odległość, jeśli coś się zbliża? Powinno się mówić bliskość. Jakby nie dość tego, to na Wenus może być życie, okazuje się, mimo że tam jest pięćset stopni

Celsjusza. Ciekawe, jak zmierzyli, skoro nie byli. I czy przypadkiem termometry nie palą się w takiej temperaturze? Ale na Wenus jakieś żyjątka asymilują siarkę i z tego żyją.

Zupełnie jak Eksio, siarka to jego ulubione środowisko. Jak nie zrobi awantury, to jest chory. Tosia wróciła od niego po spędzonej tam sobocie i niedzieli. Mówi, że tatuś ma andropauzę, bo cały czas się piekli, jakby mu się coś w życiu psuło, a Joli nie ma, bo się zapisała na jakieś studia podyplomowe i w soboty i niedziele nie bywa w domu. I że tatuś musi opiekować się małym, i jest zdenerwowany, nie wiadomo dlaczego: Joli się wcale nie dziwię. Jak bym była mądrzejsza, to też bym się zapisywała na jakiekolwiek kursy, byleby mieć od niego chwilę spokoju. Choćby dziś! Gdybym z nim była. Ale szczęśliwie nie jestem i nie muszę się zapisywać na żadne podyplomowe. I w ogóle co się ze mną dzieje? Czy ja zwariowałam?

– Złaź w tej chwili! – krzyknęłam na Bogu ducha winnego Zaraza.

Dlaczego u Uli koty nie wchodzą na blaty? A jej pies to nawet do tej części pokoju, w której jest wykładzina, nie wchodzi? Jak to możliwe, że u mnie Borys w łóżku, kiedy tylko zostawię otwarte drzwi, a koty wszędzie? Nikt się ze mną nie liczy.

Zaraz zeskoczył z blatu i spojrzał na mnie z wyrzutem. Odsunęłam gazety, które miały podnieść IQ, a odmóżdżyły mnie prawie zupełnie, i otworzyłam puszkę. Z kredensu zeskoczył Potem.

– Moje kochane koteczki – rozczuliłam się, kiedy spojrzałam na dwie kuleczki, jedną srebrną a drugą czarną, schylone nad miseczką. – Moje kociaczki...

– Jesteś w regresie? – Niebieski stanął w drzwiach kuchni, nawet nie słyszałam, że przyjechał. Borys nie szczekał, a przecież szczeka zawsze na domowników.

– Życie jest straszne – podstawiłam policzek.

– Życie jest piękne, mężczyźni przystojni, a straty być muszą – uśmiechnął się i wstawił cztery puszki piwa do lodówki, a wyjął jedną, która tam była od jakiegoś czasu. Niedługiego, jak sądzę.

– Tak się zaczyna alkoholizm – spojrzałam na niego wymownie.

– A tak się zaczyna paranoja – pogłaskał mnie po ramieniu. – Jestem kompletnie padnięty – powiedział mój ukochany, otworzył zimne piwo, zebrał gazety pod pachę i wyszedł do pokoju.

Koty zeżarły zawartość puszeczki i wskoczyły na parapet. Dlaczego one nie mogą po ludzku wychodzić, tak jak u Uli, siedzieć pod drzwiami balkonowymi i czekać grzecznie, ewentualnie miauknąć od czasu do czasu, tylko skaczą po wszystkich oknach i parapetach, żeby im natychmiast, ale to natychmiast otworzyć, ale już!

Otworzyłam okno, zahaczyłam o doniczkę, z hukiem wpadła do zlewu. Nic nie potłukła, ale Adaśko, który kiedyś, dawno temu, był taki czuły, nawet się nie zainteresował hukiem. Mogłabym sama wpaść do zlewu, potłuc się, zrobić sobie jakąś straszną krzywdę, a i tak by tego nie zauważył.

Właściwie nie chodzi mi o tę cholerną epokę lodowcową, co to ma jutro nastąpić. I nie o Marsa. Skoro przeżyliśmy zaćmienie Słońca, to może i z Marsem jakoś pójdzie. Niepokoi mnie zupełnie co innego. A mianowicie Niebieski. Czy to jest w porządku, że on jedzie do tej niebezpiecznej Ameryki? Że on wyjeżdża sobie jak gdyby nigdy nic, a ja zostaję sama jak palec, z dzieckiem?

Nie zostawia się kobiety z dzieckiem, to jest niemoralne. Jak ja sobie poradzę?

– Dlaczego pies je kocie jedzenie? – Adam przywrócił mnie rzeczywistości.

Borys stał nad pustą miseczką kocią i udawał, że nie wie, o kim mowa. Otóż ja tego nie rozumiem, że pies Uli nawet nie zbliży się do miejsca, gdzie jedzą koty. To miejsce jest w tej samej kuchni, ale po przekątnej. A Borys zawsze wykorzysta sytuację, że koty coś zostawią, i im zeżre. A wiadomo, że kotki są maleńkie i nie jedzą dużo naraz. Może u mnie w kuchni nie ma przekątnej?

A poza tym, co to za pytanie: dlaczego pies je? A dlaczego nie? Jak bym była psem i ktoś by mi postawił coś dobrego, to też bym zjadła. Na przykład tatara z pysznym grzybkiem marynowanym... Albo golonkę... Ale do tego się nie przyznaję, bo golonka nie jest jedzeniem dla szanujących się kobiet.

– Borys! – krzyknęłam na psa, który wpakował się pod słół i tylko mu czarny ogon wystawał. – Adam cię przecież o coś pyta!

Adam spojrzał na mnie z niepokojem, otworzył lodówkę i wyjął drugie piwo. Borys wyczołgał się spod stołu i położył mi łeb na kolanach, a ja go oczywiście przytuliłam.

– Jak będziesz niegrzeczny, zabronimy ci oglądać telewizję – zagroziłam. – I nie bierz przykładu z tatusia, nigdy, ale to nigdy nie pij dwóch piw naraz, od razu po przyjściu z pracy, bez słowa do ukochanej istoty, obiecaj...

Borys machnął bez przekonania ogonem i zsunął się z kolan.

– Ukochana istoto – powiedział Adam – jestem skonany, czy możemy zacząć porozumiewać się, jak odpocznę?

– Oczywiście – powiedziałam czarująco – przecież mówiłam do psa, a nie do ciebie. Zjesz coś?

– Z przyjemnością.

To sobie weź! – warczę, wyjmuję garnek z lodówki i rzucam na kuchenkę. Facet! Tańcz koło niego i choruj na krzątawicę! Służ i broń! Żyw i opiekuj się! Garnek się przewraca i całe mięso spływa na palniki, otwieram gaz i zapalam wszystkie naraz, ogień bucha pod sufit, chwytam rondel z wczorajszą pomidorową i wylewam na gaz, syczy, przygotowanym talerzem rzucam w okno...

Otworzyłam oczy. Przecież to mój Niebieski!

– Zaraz ci podgrzeję – powiedziałam i otworzyłam lodówkę.

Przychodzi człek zmarnowany z pracy, a tu niezadowolona kobieta, lekko nie jest, ja go rozumiem. Właściwie. Zapaliłam najmniejszy palnik i postawiłam garnek na ogniu. Mięso przyjemnie zaskwierczało, dolałam pół szklanki wody, żeby nie spalić.

– Kochana jesteś – powiedział Niebieski i odszedł w siną dal, ze zdrajcą Borysem przy nodze.

Obrałam ziemniaki i w trakcie tej pożytecznej czynności doszłam do wniosku, że właściwie najwyższy czas coś postanowić, bo człowiek nie może żyć w niepewności. I jeśli ja nie zacznę tej rozmowy, to nigdy już, być może, nie będziemy rozmawiać. On sobie pojedzie, a mnie samą zostawi, a przecież jednak skoro tak napiera na ten ślub, to może byśmy przed wyjazdem zdążyli... Zamiast jechać na urlop, co mi Niebieski obiecał w zeszły czwartek. Nastawiłam ziemniaki, otworzyłam lodówkę i wyjęłam z niej kawał żółtego sera. Francuzi jedzą sery oprócz obiadu, to ja też mogę.

Kiedy pakowałam w swoje naczynia krwionośne duże dawki cholesterolu, sprytnie ukrytego w serze, do kuchni wpadła Tosia i wrzasnęła:

– Co ty robisz?

Cholesterol wraz z talerzykiem, na którym był umieszczony, upadł mi na podłogę.

– Jem – odpowiedziałam spokojnie, niepomna na to, że średnica moich naczynek krwionośnych zmniejsza się z każdym dniem. Zastanawiałam się zresztą, czy nie przyspieszyć decyzji o ślubie, zanim do reszty mi uniemożliwi przepływ krwi do mózgu.

Borys pojawił się znikąd, zaczął wcinać aż miło mój pyszny serek. I mlaskać.

Oczywiście, mogłam się zdenerwować. Jestem specjalistką w denerwowaniu się byle czym, ale w obliczu matury Tosi – przecież zdaje za głupie dziewięć miesięcy – głupi cholesterol może mi tylko pomóc znieść ten ciężki stres.

– Tosia, czemu krzyczysz?

– Dlaczego ty jesz takie świństwa? – Tosia popatrzyła na mnie z obrzydzeniem. – I dlaczego rzucasz talerzami?

– Z nerwów – odpowiedziałam po chwili, ponieważ prawda wydała mi się najodpowiedniejsza.

– Przecież wszystko jest w porządku – powiedziała niepewnie Tosia.

– No właśnie – westchnęłam filozoficznie.

Tosia popatrzyła na mnie nie bez ubolewania, a potem podniosła pokrywkę.

– Przypalisz – powiedziała.

– Nie przypalę.

Podniosłam się, talerz włożyłam do zlewu i podjęłam męską decyzję: porozmawiam teraz, natychmiast, z Adamem, bo zwariuję.

Adam siedział na fotelu z nogami na stoliku i czytał gazetę. Pomyślałam sobie, że dawniej przy mnie nie czytał, ale cóż. I właściwie najwyższy czas, żeby parę rzeczy ustalić – termin, czy co takiego, skoro mu tak bardzo zależy na ślubie.

– Adam?

– Hm? – Nawet nie podniósł oczu.

Odrzuciłam szybko poczucie, że jestem odrzucana i postanowiłam nawiązać rozmowę.

– Musimy parę rzeczy ustalić przed twoim wyjazdem.

– Taaa... – zza gazety.

– Może nie chcesz w tej chwili rozmawiać?

– Nie... przecież rozmawiam.

– Chciałabym z tobą pogadać. – Wiem, że z mężczyzną należy komunikować się wprost, a nie byle jak. To nie kobieta, co chwyta w lot każdą dygresyjkę, każdą aluzyjkę i nie zgubi nici przewodniej, o nie.

– Taaa...

– Słuchasz mnie? – upewniłam się.

– Oczywiście, oczywiście – uchylił rąbek gazety, z którego donośny tytuł wołał dużymi literami „Z jakim rządem do Europy???” – Czytałaś to?

– Nie.

– Przeczytać ci?

Tylko mi tego brak, żeby mi w domu o rządzie czytano. Ja już swoją dawkę wiadomości zaliczyłam. Ale to miłe z jego strony.

– Nie, chciałam tylko z tobą porozmawiać.

– No przecież rozmawiamy.

Poczułam się tak, jakby świat trochę zwariował.

– Czy ja może mam paranoję? – spytałam podejrzliwie.

– Nie sądzę – odparł Adaśko i podniósł gazetę.

Zdenerwowałam się nieco. Mężczyzna zawsze mówi, że nie sądzi, a potem okazuje się, że i owszem, sądzi, chociaż w zupełnie innej sprawie.

– Czy ty mnie w ogóle słuchasz?

– Oczywiście – powiedział Adaśko i z westchnieniem opuścił nasz rząd.

Nie, kurczę, tak nie może być. Porozumienie można osiągnąć tylko wtedy, kiedy obie strony tego chcą, słuchają się nawzajem i tak dalej.

– To o czym mówiłam? – postanowiłam go sprawdzić.

– Pytałaś, czy masz paranoję, kochanie. Ale moim zdaniem nie. Jesteś całkiem normalna, choć nie zawsze – zaśmiał się. – Mogę skończyć ten artykuł?

Nie wiem, dlaczego rozmowa z kobietą jest łatwiejsza i bardziej normalna. Nie potrafię tego zrozumieć. Nie rozumiem. Gdybym z jakąś kobietą chciała porozmawiać na temat tak ważnej rzeczy jak nasz ślub, to na pewno nie czytałaby gazety o jakimś rządzie i Europie, tylko z radością wymieniłybyśmy się pomysłami, jak to zrobić, kogo zaprosić, w co się ubrać itd.

– Adam – jęknęłam. – Dlaczego nie chcesz ze mną porozmawiać?

– Ależ chcę, tylko w tej chwili czytam! – powiedział i wsadził znowu nos w gazetę. – Nie możemy pogadać przy obiedzie?

Odwróciłam się na pięcie i poszłam do łazienki. Zebrało mi się na płacz. Agnieszka co prawda powiedziała, że ona by przedłużyła okres narzeczeński do maksimum, ale ja nic bym nigdy nie przedłużała do maksimum. A najbardziej niedorzeczne z tego wszystkiego, czego bym nie przedłużała, wydawało mi się dzisiaj właśnie narzeczeństwo.

Ale robi mi się przykro, bo nie dość, że w ogóle ze mną nie rozmawia, choć jestem, a w każdym razie byłam niedawno, kobietą po przejściach, to jeszcze, zdaje się, nie rozumie, o jaką rozmowę mi chodzi. Nie, oczywiście, że się nie obrażam, bo po co. On się i tak denerwuje tylko wtedy, kiedy wynoszę pilota do łazienki, i to niechcący, oczywiście. Nie mogę tracić nerwów na denerwowanie się mężczyzną, którego nic nie jest w stanie wyprowadzić z równowagi. Oprócz mnie, oczywiście.

Więc siedzę sobie w łazience i zastanawiam się, czy się nie rozpłakać. Ale znów płakać z powodu niedoszłego ślubu? Akurat, niedoczekanie.

I w ogóle nie będę już go o nic pytać, bardzo proszę. Możemy się zachowywać jak Eksio z Jolą. Czytać sobie wspólnie gazety albo zapisać się na kursy.

Wracam do pokoju i siadam koło niego na kanapie, uprzejmie się odsuwa, nawet nie wie, czy to ja, czy to Borys, tak jest pochłonięty problemami naszych elit politycznych, które i tak zmieniają się jak w kalejdoskopie. Po co dzisiaj czytać, z jakim rządem do Europy, skoro zanim wejdziemy do Europy, będziemy mieli pewnie inny rząd? Strata czasu. Biorę do ręki kawałek gazety z nekrologami. Przynajmniej jest pożytek z czytania tej części gazety. Taki mianowicie, że na ogół człowiek tam nie znajduje własnego nekrologu.

– Jutek, co ci jest? – O, proszę, jak człowiek się zabiera do czytania, to mu się od razu przeszkadza.

– Nic – mówię i czuję, jak staje mi gula w gardle. Co jest ze mną, u licha?

– Przecież widzę. Chciałaś pogadać.

– Ale już mi się odechciało – mówię i czuję, że decyzja o niepłakaniu była podjęta ad hoc.

– Czy ty może będziesz miała okres? – Adaś popatrzył na mnie z ukosa i z troską, i właściwą sobie przytomnością umysłu.

To już szczyt wszystkiego!

Wchodzę do kuchni i rzucam się do rondelka. Mięso niestety przywarło na dobre, zmieniło kolor i jakby spróchniało.

– Cholera! – wyrwało mi się.

– Nie klnij – Tosia ostatnio zachowuje się jak Borys: nie widzisz, nie słyszysz, a jest.

– Dawniej nigdy nie przypalałam potraw – powiedziałam, wyrzucając zwęglone resztki mięska do śmieci.

– Dawniej jadłyśmy pizzę – powiedziała żmija, którą własnoręcznie urodziłam. – Zrób sadzone. – I podała mi z lodówki jajka.

Tosia rzadko jada jajka, na ogół jest jej niedobrze nawet na widok skorupki, ale tym razem jakoś nie wybrzydza. Wbiłam sześć jaj na patelnię i stałam przy nich nieruchomo. Patrzyłam, jak skwierczały, i myślałam o życiu i śmierci.

– Ty też zawsze się mnie czepiasz akurat przed okresem – powiedziała Tosia.

Zdjęłam patelnię z gazu i szarpnęłam pokrywką. Jajeczka były ślicznie usmażone, w sam raz, ścięte białko, żółtko miękkie. Odłożyłam patelnię i spojrzałam na swoją córkę. Patrzyła na mnie i w jej wzroku nie znalazłam, mimo szczerych chęci, oznak zaczepki.

– Twoim czy moim? – zapytałam przytomnie.

– No... – zawahała się Tosia. – Jednym i drugim chyba.

I nagle wszystko stało się dla mnie jasne. Adam po prostu dość trudno znosi zespół napięcia przedmiesiączkowego. Jest drażliwy i napięty, rozkojarzony i powinnam o tym wiedzieć, a nie w tym akurat trudnym momencie naciągać go na rozmowy. Nic dziwnego, że tak reaguje i ma humory. Dobre pary, nawet niebędące małżeństwami, upodabniają się do siebie po jakimś czasie.

Uśmiechnęłam się i kazałam Tosi nakryć do stołu. Pokornie i bez komentarza sięgnęła po talerze i kefir.

Świat jest taki prosty, jak się rozumie pewne mechanizmy.

A potem z przerażeniem spojrzałam na chleb, który zaczęłam kroić. Jeśli my się do siebie upodabniamy, to czy to znaczy, że ja będę miała polucje nocne?

Nikomu ani słowa

Nie jestem żadną rozedrganą histeryczką, jakby to można było przypuszczać. Po prostu poprosiłam Niebieskiego, żeby na razie nikomu nie mówił o naszych dalszych planach na życie, dopóki nie ustalimy szczegółów. I Adaśko przysiągł, choć może przy tym przymrużył kpiarsko oko. Chodziło o drobne szczegóły, takie jak to, czy się spieszyć ze ślubem, czy poczekać, aż Adaśko wróci, i wtedy na spokojnie zrobić fajną uroczystość. Boże, jak ja uwielbiam wychodzić za mąż za Niebieskiego! A on przysiągł i dodał:

– Nie interesują mnie działania pozbawione ryzyka – powiedział – więc owszem, potwierdzam: chcę się z tobą ożenić.

A ja nie chcę zapeszyć. Nie jestem przesądna, ale jeśli wszyscy dowiedzą się o twoich planach za wcześnie, to plany mogą wziąć w łeb. A poza tym, odpukać w niemalowane, jeśliby się coś stało, to jak ja będę wyglądać? Jak jeszcze raz porzucona kobieta? O nie, wcale mi znowu na tym ślubie tak bardzo nie zależy, ludzie żyją z papierem i się nienawidzą (jak ten od Joli z Jolą), a my, proszę bardzo, jesteśmy ze sobą bez przymusu. Można sobie układać życie, nawet jeśli coś nie wyszło, ponieważ zawsze może przydarzyć się coś dobrego, ot co! Oczywiście, łatwiej zostać zabitym z rąk terrorystów niż wyjść za mąż po czterdziestce, ale bądźmy dobrej myśli, terroryzmu teraz tyle, że proporcje się zmieniają na naszą korzyść. Naszą! Dojrzałych kobiet!

Ponieważ chciałam, żeby to na razie była tajemnica, zwierzyłam się tylko Uli. No i Agnieszce, bo jest moją kuzynką. I Grześkowi, bo jest jej mężem, a na dodatek facetem, i byłam ciekawa, jak zareaguje facet na wieść o ślubie. Zdanie Grześka zresztą w tej sprawie było następujące:

– Bujajcie się – powiedział.

I zaraz zadzwonił do Adasia, żeby mu powiedzieć... nie wiem co, bo mi Niebieski nie chciał powtórzyć.

– Komu jeszcze powiedziałaś? – zapytał, podnosząc głowę znad książki Adaśko, kiedy wróciłam do domu.

– A bo co? – najeżyłam się. Mój ślub, moja sprawa!

– Bo nic. Tak tylko pytam. Przecież to ty chciałaś, żeby to była tajemnica. Ja powiedziałem tylko Szymonowi.

– No właśnie – uśmiechnęłam się triumfalnie.

– To mój syn! Tosia też wie przecież!

– No to co? Boisz się czy co? Może się rozmyśliłeś?

Zadrżałam na samą myśl i natychmiast zdałam sobie sprawę, że ten zestaw pytań jest idiotyczny i nie na poziomie, ale żadne pytanie na poziomie nie wpadło mi do głowy. Może on tak łatwo się zgodził na dyskrecję, żeby nikt nie wiedział, żeby nie poczuć się dodatkowo zobowiązanym? Móc się w każdej chwili wycofać?

– Jutka! – Adaśko stał teraz w drzwiach. – Nie męcz mnie, nie rozmyśliłem się, tylko nie rozumiem, dlaczego mi każesz dochować tajemnicy, jakby to był jakiś występek, a sama o tym trąbisz całemu światu.

No wiecie ludzie! Powiedziałam swojej najbliższej rodzinie, a on ma pretensje, i to przed ślubem!

– No, powiedziałam Agnieszce, ale nie wiedziałam, że będziesz miał pretensję.

– Nie mam pretensji, tylko chciałbym wiedzieć, kto jeszcze wie, bo z Grześkiem gadałem jak potłuczony, bo nie wiedziałem, że mu powiedziałaś, a wychodzi na to, że robisz ze mnie wiatraka, jak mawia Tosia.

No rzeczywiście, nie było to w porządku, drżenie nieco ustąpiło. Więc nie chce mnie porzucić, wycofać się itd., tylko coś ustalić. To miłe.

– No... – zastanowiłam się – Renka wie i jej mąż...

Niebieski oparł się o półkę z książkami i uśmiechał się znacząco.

– ...bo są naszymi sąsiadami – pośpieszyłam z wyjaśnieniem. – Uli powiedziałam... Mańce...

– No tak, bo to przecież tajemnica. – Niebieski drwił ze mnie w żywe oczy.

Dlaczego mężczyzna przed ślubem musi denerwować swoją przyszłą żonę tylko dlatego, że ona mówi prawdę? A Mańce musiałam powiedzieć, bo obiecała, że nikomu nie powie!

– Musiałam powiedzieć Mańce, bo... – zawahałam się i nic mi nie wpadało do głowy, a Adaś stał, cały w tych książkach, i uśmiechał się radośnie i złośliwie, bo chyba miał rację. Szybko, szybko znaleźć jakiś powód, jakiś bardzo ważny powód, że oczywiście dochowuję na ogół tajemnicy, ale w tym wypadku... Pustka w głowie.

– Musiałam jej powiedzieć dlatego, że... – Adam podnosił coraz wyżej brwi i w ogóle nie miał zamiaru mi pomóc. – Krótko mówiąc, nie miałam wyjścia, ponieważ... – i nagle mnie olśniło! – bo przecież Mańka jest weterynarzem!

Udało mi się wprowadzić Niebieskiego w osłupienie. Zamilkł z wrażenia i patrzył na mnie swoimi ślicznymi oczami, a potem pokiwał głową, jakby nie dosłyszał, a potem pomyślałam sobie, że jeśli dotychczas mu nie wpadło do głowy rozmyślić się, to teraz się rozmyśli i wszystko odwoła, i nigdy nie będzie chciał się żenić z kobietą trzydziestoletnią, z potężnym hakiem. Podeszłam i przytuliłam się do niego.

– Oj, nie gniewaj się – powiedziałam.

– Poczekaj. – Odsunął mnie i popatrzył mi prosto w oczy. – Będzie prościej inaczej. A komu nie powiedziałaś?

To oczywiste! Ani Mojej Mamie, ani Mojemu Tacie. Na razie. Skoro z takim trudem przyzwyczajali się do obecności mężczyzny w moim domu, nie mogę ich bez przerwy zaskakiwać zmianami. Powiem, jak wszystko ustalimy. Chyba że im powiedział mój brat. Bo przecież bratu musiałam powiedzieć!

Szanowna Redakcjo,
tylko wy możecie mi pomóc. Proszę was, bo zostaliście moją ostatnią deską ratunku. Mój narzeczony dwa tygodnie przed ślubem rozmyślił się. A przecież obiecał i tato już kupił wódkę na wesele. Czy jest jakieś prawo, żeby on się nie wycofał? Przecież musi być jakiś przepis albo napiszcie do niego, tak było w jednym filmie, że narzeczony się boi odpowiedzialności, ale przecież on mi tego nie może zrobić...

Oj, może, może...
Jak to: może?

Droga Elwiro,
rozumiem Cię znakomicie, wiem, że czujesz się zraniona, ale każdy dorosły człowiek ma prawo podejmować decyzje, które nie zawsze są zgodne z naszymi oczekiwaniami. Owszem, narzeczony złamał umowę – obiecał Ci małżeństwo i w ostatniej chwili się wycofał – ale lepiej teraz, niż gdyby zostawił Cię z trójką maleńkich dzieci przy piersi.

O psiakrew, zanadto się rozpędziłam.

Bardzo często pod wpływem emocji podejmujemy nieprzemyślane decyzje i trudno nam potem wycofać się z pochopnie danych obietnic. Nie pochwalam tego, ale musisz pogodzić się z faktem, że ten mężczyzna nie był Ci przeznaczony.

Co ja plotę? Przecież musi być jakieś prawo na takich wiarołomców. Może poradzić jej, żeby dała ogłoszenie do prasy? Z jego zdjęciem i nazwiskiem? Żeby już na zawsze był skompromitowany? Gdybyśmy żyli w kraju, w którym sprawiedliwość istnieje, to taki narzeczony musiałby odpowiedzieć za wszystko! I jeszcze płacić do końca życia bardzo wysokie odszkodowanie!

Elwiro, przed Tobą przyszłość z człowiekiem, którego na pewno spotkasz, a który okaże się lepszy. Nie warto płakać nad kimś, kto nie jest Ciebie wart. Nawet gdyby było prawo przymuszające Twojego narzeczonego do życia z Tobą, cóż by to było za życie? Nie życzę Ci w najgorszych snach czegoś podobnego...

Elwiro, rozejrzyj się wokół, świat jest pełen przyjaznych ludzi...

Oczywiście pod warunkiem, że nie oglądasz dzienników telewizyjnych. Nienawidzę twojego narzeczonego, Elwiro. Taki facet nie jest wart jednej twojej łzy.

Życzę ci, żebyś spotkała kogoś takiego jak mój Niebieski. Odpukać.

Który powinien natychmiast naprawić cholerną klamkę u drzwi wejściowych, bo po raz setny wpadła do mieszkania, jak tylko Tosia z rozpędem otworzyła drzwi.

Po co mu Teneryfa?

Borys szczeka na całą wieś. To znak, że wraca Adaś.
– Mamo, ucisz tego psa! – woła z góry Tosia.
Siedzi u niej Jakub i nie mam pojęcia, co robią. Siedzą w Internecie zapewne, bo Jakub ściąga jakieś programy do komponowania muzyki, a Tosia okazała się osobą niezwykle uzdolnioną muzycznie. Lepiej, że siedzą razem w Internecie niż na przykład w wannie, prawda?

Gdybym była sama, nie musiałabym nagle się zrywać, witać Adasia w progu i trzymać Borysa, bo idiota skacze na samochód i rysuje lakier, tylko zwyczajnie bym sobie siedziała w domu, w którym nie szczeka żaden pies. Jak wiadomo, trzy nieszczęścia mogą spotkać mężczyznę: wypadek, śmierć i rysa na lakierze.

Niebieski rzucił we mnie torbą z pomidorami, ziemniakami i fasolką szparagową i krzyknął:

– Cześć, Tośka! – Mnie ucałował i powiedział: – Jeśli mamy jechać na urlop, to się pospieszmy, mam dziewięć dni niewykorzystanego, musimy podjąć decyzję w ciągu dwóch dni.

– Jesteśmy zajęci, cześć! – odkrzyknęła Tosia, jakby Niebieski wybierał się do niej na górę.

Owszem, chciałam w tym roku mieć absolutnie normalny urlop – taki, co to wyjeżdża się na zaplanowane wakacje, najlepiej za granicę, wszyscy (to znaczy Adam i ja) o tym mówimy, załatwiamy formalności, odkładamy, ewentualnie dopożyczamy pieniądze, z góry się cieszymy, termin wyjazdu się zbliża, napięcie rośnie itd. Tosia od razu powiedziała, że świetnie, że gdzieś pojedziemy, ona zostanie z radością pilnować domu.

Dłuższy czas zajęło mi przekonywanie Adasia, żebyśmy bardziej kierowali uwagę w stronę Teneryfy niż Jeziora Nidzkiego. Ale wczoraj zadzwonili przyjaciele, że wynajmują łódź (trzydzieści dwa metry żagla) i że będzie wspaniale. Cały wieczór próbowałam przekonać Adasia do tego, czego naprawdę chce.

Zaczęłam dyplomatycznie od pytań, które miały go zapewnić o mojej dobrej woli, ale i dojrzałości pewnych przemyśleń.

Czy był już na Mazurach? Był. A na Teneryfie? Nie był. I nie chce być, dodał po chwili – bo na Mazurach... Nie dałam się w to wciągnąć.

Czy ma gwarancję, że będzie pogoda? Bo trzy lata temu w lipcu tak lało, że łodzie się prawie rozpuszczały w wodzie. Nie, takich gwarancji nie ma.

A na Teneryfie mamy taką gwarancję. I dwa miliony turystów, dodał.

A na Mazurach? Pusto? Gromadami latają meszki. Czy pamięta, co to są małe czarne meszki, które zżerają do cna człowieka? Oglądał telewizję w zeszłym roku, jak pokazywali jednego chłopaka, co sobie zasnął w zbożu, meszki go nadjadły i wylądował w szpitalu? Owszem, oglądał, ale związku nie widzi, bo na środku jeziora nie będzie się kładł w zbożu.

Ręce opadają.

A czy wie, że nad wodą są komary? Wielkie tłuste komary, które nie pozwalają odpocząć, i to żaden urlop, kiedy człowiek wszystkie swoje siły wkłada w polowanie wieczorem na jednego bzykacza, który utrudnia życie. Żeby to chociaż nie brzęczało...

Owszem, komary to nieodłączna część urlopu, latająca i bzykająca, i to również jest fantastyczne, zdążył się przyzwyczaić, przecież teraz nie jest na urlopie, a komary u nas są.

Tu przeszłam do sedna sprawy. W ogóle mu nie zależy na mnie. Woli komara niż pogodne wakacje ze mną. Zmęczoną po całym roku ciężkiej pracy. Ze mną, która zasługuje na tanie wakacje, okazyjne, skoro dwa tygodnie na Teneryfie w promocji kosztują tylko osiemset złotych. Nigdy z niczego nie potrafi zrezygnować dla mnie. Nawet z tych cholernych meszek, komarów i kiepskiej pogody. Jednym słowem, jest się gotów poświęcić, żebym tylko ja nie miała żadnej przyjemności z urlopu. Rozumiem to, bo przecież on sobie jedzie do Ameryki, to mu zagranica niepotrzebna. Życie zderza nas czasami z rzeczywistością w sposób przykry. Cały wieczór zmarnowany, dobrze że przynajmniej nocy nie straciliśmy. A rano myślę sobie, że właściwie co mi tam Teneryfa!

A Adaśko mówi:

– Mogłaś od razu powiedzieć, że chcesz tylko na Teneryfę, zamiast mnie przekonywać, że nie lubisz już żeglować. – I wyjmuje foldery biura podróży, a mnie aż serce rośnie. Rzucam mu się na szyję z radości, wyjedziemy w podróż przedślubną!

Siadamy w ogrodzie, dalie, które wsadziłam na wiosnę, są tak piękne, że mogłabym nigdzie nie jechać! Ale mój Boże, człowiek żyje prawie na wsi i w ogóle nie wie, co się na świecie dzieje! Jak tam jest pięknie, jakie niebo lazurowe, a domy białe, a słońce i skały, a knajpeczki, i ja tak strasznie tęsknię do ciepłego morza...

I Adaśko pojechał do tego biura podróży.

Okazało się, że promocja, owszem, była, ale w maju i na trzy dni przed wyjazdem, teraz to nie osiemset, ale tysiąc sześćset i nie dwa tygodnie tylko tydzień, ale możemy to wziąć pod uwagę, bo on dostanie jakąś zaliczkę na tę cholerną Amerykę, no i już.

Byłam taka szczęśliwa, że pobiegłam zadzwonić do Uli, a potem zaczęłam przerzucać dom do góry nogami, bo co prawda Adam zapytał mnie, czy mam paszport, i powiedziałam, że mam, ale skąd ja mogę wiedzieć gdzie?

Paszport ku mojemu zdumieniu znalazł się już wieczorem w szufladzie kredensu, dzięki Tosi, która szukała świadectwa szczepienia Borysa, nie mam pojęcia, dlaczego. I wtedy okazało się, że mój paszport stracił ważność siedemdziesiąt sześć dni temu, o czym wiedzieć nie mogłam, bo nie włóczę się po świecie non stop. Zrobił to złośliwie, bo przecież ani przed wyjazdem na Cypr nie stracił ważności (dzięki Bogu), ani (niestety) przed tym felernym wyjazdem do Berlina. Dlaczego żyjemy w kraju, w którym dokumenty mają terminy ważności, jak serki i jogurty? Które zresztą wyraźnych terminów ważności nie mają, bo jest sprytnie napisane: ,,Termin ważności na wieczku", a wieczko jakieś zamazane, tylko kwiatek na nim wyraźny.

– No i co? – Adam stanął za mną, a ja szybko zamknęłam nieważny paszport. – Jedziemy?

Nie przyznam mu się, że nie mam paszportu. Wyrobię go sobie migiem.

– Jedziemy?

Pomyślałam, że mogę nie zdążyć z paszportem. Trzeba szybko poszukać jakiegoś inteligentnego wyjścia:

– A co z Tosią? – rzuciłam niedbale.

– Jak to, co z Tosią? – zdziwił się Adam. – Jest na górze.

To są właśnie precyzyjne informacje. Ja pytam, co z nią, a on odpowiada, gdzie ona jest. A czy ja nie wiem, gdzie jest moja córka?

– Czy ty nie możesz normalnie odpowiedzieć na pytanie?

– Ale na które?

– Na jakiekolwiek! – krzyknęłam.

– Judyczko, nie chciałabyś mi powiedzieć, o co ci chodzi?

Cóż za godna podziwu płynność zdania pytającego? Cóż za muzykalność, jakie brzmienie głosu, jakie spojrzenie zdziwionych oczu! Judyczko??? Nigdy w życiu tak do mnie nie mówił i proszę! Judyczko! Judyczko brzmi jak indyczko! Nie ma już ciepła, o nie, w nazywaniu mnie słodko i radośnie Jutą, Ciapkiem, histeryczką, a nawet wariatką! Nie! Teraz będę dla niego Judyczką! Po moim trupie! Będę asertywna! Nie pozwolę sobą pomiatać!

– Nie zaczynaj ze mną rozmawiać jak jakiś cholerny terapeuta!

– A co masz przeciwko terapeutom?

– Ja? – zdziwiłam się wyniośle.

– Ty – powiedział spokojnie i patrzył na mnie spode łba.

– Nic – odpowiedziałam i odwróciłam się do drzwi.

– To znaczy wszystko – dodałam już w drzwiach.

– Wszystko, to znaczy co? – Adam dogonił mnie i klepnął w tyłek, czego NIENAWIDZĘ!

– Nie dotykaj mnie! – krzyknęłam ostro.

– W ogóle? – zapytał sprytnie.

A to socjolog jeden i manipulant! Nie będę pozwalać na to, żeby jakiś chłop klepał mnie w tyłek! Nie będzie mnie żaden chłop, nawet ten, którego kocham, traktował przedmiotowo, jak wszyscy mężczyźni na tej ziemi traktują nas, kobiety, bez szacunku itd. Nie!

– W ogóle to nie... – Zastanawiam się przez chwilę nad konsekwencjami niedotykania mnie w ogóle i dodaję wojowniczo: – Właśnie dlatego ten świat tak wygląda, że kobieta nie umie powiedzieć nie, kiedy klepią ją w tyłek, wsadzają na baner i robią jej na piersiach nakrętki do radia, a ona cała ma emanować seksem, żebyś zechciał kupić samochód. I wy wtedy traktujecie nas jak gorszą połowę ludzkości – zakończyłam poważnie.

– Jutka, zlituj się. – Adamowi chyba opadły ręce. – Nie chcę kupować żadnego samochodu. Pomiędzy klepnięciem w tyłek kobiety, którą się kocha, a wieszaniem jej w środku miasta rozebranej jest cały ocean różnicy...

Zlitowałam się. Ostatecznie, jeśli jakiś hipotetyczny mężczyzna mówi, że kocha, to może może kobietę delikatnie poklepać.

– Możesz mnie czasami delikatnie pogłaskać, może i nawet klepnąć, ale nie protekcjonalnie – zgodziłam się łaskawie i zostawiłam go samego.

Na szczęście zapomniał o Teneryfie, a ja jutro pojadę do miasta z samiutkiego rana i dowiem się, kiedy mogę mieć paszport. Może to trwa moment?

– Ale psychologów i tak nie lubię! – dodałam pojednawczo już w przedpokoju.

– A dlaczego?

– A bo... – zająknęłam się. – Taki psycholog to tylko popatrzy, którą nogę na którą masz założoną, i od razu wie, że miałeś niekochającą babcię!

– Słucham? – Adam o mały włos nie pokroił palców nożem, bo zabrał się za przygotowanie kolacji.

– Jaką babcię?!

– Niekochającą – powiedziałam wyniośle i weszłam do pokoju, bo właśnie zaczynał się film, na który czekałam.

*

Nie ma nic trudnego w tym, żeby złożyć podanie o paszport. Po pierwsze zrobiłam zdjęcia, na których jestem podobna do portretu pamięciowego, a potem złożyłam dokumenty. Najpierw mi powiedziano, że nie ma problemu. Potem mi powiedziano, że muszę poczekać półtora miesiąca, trudno, jest pełnia sezonu. Mogła pani pomyśleć wcześniej, powiedziano, nic się przyspieszyć nie da.

Potem sobie przypomniałam, że sąsiadce koleżanki z pracy syn załatwił paszport w parę dni, bo miał kontakty z jakąś panią, która miała kontakty z jakimś panem, który miał kontakty ze swoim szwagrem, którego przyjaciel pracował w jakiejś firmie, która zajmowała się turystyką.

Pojechałam do redakcji, pół dnia spędziłyśmy z koleżanką, dzwoniąc do sąsiadki, która dzwoniła do syna, który odszukał tamtą panią itd., żeby dowiedzieć się, że tamten pan nie ma już szwagra, bo się rozwiódł.

Wracam do domu wściekła. Komu przyszedł do głowy głupi pomysł, żeby jechać za granicę? Niebieskiemu się w głowie przewraca? W lecie, no, prawie w lecie, do ciepłych krajów? Skoro Mazury są takie piękne, dużo piękniejsze niż Teneryfa, czy co tam takiego, gdzie są miliony turystów, ruszyć się nie można, słońce praży cały dzień. Oczywiście, na Mazurach mogą być meszki czy komary. Ale meszki strasznie nie lubią zapachu wanilii. Czy gdybym sobie kupiła jakieś fajne perfumy o śladowym zapachu wanilii, to gryzłyby mnie? Nie. Na pewno nie. I jaka to oszczędność. Właściwie wolę mieć perfumy niż jechać na Teneryfę. Muszę wytłumaczyć jakoś Adaśkowi, że nie ma to jak żeglowanie po jeziorach... Albo mam lepszy pomysł! Pojedziemy nad morze! Polskie morze, a nie jakieś cudzoziemskie! Będzie cudownie i wcale niedrogo, i oszczędzimy dużo pieniędzy, nad morzem o tej porze roku w niektórych miejscach zupełnie nie ma tłoku i można sobie chodzić godzinami po plaży, zbierać kamienie i pluskać się w ślicznych falach, co mają białe grzywy, i trudno, niech przyjedzie Mama albo Tata odpocząć tu do mnie, skoro Tosia chce również od nas odpocząć i marzy, żeby zostać w domu.

Nareszcie sami

Siedzę nad ślicznym polskim morzem, wieje jak diabli, jednak okazało się, że gazety nie kłamią, epoka lodowcowa jest tuż-tuż, kto widział taką temperaturę w sierpniu? Siedzę w kurtce, owinięta kocem, i gapię się na fale, bo co jak co, ale fal mi rząd nie zabierze w żadnym wypadku. Zwlokłam się rano obolała, Niebieski nic nie mówi, ale widzę, że zadowolony nie jest, na Mazurach podobno pięknie, no i pogoda do żeglowania, bo tam też wieje. Przysięgam, że nigdy się nie będę upierać, stawiać na swoim, przekonywać, przyrzekam uroczyście, że jeśli Adam cokolwiek zaproponuje, zgodzę się, tak właśnie zrobię, nawet gdyby ta propozycja była beznadziejnie głupia, tak jak mój pomysł z wyjazdem nad morze. Pochodziłabym boso po piasku, ale piasek jest żywcem wyjęty z lodówki i wilgotny.

Adaśko siada przy mnie, też w kurtce, odwijam kawałek koca i przytulamy się do siebie.

– Przepraszam – zbieram się na odwagę.

– E tam – wzdycha ciężko – właściwie miałaś rację, na Mazurach pewnie gęsto od żaglówek, zwrotu się nie da zrobić spokojnie, a tu jest zupełnie pusto...

Już, już mam na końcu języka jakąś ciętą uwagę, ale Bogiem a prawdą ma rację, chociaż niezupełnie, bo na horyzoncie od strony Kołobrzegu widać jakieś maleństwo na falach. Tak że jednak zupełnie pusto to nie jest. Siedzimy tak i siedzimy, aż czuję, że mi przewiewa na wylot głowę. Tosia oczywiście została w domu, nie chciała jechać, i dobrze, bo możemy nareszcie pobyć tylko we dwoje. Poprosiłam Moją Mamę, żeby przyjechała na te pięć dni, bo przecież dziecko nie może zostać samo. Tosia się wściekała strasznie, że jestem wyrodną matką, że kiedy była malutka, to pojechałam na Cypr i mogła zostać sama, a kiedy jest dorosła, to nie może. To oczywiste, że wtedy się nie bałam, najwyżej mogła nie dojeść, a teraz? Na dziewczynkę osiemnastoletnią czyha wiele pokus, z których najniebezpieczniejszą wydaje mi się Jakub. Czy oni śpią ze sobą? Nawet nie chcę o tym myśleć. W każdy razie Moja Mama dopilnuje, żeby Tosia nie robiła głupstw, mam nadzieję, i powiedziała, że chętnie przyjedzie, bo trzeba rozsadzić juki, a we wrześniu nie będzie miała czasu. Jadą z Moim Ojcem na grzyby. I po co się rozwiedli? Razem to oczywiście nie jadą, tylko w to samo miejsce, bo koledzy Taty jeżdżą tam na polowanie, to znaczy już nie polują, tylko bywają, a jeden z tych kolegów ma żonę, która jest przyjaciółką Mamy i też lubi zbierać grzyby, zresztą podróż jest przyjemniejsza, jak się razem jedzie...

Adam grzebie rękami w wilgotnym piachu, a tuż nad wodą zwinięte w kłębki mewy nawet nie podnoszą główek. Nie chcę wychodzić za mąż w takich okolicznościach przyrody. Chciałabym, żeby świeciło słońce, było ciepło, a gdybyśmy poczekali, aż Adam wróci, zrzuciłabym parę kilo i wyglądałabym bosko. Ale z drugiej strony dobrze byłoby mieć w Ameryce męża, a nie narzeczonego. Chociaż z drugiej strony, jeśli będzie chciał wykręcić jakikolwiek numer, to zrobi to bez względu na to, czy jestem jego żoną, czy nie. I wtedy lepiej nie być żoną. Ale z drugiej strony przynajmniej raz w życiu kobiecie należy się szczęśliwe małżeństwo.

Przytulam się do mojego Niebieskiego, nikt nie patrzy, to i wstydzić się nie muszę. Obejmuje mnie ramieniem i milczymy sobie. Dobrze, że on nie wie, co ja myślę o tym cholernym, beznadziejnym, chorym pomyśle wyjazdu do tej cholernej Ameryki! Nienawidzę państw, które leżą daleko, na innych półkulach! Dlaczego Stany Zjednoczone nie graniczą z nami? Niechby sobie leżały w okolicach Słowacji, bardzo proszę, można skoczyć na dwa dni. Ale nie, oczywiście jak na złość, będą one odkryte daleko, przez idiotę Kolumba, co z żoną nie mógł wytrzymać i sobie pływał w poszukiwaniu atrakcji. I dlaczego nie pływał po Bałtyku i tam ich nie odkrył? Zawsze wszystko przeciwko mnie. Do diabła z takim urlopem, nasze ostatnie tygodnie razem, a my siedzimy jak te dupki nad zamarzającym morzem. Wszystko przeze mnie. Nie chcę, żebyś jechał, nie chcę – powtarzam w myślach. Nie jedź nigdzie!

– Wiesz co? – Adam przerywa moje rozmyślania. – Lepiej chodźmy do domu, zagramy w scrabble, niech ci będzie, a potem pójdziemy do tej knajpy, którą wypatrzyliśmy wczoraj wieczorem... Zjemy coś fajnego, łykniemy drinka i będziemy korzystać z tego, że jesteśmy sami, dobrze? I może w końcu coś ustalimy... Mam nadzieję, że te ustalenia będą dotyczyć seksu. Wczoraj po podróży padliśmy jak norki, nawet nie pamiętam, czy któreś powiedziało: ,,dobranoc kochanie". Ja nie. Więc to niegłupi pomysł. Koca wytrzepać nie można, bo piasek przywarł na dobre. Mewy podnoszą się z trzepotem, zawsze myślałam, że to przyjemne małe ptaszki, z daleka nawet takie są, a z bliska – jednak Hitchcock.

Wróciliśmy do domku pani Ireny i zamiast zająć się czymś pożytecznym, natychmiast zasnęłam. Niebieski obudził mnie o szóstej, bo mu z głodu burczało w brzuchu.

W knajpie pusto, tylko przy stoliku w rogu siedzi jeden pan, przed nim piwo, a nad nim statek, który wbrew prawom natury wisi na jednej groźnej fali, w ogóle niezanurzony, bez ludzi, a w oddali szaleje burza.

Kelnerka przynosi karty, wyciągam rękę, ale ona wcale nam tych kart nie podaje, tylko uśmiecha się.

– Lepiej ja zaproponuję, bo państwo nie wiecie, co tu jest dobre.

– Jednak chcielibyśmy rzucić okiem w kartę – mówi Adam i patrzy na mnie triumfalnie, a kelnerka patrzy na niego z niedowierzaniem, wreszcie kładzie karty na stoliku.

– To już jak pan chce, tylko żeby potem nie było pretensji.

Sięgamy po menu. Zaczynam od drinków, bo czuję, że mi się to słusznie należy. Adam woła za kelnerką:

– Najpierw piwo dla mnie poproszę i gorącą herbatę!

Herbata jest, oczywiście, dla mnie. A niech tam. Czytam kartę alkoholi: Seks na plaży, We Dwoje, Czarne Pożądanie, Margerita, Uciekaj Kacu. Nie mam bladego pojęcia, co to są za alkohole, ale nie chcę marudzić. Przerzucam kartki. Golonka w piwie, omlet węgierski, warzywa duszone pod kołderką z sera – i tu zamazane, pierogi ruskie sztuk sześć...

– Ja sobie zamówię gulasz węgierski – mówi Adam i odkłada kartę.

– Ja golonkę – zbieram się na odwagę.

– Czy można panią prosić?

Kelnerka pojawia się przy nas natychmiast, w pasie ma ze czterdzieści centymetrów, ale cała reszta jest obfita, niech się Lara Croft schowa, zazdroszczę jej natychmiast. Uśmiecha się do nas przyjaźnie.

– Słucham.

– Ja poproszę golonkę.

– Nie ma.

– Jest – wskazuję palcem napis – golonka w piwie.

– Nie ma – mówi pogodnie kelnerka – mówiłam, że ja państwu doradzę, to państwo chcieli sami.

– Gulasz węgierski? – Niebieski podnosi głowę i na końcu stawia wyraźny znak zapytania.

– Oczywiście, ja mogę przyjąć zamówienie, ale wolę, żeby pan był zadowolony – mówi kelnerka i uśmiecha się do MOJEGO Niebieskiego.

Uznaję za stosowne natychmiast się wtrącić.

– Co pani nam może polecić świeżego?

Kelnerka się rozjaśnia.

– Świeże proszę państwa na pewno są koreczki. Tak, po pierwsze, te koreczki są świeże.

– Może risotto? – mówi prawie szeptem Adam, nachylając się do mnie.

– Żadnego risotta, bo tu słyszę takie zamawianie, raczej warzywka gotowane lub może coś w cieście piwnym. To mogę z czystym sumieniem polecić.

Kiwam głową potakująco. Adam odkłada kartę.

– To dwa razy warzywka i dwie wódki.

Kelnerka nachyla się nad stolikiem i patrzy ze zdumieniem na Adasia.

– Ja bardzo przepraszam, ale czy pan ma w swoim żołądku tolerancję na wódkę z piwem?

Adam o mały włos nie krztusi się własnym oddechem. Kelnerka pogodnie kontynuuje:

– Bardzo wątpię, proszę pana, może tak zrobimy: dla pana seks na plaży, dla pani margerita, a my nie oszukujemy na alkoholu, mamy swoją miarkę, bo ostatnio była kontrola. Ale za to na deser, skoro nic dobrego do jedzenia nie ma, zaproponuję państwu lody, takie podpalane, z ogniem przy stoliku, podpalenie kosztuje osiem złotych, więc mogę to samo zrobić bez podpalenia, na zimno. Ale zaproponuję państwu tak: ja podpalę to za darmo, i państwo będziecie zadowoleni, dobrze?

Całkiem nas zatkało, ona bierze karty do ręki, uśmiecha się tak pięknie, że nie mamy sumienia szukać innej knajpy i, nie czekając na naszą odpowiedź, odchodzi, falując swoją osią talią i biodrami. Adam patrzy na nią w zachwycie.

– Zjawiskowa! – szepcze do mnie.

– Dla pana seks na plaży? Czy to była propozycja? – odszeptuję do Adasia, ale nie zdążył mi odpowiedzieć, ponieważ pan spod statku bierze swoją czystą i podchodzi do nas.

– Czy można?

Jesteśmy oboje tak zaskoczeni, że Adam kiwa głową, a mężczyzna, pochylony na stolikiem, mówi, patrząc to na mnie, to na Adama.

– Ja tak na państwa patrzę od dłuższego czasu i tak sobie myślę, podejść, nie podejść, to podszedłem. Bo ja sam tutaj jestem.

– Proszę pana – Adam jednak nie zapomniał języka w gębie – w czym możemy pomóc?

– Właśnie o to chodzi, proszę pana, że w niczym, w niczym...

– To – Adam rozkłada ręce – pan wybaczy, ale chcieliśmy porozmawiać.

Patrzy na mnie wymownie, ale pan aż jaśnieje.

– To cudownie, cudownie, bo wie pan, tu nikt nie ma czasu na rozmowę, a miło w towarzystwie kulturalnych ludzi, za przeproszeniem, parę słów zamienić, jeśli już państwo są tak mili. – Przysuwa sobie krzesło i o zgrozo! siada przy naszym stoliku i kiwa ręką na kelnerkę. – Trzy wódki poproszę!

Patrzę na Niebieskiego, który osłupiał, i ogarnia mnie chichot nie do powstrzymania. Niech sobie radzi, socjolog jeden, asertywnie! Teraz, po zamówieniu tych trzech wódek! Adasia mojego zamurowało jednakże. I to całkowicie. Kelnerka zjawia się natychmiast i na tacce niesie trzy wódki i herbatę z cytryną dla mnie. Uśmiecha się promiennie i odchodzi.

– Dawno państwo przyjechaliście? – pyta miły pan o czerwonych policzkach, wygląda trochę jak troll, jest mały i okrągły, już chcę odpowiedzieć grzecznie, skoro sobie Adaś nie radzi, ale pan nie czeka na odpowiedź.

– Bo ja tu już tydzień siedzę, urlop dostałem z pracy, karny urlop, że teraz muszę jechać i już, to przyjechałem, a żona, to ona znowuż nie dostała... Ale i tak by nie przyjechała, bo my już mieszkamy osobno... To po co byśmy jeździli znowuż na wspólne urlopy... Ale państwo mieli szczęście i jesteście razem...

– No właśnie – wtrąca Adam, który powoli odzyskuje mowę – pan nas zaskoczył, a my mamy parę pilnych spraw do obgadania...

– To bardzo dobrze, bardzo dobrze, dobrze trafiłem, no to na lepsze myślenie! – Pan chwyta szklaneczkę, która pamięta jeszcze głęboki socjalizm i wypija swoją wódkę.

Patrzę bezczelnie na Adama i podnoszę swoją do ust. Brrr...

– Niech się pani tak nie otrząsa. – Miły pan patrzy mi głęboko w oczy. – Wódkę to trzeba umieć pić, o tak! – Bierze swoją wódkę, wciąga powietrze, wypuszcza i wypija do dna. – Na wdechu...

– Ale pan właśnie wypił na wydechu – mówię.

– A może i na wydechu. Nie pamiętam już, tłumaczyć dobrze nie potrafię, bo ja to mam opanowane, no i cieszę się, że mogę z państwem pogadać...

Adam daje mi rozpaczliwe znaki oczami, ale co ja mogę zrobić? Nic, nic, romantyczna kolacja we troje, nad morzem, to jest to, czego mi brakowało do szczęścia. Wódka uderza mi do głowy, robi się przyjemnie, a i ta knajpeczka jakaś niczego sobie. Adam desperacko sięga po wódkę i wypija jednym haustem, krztusi się, a mnie się robi coraz weselej.

– Pan też nie umie – mały okrągły człowieczek patrzy na Adama z lekkim wyrzutem – a to przecież kwestia wprawy... Jak byłem w Szwecji, bo ja pracy nie mogłem znaleźć tutaj w Polsce, bo ja proszę państwa – nachyla się nad nami konfidencjonalnie i nagle zaczyna chichotać – bo ja się do niczego nie nadaję! Jak pisałem kiedyś w gazecie, takie kawałki w gazecie lokalnej, to ta gazeta padła, bo ja tam pisałem. Więc pojechałem do Szwecji owoce leśne zbierać. Ale tam z wódką kłopot i tych owoców też nie za dużo zbierałem, i taką miałem chęć na ziemniaka! A ziemniaki drogie i daleko, bo my w środku lasu, proszę państwa, byliśmy zakwaterowani. I idę kiedyś lasem, patrzę – ziemniak! Kopnąłem go... – pan zauważa wzrok Adama i szybko się poprawia – ale nie ze złości go kopnąłem, tylko z poszanowaniem go kopnąłem, i patrzę, on toczy się, a tu pryzma ziemniaków leży! Jakiś Szwed wyrzucił! To ja te ziemniaki tam, na kamp, przyniosłem i sklepik warzywny otworzyłem, i zarobiłem więcej niż na tych owocach! Ech, to były czasy – rozmarza się. – Teraz to już człowiek tyle za granicą nie zarobi... jak kiedyś... Za siedem dolarów, proszę pani można było miesiąc przeżyć...

Pan Okrąglutki coraz bardziej mi się podoba. Bo, niestety, pamiętam te czasy, a on myśli, że nie, i właściwie to mi się najbardziej w nim podoba, zwłaszcza że wódeczka bardzo udatnie rozgrzała mi środek, i tak patrzę na tę knajpę przyjemną, ze ślicznym obrazem na ścianie, i już wcale nie jest ani zimno, ani nieprzyjemnie. Wrócimy sobie do domu, położymy się z Niebieskim do łózia, nikt nam nie będzie przeszkadzał, możemy nawet cały jutrzejszy dzień nie wstawać.

– Z tym że – Pan Okrąglutki ociera usta – z żoną to wtedy pierwszy raz się rozstałem. Wyjazdy nie służą rodzinie, co?

A niech go diabli! Skóra mi cierpnie na samą myśl o wyjeździe Adasia, ale nic to, zacisnę zęby, nic to.

– Ja właśnie lecę do Stanów – mówi Adaśko, który też chlapnął całą wódeczkę i już nie jest taki spięty.

– O, Ameryka! – ucieszył się Pan Okrąglutki – to jest dopiero kraj! Byłem, byłem, jak potem po tej Szwecji pracy nie mogłem znaleźć. Szwagier mnie zaprosił, to pojechałem, bo wizę niechcący dali. W Ameryce, proszę pana, to ja wiertarkę zobaczyłem po raz pierwszy, bo ja dwie lewe ręce mam. Ale jak się chwyciłem, to kolega mówi, nie rusz, bo spaprzesz nam robotę, to nie ruszałem, tylko opowiadałem im różne rzeczy, i oni zadowoleni nawet byli, że nic nie robię. Bo i roboty wtedy nie psułem, nieprawdaż? Trzy wódeczki proszę! Ale jak wróciłem, to domu nie miałem... Kobitki za granicą też samotne jak najbardziej... No i oczy pogubić można, a człowiek po pracy samotny był... Wróciłem, to pieniądze miałem, ale żony nie miałem...

Chcę już iść. Nie byłam żoną Pana Okrąglutkiego, więc nie muszę się niepokoić. Nie jestem żoną Adasia, więc nie muszę się niepokoić tym bardziej. Ale lepiej, żeby Adaśko nie słuchał takich bzdur.

Lodów nie zjedliśmy, mimo że pani nam chciała podpalić za darmo, z Panem Okrąglutkim rozstaliśmy się dobrze po północy. Wiatr ustał, więc postanowiliśmy iść do domu plażą, księżyc wychylił się zza chmur i zrobiło się tak, jak być powinno od początku świata. Morze szeleściło, czarnosrebrne, Adam obejmował mnie i był cieplutki, i ostatni raz tak mi było ze dwadzieścia lat temu, z zupełnie innym panem. Ale wcale nie miałam zamiaru temu wspomnieniu poświęcać cennego czasu. Troszkę byliśmy pijani i najpierw wleźliśmy do morza, które, o dziwo, okazało się całkiem ciepłe, to znaczy Adaśko najpierw nie chciał wejść, ale jak go troszkę popchnęłam, to owszem, do kolan się zamoczył, a potem, socjolog jeden, złapał mnie i pociągnął do wody i zamoczyłam sobie całe nogi prawie po uda! A potem całowaliśmy się na piasku i wspaniale było pomyśleć, że zaraz możemy się przenieść do łóżka, w którym nie ma żadnego psa, żadnego kota, żadnego dziecka, żadnej Mamy ani Taty i żadnego telefonu. Bardzo nas bawiło wymienianie tych wszystkich rzeczy, do domu dotarliśmy o pierwszej. Nasza gospodyni dała nam klucz do drzwi wejściowych, ale o dziwo, kiedy tylko Adam zaczął nieudolnie wsadzać go do dziurki, drzwi się otworzyły.

– No nareszcie! – powiedziała z pretensją pani Irena i ze zdziwieniem spojrzała na mokre ślady w przedpokoju.

Drzwi do naszego pokoju rozwarły się z cichym trzaskiem i stanął w nich nie kto inny, nie jakiś przypadkowy przechodzień, nie pomyłka meldunkowa, nie złodziej – tylko ukochany synek mojego Niebieskiego, metr dziewięćdziesiąt trzy wzrostu, Szymon, a zza jego pleców wyjrzała ciemna główka mojej jedynej pociechy, jedynego ukochanego dziecka, nazwanego Tosią, prawie osiemnaście lat temu.

– Co wy robicie tak późno? – powiedziała Tosia.
– Nie mogłam wytrzymać z babcią, więc dojechałam do was, tak jak chcieliście. I Szymon też! Cieszycie się?

– Cześć tato – powiedział Szymon. – Nie mogliśmy się do was dodzwonić i...

Adam niepewnie spojrzał na mnie.

Ucałowałam jedno i drugie i potknęłam się o rozłożoną na podłodze karimatę. W głębi pod oknem wstawione było łóżko polowe. Spojrzałam na Adama. Wzruszył ramionami, zrobił marsową minę, a potem zaczął się tak śmiać, że i mnie ogarnęła głupawka. Oparłam się o drzwi i dopadł mnie niekontrolowany atak śmiechu. Co spojrzałam na Adama, który zwinięty na krześle ryczał jak zarzynany prosiak, to łapała mnie czkawka.

Szymon spojrzał na Tosię, a Tosia popatrzyła na Szymona.

– Chyba się cieszą – powiedziała niepewnie.

Następne pięć dni spędziliśmy bardzo rodzinnie. I było bardzo, ale to bardzo miło, tylko czasem, jak dzieci nie widziały, obiecywaliśmy sobie, że jak wrócimy do domu, i nareszcie będziemy sami, to...

Kto i po co?

Uzgodniliśmy, że weźmiemy ślub, jak Adam wróci. Pół roku to nie wieczność, a czekanie to sama przyjemność. Stęsknimy się za sobą, będziemy pisać długie listy i dzwonić, i e-mailować, ja schudnę i odmłodnieję, Tosia będzie się spokojnie uczyć. Ciekawe swoją drogą, dlaczego wybrała historię, skoro ma z niej tróję i była zdziwiona, kiedy Szymon ją zapytał, czy może wymienić wszystkie dynastie polskie.

– My przecież nie mamy żadnych dynastii – powiedziała, a ja prawie zemdlałam. – Myśmy mieli tylko królów!

Wszystko to działo się w niedzielę na rodzinnym obiedzie, na który przyjechał nawet Szymon.

Moja Mama ścierpła na samą myśl, co to będzie z Tosią w maju, i obiecała, że się za nią weźmie, przecież to dziecko nic nie kojarzy i jak ja sobie poradzę bez mężczyzny. Mój Ojciec wyraził nadzieję, że Adam będzie ostrożny w samolotach oraz już w Ameryce, po czym na stronie powiedział mi, że hmm, mężczyźni są różni i gdyby był na moim miejscu, to pochopnie by nic nie obiecywał i jak ja sobie dam radę.

Wszystkie te światłe uwagi padły przy stole, w ogrodzie, bo dzień był jeszcze ciepły. Mój Ojciec karmił Borysa pod stołem i udawał, że to nie on, Tosia bez przerwy mówiła, że nie wolno karmić psa przy jedzeniu, Mój Ojciec podkreślał, że kiedy go zabraknie, to pożałujemy, że pies nie był karmiony nawet pod stołem, a poza tym on go wcale nie karmi, i Borys tak ładnie prosi, Moja Mama mówiła, że w tym domu powinny być jakieś zasady, które okażą się niezłomne, ja powiedziałam swojej Mamie, że zasady są, tylko nikt ich nie przestrzega, ale nie chcę o tym dyskutować przy jedzeniu, Mój Ojciec się obraził na Moją Mamę, Moja Mama wyjaśniła, że chodzi o to, żeby dzieci nie zwracały uwagi dorosłym, Tosia mówiła, że nie wychowuje się dorosłych dzieci, czyli mnie, ja krzyknęłam na Tosię, żeby nie zwracała uwagi babci, Mój Ojciec powiedział, że ma wrzody i nie może się denerwować przy jedzeniu, Tosia powiedziała, że dlaczego, jeśli ma wrzody, je schabowe z serem żółtym zapiekanym, skoro to nie jest dietetyczne jedzenie, Szymon powiedział, że byłoby lepiej dla Tosi mniej orientować się w dietach, a bardziej w przyczynach zrywów narodowych, Tosia powiedziała, żeby jej nie psuć humoru maturą, bo ona ma jeszcze rok, a my już uprawiamy zbiorową histerię, Mój Ojciec powiedział, że gdyby był na jej miejscu, toby uczył się od pierwszej klasy, a nie tuż-tuż przed egzaminem, i niczego nie trzeba zostawiać na ostatnią chwilę, Moja Mama powiedziała, żeby nie atakował bezbronnego zestresowanego dziecka, a Szymon powiedział, że Tosia nie jest dzieckiem, Adam nic nie mówił, tylko chłonął życie rodzinne. Po dwóch godzinach byłam absolutnie wykończona. Wieczorem odprowadziliśmy ich na kolejkę, Mój Ojciec się upierał, żeby wziąć Borysa, żeby sobie trochę pobiegał, Moja Mama mówiła, żeby nie brać Borysa, bo są inne psy, i co to będzie, Tosia zamknęła się z Szymonem w swoim pokoju i powiedziała, że nie będzie nikogo odprowadzać, bo ją wykończyliśmy, a Adam nic nie mówił, tylko chłonął życie rodzinne.

Jeszcze na stopniach kolejki Moja Mama się wychyliła i powiedziała:

– Nie siedź w ogrodzie bez swetra, bo wieczory są już zimne, od świętej Hanki zimne wieczory i ranki, a już koniec sierpnia! Musisz zadbać o siebie!

A Ojciec znad jej ramienia krzyknął:

– I powiedz Tosi, żeby się nie denerwowała, tylko wzięła do roboty! I posłuchaj matki, zadbaj trochę o siebie, bo już nie jesteś pierwszej młodości!

Kiedy Moja Mama i Mój Ojciec zniknęli w drzwiach wagonu, a kolejka z cichutkim chrzęstem oddalała się od nas, rzucając coraz mniejsze czerwone błyski na tory, a Borys zniknął w krzakach, odetchnęłam z ulgą i powiedziałam do Adaśka usprawiedliwiająco:

– Przepraszam, no, są męczący, ale robią to z miłości przecież...

A Adam popatrzył na mnie, potem na tory i powiedział:

– Przepraszam? Puknij się w głowę, kobieto! Nawet nie wiesz, jak ci zazdroszczę, że masz jeszcze rodzinę. Dużo bym dał za to, żeby mnie moi postrofowali... – I skierował się ku krzewom, w których zniknął Borys.

Stałam i patrzyłam za nim, a potem ruszyłam wolno w stronę domu. Adam nie ma już ani matki, ani ojca. Nie będę miała żadnych teściów, żadnych uwag od teściów, żadnej teściowej, która mnie nie będzie lubić i mówić, że ręczniki i obrusy oraz pościel trzyma się na najwyższej półce, a koce na najniższej, żadnego wchodzenia w nową rodzinę. Jedyną jego rodziną jest Szymon, i na dodatek mój Niebieski jest jedynakiem. Prawdę powiedziawszy, myślałam o tym z ulgą, a teraz zrobiło mi się przykro. I prawdę powiedziawszy nie dość, że przykro, że jemu było przykro, to – wstyd – że mnie nie było tak przykro, jakby należało.

Dlaczego zamiast cieszyć się, że Mój Ojciec i Moja Mama przyjeżdżają do mnie i próbują mnie wychowywać, oddycham z ulgą, kiedy wyjeżdżają? Dlaczego opędzam się od pouczania i uwag, zamiast dziękować Bogu, że jeszcze ma kto te wszystkie uwagi wygłaszać? Dlaczego nie potrafię ich traktować z największą miłością i szacunkiem? I cieszyć się, że są i że mogę czasami być jeszcze dzieckiem? Czy ktoś mi rozum odebrał, czy co?

Przecież cała moja dorosłość nie jest w tych cholernych trzydziestu ośmiu z hakiem latach, tylko w sposobie przyjmowania tego wszystkiego, co oni mówią i robią. Jeśli uważam się za dziecko, to staję w jednym rządku z Tosią, ale jeśli jestem dorosła...

Cofam się spod furtki i wracam na stacyjkę, przechodzę przez tory, Adam idzie z Borysem przez łąkę, w stronę lasu. Życie naprawdę wcale nie jest proste. Albo właściwie wszystko jest takie proste, że aż boli. Adam mnie nie widzi, nie będę go wołać, skręcam w brzozowy las, samotny spacer mnie też dobrze zrobi. Chociaż właściwie powinnam wrócić po sweter, bo po zachodzie słońca już naprawdę robi się zimno... Od świętej Hanki...

Od „Aksamitu czyszczenie"
do „Zdrady"

W poniedziałek pojechałam do redakcji. Już w windzie natknęłam się na Naczelnego. Złapał mnie za łokieć.

– O, pani Judyta! – Ucieszył się, jakby mnie widział pierwszy raz od dwustu lat – Chorowała pani?

To właśnie lubię w mężczyznach, że przychodzisz do pracy po urlopie, wypoczęta, opalona (to znaczy ja nie, bo padało), gotowa do podjęcia wspaniałych nowych zadań, a oni zauważają, że wyglądasz jak po długiej chorobie.

– Wróciłam z urlopu – powiedziałam i uśmiechnęłam się promiennie.

– Takiego długiego? – zdziwił się Naczelny.

To jest następna rzecz za którą przepadam. Bierzesz, człowieku, pięć dni urlopu i to jest długi urlop, widzisz dziesięciocentymetrowy kawałek czegokolwiek i to ma dwadzieścia pięć centymetrów, spotykasz kogoś w dwudziestolecie matury i słyszysz – sto lat cię nie widziałem!

– Takiego krótkiego – sprostowałam pogodnie.

– To znakomicie, znakomicie, wie pani, jaka jest różnica między mężczyzną a szympansem? Wiedziałam, że szympansy są inteligentne, ale nie wiedziałam, że Naczelny wie. Wiedziałam również, że jest to tylko pretekst do opowiedzenia mi, jakimi idiotkami są kobiety. Ale nie zapominałam, że Naczelny jest moim szefem i pomimo tego mobbingu milczałam pokornie. Kiedyś, w przyszłości, kiedy będę mężczyzną, a on moim podwładnym, za wszystko mu odpłacę.

– Jeden chrapie, drapie, czochra się po wszystkim, a drugi jest małpą! – uśmiechnął się triumfalnie Naczelny. – Proszę do mnie wpaść po kolegium! – I wyszedł z windy, a ja z wrażenia pojechałam na szesnaste piętro do ubezpieczeń samochodowych.

Kiedy wreszcie trafiłam do naszego pokoju, powitały mnie chłodne spojrzenia dziewczyn.

– Wcale nie widać, że byłaś na urlopie – ucieszyła się na mój widok Kama, która jest kierowniczką działu listów, i ucałowała mnie w policzek. – Naczelny chce się z tobą widzieć! – Rzuciła znaczące spojrzenie na Ewę.

– Cześć Judyta. – Ewa usiadła za swoim biurkiem i sięgnęła po pakiet listów. – Uzbierało się trochę... – I odwróciła wzrok.

Nigdy jeszcze tak się nie zachowywały. Choć rozumiem, że mają powody. Wiadomo, że porzucona kobieta najpierw budzi współczucie, choć prawie natychmiast pojawia się (i wiem o tym!) wniosek, że coś w niej było nie tak, skoro ją rzucił. Jeszcze gorzej, kiedy taka porzucona niegdyś kobieta zaczyna normalnie żyć, a już rzeczą nie do wybaczenia jest, jeśli żyje i jest szczęśliwa. No i Adam jest mój, a nie ich. A znowu w redakcji tak wielu facetów nie ma. Naczelny na razie żonaty, a ja wychodzę za mąż. To wystarczający powód, żeby mnie znienawidzić.

Siadam nad listami i nie wiem, kiedy mijają trzy godziny. Kama i Ewa rzucają na mnie ukradkowe spojrzenia, i jeszcze, idiotki, myślą, że tego nie widzę. Punktualnie o wpół do pierwszej do pokoju wsuwa głowę Naczelny.

– Już – mówi i wychodzi.

Aha, mam się poderwać i gnać za nim. Niedoczekanie!

Może pan mówić ,,już" do psa, a nie do podwładnej, chamie jeden! Może pana żona to znosi, ale ja szczęśliwie pana żoną nie jestem, chamie jeden! – warczę i widzę triumfalne spojrzenia Kamy i Ewy. Ale im pokazałam!

Otwieram oczy i podnoszę się szybko, i udaję, że nic a nic mnie to nie ruszyło, i ruszam za nim. Kama i Ewa odprowadzają mnie wzrokiem spanieli.

– Kawy, herbaty, palto? – Naczelny szerokim gestem pokazuje, żebym usiadła.

Siadam.

– Pani Judyto, mam co do pani pewne plany... – zawiesza głos. – Tak patrzę i patrzę na to, co się dzieje na świecie, my tu gazety nie zrobimy... takiej prawdziwej... no, ale zrobimy inną...

Matko Przenajświętsza! Nieprawdziwą? A jaką? Pornograficzną?

– Ciężko jest teraz na rynku wydawniczym... – Naczelny opiera się o fotel i lekko zaczyna się huśtać... – Target nam się rozłazi, bez giftów nakład spada... Reklamodawcy uciekają, ludzie nie mają pieniędzy... Musimy wprowadzić jakieś obostrzenia... no i tak pomyślałem o pani... Bo te listy...

Wiedziałam. Na pierwszy ogień pójdą ci na zleceniach, czyli ja. Bezrobotna Judyta. Bez zasiłku. Z dzieckiem przed maturą, psem Borysem, kotami oraz narzeczonym w Ameryce. Komu potrzebne odpowiedzi na listy? Nikomu. Kogo obchodzi, że w Pliskach Dolnych mąż bije żonę i ona nie wie, co ma robić? Nikt nie zainteresuje się tym, że rodzice dziecka, które trafiło do sekty, nie mają żadnej pomocy i nie wiedzą, gdzie się zwrócić. Tylko biedne rybiki ocaleją. Już nie odpowiem listem z wykazem trucizn. Rozplenią się i rybiki, i szczury, i karaluchy. A na to wszystko przyjdą mrówki faraona. I mszyce. I cóż z tego? No cóż, skoro opowiedział pierwszy raz w życiu dowcip o mężczyznach, mogłam zacząć podejrzewać już w windzie, że przygotowuje eleganckie wymówienie.

– Pomyślałem o pani, pani Judyto, bo może byśmy przestali ludziom w głowach mieszać? Traktować ich jak idiotów? Skoro nakład nam maleje, to może parę dobrych reportaży? Jakieś prawdziwe historie mówiące o dramatycznym losie naszego społeczeństwa? Pani się kontaktuje z ludźmi... oni piszą o swoich problemach... Ale to nie wystarczy... Może utworzyć taką komórkę interwencyjną? Zrobimy coś dobrego, potem to opiszemy... Ludziom da się trochę nadziei, bo przecież w tych czasach to każdemu nielekko... Co pani o tym myśli?

Co ja o tym myślę? Przyklasnąć Naczelnemu, dać się wyrzucić, zdychać z głodu, przepisywać znowu prace dyplomowe na komputerze, stracić niezłą pracę na rzecz jakichś mrzonek o lepszych gazetach? Mądre czasopismo? Nie takie, co pisze, jak zrobić mu przyjemność na sto dziewięćdziesiąt siedem sposobów i jak szukać wytrwale przez parę miesięcy w każdym numerze pisma punktu G lub jakiej innej literki? Po prostu dać się zredukować? I jeszcze te jego manipulacje, żebym sobie sama pętlę na szyję założyła... Że przecież Judyta też jest za zlikwidowaniem swojej posady... Bardzo piękne metody, jak za dawnych czasów. O nie, niech sam mnie wyrzuca! Nie ułatwię mu niczego.

Ale gdyby to nie był mój Naczelny, gdyby nie chodziło o mnie, tylko o pomysł zrobienia czegoś dobrego, to przecież przyklasnęłabym z radością! Może ludzie dlatego przestają kupować czasopisma, że tam jest tylko sieczka? Że następnego dnia nie pamięta się o tym, co wczoraj napisano? Że to tylko marność nad marnościami?

– Uważam, że to świetny pomysł – mówię otwarcie i jestem z siebie dumna, choć wizja samotnego serka w lodówce nieco tę dumę osłabia. – Trochę szkoda tych listów, bo ludzie naprawdę nie wiedzą, gdzie szukać pomocy... ale skoro coś za coś...

– Ależ ja nie zamierzam zlikwidować listów! Jest baza danych! Przekaże ją pani pani Kamie i dział listów dalej będzie działał, tylko w ograniczonym zakresie! Przygotujemy takie wydruki z radami i to będziemy wysyłać! – radośnie mówi Naczelny.

Przekażę swoją bazę Kamie... Od A do Z. Od aksamitu czyszczenie, sztruksu i butów zamszowych, owsiki, konfitur robienie, do zdrady. Zdrajca Naczelny. Taki sam, jak wszyscy inni faceci. Oprócz Niebieskiego oczywiście.

Podnoszę się i nie patrzę na niego.

– Bardzo się cieszę, bardzo – mówi Naczelny i uśmiecha się szeroko, wyciąga do mnie rękę, podaję mu swoją, nie będę odgrywała obrażonej dziewczynki, trudno, dobrze, że nie pracowałam w kopalni i że właśnie tej kopalni nie zamknięto. I tak mam więcej szczęścia niż statystyczny górnik. Uważam tylko za głęboko niestosowne zachowanie Naczelnego. Ale czego się spodziewać po mężczyźnie? – To proszę się zgłosić do księgowości... Tam już czekają...

Wychodzę, sekretarka patrzy na mnie przyjaźnie.

– Przydałby się pani urlop, pani Judyto – słyszę.

Odpocznę sobie, oczywiście, będę miała dużo wolnego czasu, jędza, przecież wie zawsze pierwsza, co się dzieje w firmie, a udaje dobrą znajomą. Trudno, *c'est la vie*! Nie zamierzam wyjaśniać, że właśnie wróciłam z urlopu.

– Nie cieszy się pani?

Patrzę na nią i powoli ogarnia mnie fala furii. Nie od razu dociera do mnie sens pytania, ale pani Jaga ma doskonale przyklejony uśmiech na twarzy. Wredna suka!

– Cieszyć się? – Nachylam się nad jej biurkiem i już wiem, że nie wytrzymam. – Jak mam się cieszyć, skoro tyle mojej pracy pójdzie na marne! Nie odpowiada się chłodnym wydrukiem z komputera, takim samym do wszystkich! Jeśli ktoś nie ma choćby dwóch komórek w mózgu, które by mu podpowiedziały, że człowieka, nawet anonimowego, nie traktuje się w ten sposób, to nic nie poradzę! Jak komuś nie działają synapsy i nie kojarzy, że każdy człowiek musi być traktowany poważnie i indywidualnie... A on mnie odsyła do księgowości!

– Szkoda, że nie ma pani odwagi, żeby mi to powiedzieć wprost, pani Judyto.

Naczelny stoi za mną i teraz rozumiem, dlaczego Jaga poczerwieniała po moich pierwszych słowach. Nie na mój widok, niestety, poczerwieniała, jak myślałam. Odwracam się jak na filmie sprzed stu lat, powoli, absolutnie powoli, wolałabym się zapaść pod ziemię, ale nie ma gdzie i nie ma jak.

– Ja naprawdę lubiłam swoją pracę i uważam, że wielu ludziom pomogłam. – W życiu nie powiedziałam czegoś tak odważnego. Podnoszę wzrok, Naczelny błądzi swoim w okolicach okna. – A za dwie komórki i połączenia przepraszam – dodaję i nagle diabeł chyba mnie podkusza – ale nie jest dobrze, kiedy się podsłuchuje rozmowy pracowników. – Naczelny patrzy na mnie uważnie i wiem, że strzeliłam największą gafę w życiu, więc próbuję natychmiast ją naprawić słowotokiem: – To znaczy umówmy się, każdy mówi to, co myśli, to znaczy czasami... i pan sam na pewno o dyrektorze wydawniczym... na pewno panu również zdarzyło się powiedzieć, że to idiota, wtedy, kiedy nikt nie słyszał i...

Jaga drętwieje za swoim biurkiem, w oczach Naczelnego pojawia się wyraz zaciekawienia, a ja czuję, jak zapadam się na pewno już po łydki w podłogę pokrytą wykładziną.

– Po pierwsze – mówi Naczelny i jego wzrok jest wbity we mnie jak skapel – po pierwsze nie wiedziałem, że pani tak bardzo zależy na tych odpowiedziach. Brałem pod uwagę zmianę w sposobie porozumiewania się z czytelnikami, ale chciałem, żeby pani skupiła się na nowym dziale. Po drugie, jeśli podoła pani obowiązkom, to bardzo proszę, tylko ani słowa skargi. Po trzecie, dyrektor wydawniczy nie jest idiotą, o czym wszyscy wiemy, po czwarte, jeśli pani chciała ze mną ustalać wynagrodzenie, to należało to powiedzieć, a nie skarżyć się pani Jadze, po piąte, owszem, zdarzyło mi się pomyśleć, że moje synapsy nie działają, na przykład w tej chwili, bo w ogóle nie wiem, dlaczego jeszcze z panią rozmawiam. Ale nie zapłacę pani jak za dwa etaty! Może dostać pani trochę więcej, ale na pewno nie za dwa!

Muszę wyglądać jak idiotka, bo w oczach Naczelnego pojawia się takie samo rozbawienie, jakie gości czasami w oczach mojego ukochanego socjologa. Stoję jak wryta i nic nie rozumiem, zupełnie nic nie rozumiem. Wyrzuca mnie, dając mi etat? Zwalnia mnie czy nie? Muszę to natychmiast wyjaśnić.

– To zwalnia mnie pan? – pytam i robi mi się gorąco.

– Pani Jago – Naczelny zwraca się do sekretarki – niech pani wytłumaczy pani Judycie resztę, bo ja nie mam siły. Ja jestem żonaty, ja to mam w domu, dlaczego ja pracuję w babskiej redakcji? Dlaczego ja nie jestem naczelnym „Playboya"? Dlaczego ja się na to zgodziłem? Dlaczego ja nie robię tego, co lubię? A najbardziej lubię łowić ryby... w samotności, na Śniardwach... – rozmarza się Naczelny. – Niech pani powie pani Judycie, że jutro o dziesiątej u mnie narada z dyrektorem wydawniczym, tym idiotą. Trzeba go będzie przekonać do stworzenia nowego działu. Żegnam panie.

Zostajemy same. Opadam na fotel pod drzwiami, Jaga zaczyna nerwowo chichotać.

– O co chodzi? – pytam przyjaźnie i robi mi się ciepło i sennie.

– O panią! Będzie nowy dział interwencji, jeszcze nie wiadomo, jak się będzie nazywał, a pani będzie jego podporą za dużo większe pieniądze! To po co pani listy?

Wracam na miękkich nogach do pokoju. Kama i Ewa podskakują do mnie.

– Niedobrze mi – mówię i czuję, że zaraz puszczę pawia. – Wody...

– Zwolnił cię...

Patrzę na nie nieprzytomnym wzrokiem, wypijam duszkiem wodę niegazowaną i zaczynam się histerycznie śmiać.

– To reakcja nerwicowa na zwolnienie, nie martw się, w „Pani i Panu" szukają redaktorów, polecę cię – mówi Kama, a ja nie mogę się przestać śmiać.

– Judyta! – Ewa z troską pochyla się nade mną. – Co on ci zrobił? Co ci zrobił ten sukinsyn?

– Awansował mnie! – wykrztuszam z siebie i wiem, że życie jest piękne.

*

W drodze powrotnej do domu kupiłam szampana, i to nie tego najtańszego za dziewięć złotych, tylko za dwadzieścia cztery. Tosi kupiłam rajstopy w siatkę, przez które na pewno będzie miała zapalenie jajników, ale za to są modne, albo mi się wydaje, że są modne, a ja bym w życiu czegoś takiego nie włożyła, więc powinna się cieszyć. Niebieskiemu kupię pióro prawdziwe wieczne, o którym marzy, i może będzie przesyłał mi własnoręcznie pisane listy. Którymi się będę mogła rozkoszować do końca życia. Albo w kryzysach małżeńskich. Tak postanowiłam. A sobie kupię aparat do masażu podwodnego, na który mnie Ula namawia od nowego roku. Dostała taki od męża. Nie wiem, dlaczego ja mam kupować, skoro ona dostała, ale trudno, żeby jej mąż mi kupował aparat do masażu.

Niebieski widział to domowe jacuzzi Uli, ale jakoś nie pobiegł do sklepu, żeby zainwestować w naszą wannę. I może słusznie, bo teraz ja, jako kobieta zamożna, bardzo dobrze zarabiająca, z perspektywami, mogę właśnie sobie zrobić luksusową przyjemność. Podpisałam nową umowę i w życiu nie śniłam nawet, żeby tyle zarabiać, razem z listami, które będę ciągnąć!

Kiedy przyjechałam do domu, Tosia z Adamem siedzieli przed telewizorem i oglądali mecz.

Stanęłam w drzwiach, ale nikt mnie nie zauważył, jedynie Borys, łaskawca, podniósł się i pomachał ogonem.

– Dzień dobry – zawołam radośnie.

– Będzie karny! – odpowiedział mi Adaśko.

– Dwa zero prowadzimy! – krzyknęło moje maleństwo, nie odrywając wzroku od ekranu, na którym dwudziestu czterech facetów biega wte i wewte bez żadnego pomysłu i nawet czasu im nikt nie mierzy.

– Mam dla was niespodziankę! – Nie dałam za wygraną, powiedziałam to zdanie równie radośnie, nie chcąc znowu pakować się we własne ograniczenia.

– Wal, wal, wal!!! – krzyknął Adam do mężczyzny o krótkich nogach, który podbiegł do piłki.

– Awansowałam!

– Cu-do-wnie! Jest!!! Psiakrew, jest! – krzyknęli oboje, wciąż przypięci do ekranu.

– I będę teraz bardzo dobrze zarabiać – dodałam.

– Dwa dwa! Mamy szansę na wejście do finału! Rozumiesz to! – Adam zerwał się i wykręcił mną kółeczko. – Remis!!! Piękny strzał! Piękny!

– Powtarzają! – krzyknęła Tosia, Adam mnie puścił i prawie wszedł w telewizor.

– Tylko to wam chciałam powiedzieć... – powiedziałam.

– Popatrz, tuż pod poprzeczką, nie do obrony – entuzjazmował się Adam. – Wiedziałem, że jeśli tylko on będzie strzelał, to wyrównamy... Jutka, siadaj!

Poszłam do kuchni, szampana wsadziłam do lodówki. Potem wyjęłam piwo, otworzyłam i poszłam oglądać, jak to dorośli mężczyźni uganiają się za kawałkiem skóry, dają się kopać po nogach, a czasami i gdzie indziej, tylko dlatego, żeby ich koledzy mogli w tym samym czasie wbić ten kawał skóry w brudną siatkę, do której dostępu broni umazany w błocie mężczyzna, który nie biega po boisku, tylko czeka, aż mu rozkwaszą twarz piłką.

Dlaczego mój facet nie może biegać po boisku, zamiast wyjeżdżać do Stanów?

Narządko szczęścia

Odebrałam dzisiaj aparat do masażu w wannie. Adam jest zaganiany przed wyjazdem, nie miał czasu ze mną pojechać, tachałyśmy to urządzonko razem z Tosią najpierw ze sklepu do kolejki, potem od kolejki do domu.

„To niewielkie urządzonko może całkowicie zmienić państwa życie, dając niezapomniane chwile relaksu" – głos sprzedawcy brzmiał tak, jakby ten przez ostatnie trzy tygodnie nic innego nie robił, tylko się niezapomnianie relaksował. „Niewielkie urządzonko" ważyło ze dwadzieścia kilogramów, nie byłyśmy zrelaksowane. Serce waliło mi jak młotem, ręce drętwiały, a kolana odmawiały posłuszeństwa.

– Nie wyobrażasz sobie, jakie to cudowne, lejesz wodę do wanny, wchodzisz, kładziesz się, a bicze cię delikatnie biczują i czujesz się jak nowo narodzona – brzmiały mi w uszach słowa Uli.

– Poradzisz sobie, prawda? – Tosia zostawiła mnie przed furtką i pobiegła do Isi, bo nie było jej tam od wczoraj.

Wielkie mi coś – złożyć prosty aparat do masażu w wannie. Pestka.

Szybko zdjęłam kurtkę i postanowiłam w te pędy się zrelaksować. Po moich ostatnich doświadczeniach z maszynką do mięsa, która, gdy ją złożyłam do kupy, pozbawiła na jakiś czas prądu cały dom, za radą Niebieściutkiego czytałam wszystkie instrukcje dołączone do sprzętów, z którymi miałam do czynienia.

Gdy jednak wygrzebałam spod stosu różnych przyrządów, mat i rurek, sporych rozmiarów książeczkę, po kilku stronach stwierdziłam, że *Faust* w przekładzie na język norweski byłby łatwiejszy do zrozumienia.

„Rurkę C-12..." Rurka C-12? O węglu C-12 słyszałam, alc jak można nazywać w tcn sposób Bogu ducha winną rurkę, na dodatek plastikową. „...wsunąć do otworu B-6..." B-6 to zupełnie tak jak witamina, ale nie wolno mi zapominać, że to wszystko dla ułatwienia. Przy złączce K-2, zamiast myśleć o alpinistach, zaczęłam przypominać sobie mój pierwszy obóz harcerski. Pierwsze zadanie, jakie tuż po przyjeździe otrzymał nasz zastęp, polegało na rozbiciu namiotu typu Brda. Z worka wysypał się zgrabnie zestaw rurek różnej długości i grubości, na dodatek opatrzony łańcuszkami, bolcami, śledziami i wszystkim, co tylko złośliwym producentom namiotów zdołało jeszcze przyjść do głowy. Gdyby nie druh Jacek (jakież on miał piękne oczy), prawdopodobnie już pierwszej nocy poznalibyśmy dogłębnie sens stwierdzenia „pod gołym niebem". Brda, Brda, nie mogło to być nic dobrego. Za Brdę dostałam kiedyś dwóję z geografii, bo nie wiedziałam, czy jest dopływem Wisły, Warty czy innej rzeki na „W". Jak to dobrze, że Tosia nie zdaje matury z geografii. Ale szkoda, że w ogóle jest przed maturą tuż-tuż. Takie było miłe i malutkie dziecko...

Na tych i innych rozmyślaniach o tragicznym upływie czasu minęła mi następna godzina. Siedziałam dzielnie w łazience i próbowałam dopasować sprzęt do instrukcji. W końcu jakoś udało mi się złożyć większość elementów mojego aparatu i nawet nie przeszkadzałoby mi, że sześć części nie pasowało zupełnie do niczego i smętnie leżało obok, gdyby nie fakt, że to, co udało mi się z tak wielkim trudem zbudować, bardziej przypominało odkurzacz niż cokolwiek służącego zrelaksowaniu. Nie wspominając już, że znacznie różniło się od tego, co widziałam u Uli. Rozłożyłam więc wszystko z powrotem, i to rozłożone wszystko absolutnie nie wyglądało jak aparat do masażu Uli.

Po dwóch godzinach, kiedy byłam już gotowa do napisania doktoratu z inżynierii przestrzennej, zjawił się Adaś. Na mój widok jęknął – coraz częściej jęczy na mój widok, co nie wpływa kojąco na nasz związek.

– Trzeba było najpierw przeczytać instrukcję – powiedział.

Podniosłam się i powiedziałam obrażona:

– No to bardzo proszę, proszę bardzo.

Adaś zamknął się w łazience sam i przez następną godzinę panowała cisza. Po godzinie zajrzałam. Siedział na desce klozetowej, zamkniętej, i czytał instrukcję, klnąc pod nosem. Nie wiem, jak udało mu się ostatecznie dopasować urządzenie do tego przedstawionego na rycinie 11. Na dnie wanny ułożony był plastikowy niby-dywanik, od którego biegła rura, której drugi koniec utkwiony był w skrzynce stojącej obok wanny. A jednak i jemu, ku mojej radości, zostały trzy elementy, których nijak nie mógł do niczego dopasować.

– Zadzwonię po Krzysia – powiedziałam i zobaczyłam mord w oczach mojego miłego.

Popełniłam kardynalny błąd. Nie woła się innego faceta na pomoc przy żadnych urządzeniach, bo wtedy ten pierwszy facet czuje się niedowartościowany, niepotrzebny i gorszy.

– Żeby się pochwalić, że też taki mamy – dodałam szybko.

– Może wieczorem – mruknął Adam i podniósł jakąś końcówkę urząca do oczu ze zdumieniem.

A potem stwierdził, że musi się zająć skrzynką na listy. I bardzo dobrze, bo skrzynka nam zardzewiała i samo zajrzenie do niej jest bardzo pracochłonne. Skrzynkę trzeba odrobinę przetrzepać, żeby w maleńkich dziurkach zobaczyć kawałek koperty, a jeśli koperta przypadkiem jest szara, to i tak nie widać. A wczoraj, jak wróciłam z redakcji, skaleczyłam się zardzewiałym drutem w palec, bo grzebałam tym drutem w skrzynce. Kluczyk gdzieś diabli wzięli, a w skrzynce coś się bieliło. Adam udał się do skrzynki na listy z młotkiem, śrubokrętem oraz moją pęsetą (ostatnio tak wyciągamy listy), urządo zostawiając na środku łazienki.

Co miałam robić? Poszłam do kuchni, przeklinając relaks i wydane pieniądze. Przez okno widziałam, jak Adaś morduje się ze skrzynką – jest wmontowana w płot – a potem przemyka do telefonu i dzwoni do Krzysia. Aha! Jednak będę miała dzisiaj masaż wodny!

Koło dwudziestej w łazience nie było światła, nie mogliśmy znaleźć latarki, urządzenie relaksacyjne leżało w przedpokoju, a Tosia powiedziała, że w takich warunkach nie może ani żyć, ani pracować, ani rozwijać się prawidłowo i w związku z tym wraca do Isi.

Zadzwoniłam do Uli, nie bacząc na mój rozpadający się związek. Mąż Uli nieco się zdziwił i powiedział, że wszystko Adamowi wytłumaczył przez telefon, ale zaraz dodał, że za moment wpadnie. Ula powiedziała, żebym ja wpadła do niej, to nie będę mężczyznom przeszkadzać. I jak wpadłam do niej, to dodała, że szkoda, że nie powiedziałam jej nic wcześniej, bo właściwie ona tego aparatu nie używa, toby mi tanio sprzedała.

O dwudziestej trzeciej przyszłam do domu. W dalszym ciągu nie było światła, panowie siedzieli w kuchni przy świecach i pili piwo, urządo leżało w dużym pokoju obok Borysa.

– Brakuje połączeń – Krzysiek uśmiechnął się do mnie. – Trzeba jutro jechać do sklepu, bo ci dali felerne. Tak to jest, jak kobiety kupują – uśmiechnął się, klepnął mojego Adaśka w plecy i poszedł do domu.

– Od kiedy ty masz aż takie kłopoty z kręgosłupem – zdziwił się Adaś – żeby od razu kupować takie maszyny?

Chciałam się obrazić, ale co tam.

*

Wczoraj leżałam w wannie godzinę. Jest absolutnie cudowne! Ula miała rację! Nic nigdy mnie tak nie zrelaksowało. Trochę martwię się o Adasia, wczoraj, kiedy wnosił już wymienione w sklepie urządzenie, coś mu się stało w plecy, dysk albo jakiś inny narząd mu wypadł. Całe szczęście, że mamy aparat do masażu. Zawsze wychodzi na moje, i to mnie bardzo martwi. Niechby czasem miał rację, chłopaczyna!

Czy z zepsutym dyskiem on się nadaje do wyjazdu? Może nie?

Kosmici i wróżki

– Psylecieli, psylecieli, psylecieli!

Otwieram ostrożnie drzwi, klamka w dalszym ciągu nienaprawiona, przed furtką stoi pan Czesio i wymachuje rękami.

– Pani Judyta, psylecieli!

Cofam się po klucze do furtki, znowu padł domofon, jakby nie wiedział, że jest mężczyzna w domu i na nic takie numery, idę do furtki, bo wiem, że pan Czesio nie odejdzie, póki nie wyjdę do niego. Pan Czesio jest najpoczciwszym stworzeniem na ziemi, ale pod wpływem alkoholu staje się człowiekiem niezwykle otwartym i chodzi po chałupach, żeby opowiedzieć, co nowego. Na przykład, jeśli pada deszcz, pan Czesio dzwoni do ludzi i mówi, że pada. Uśmiecha się przy tym radośnie i ufnie, bo jego świat właśnie taki jest, dopóki nie sięgnie go kac. Ponieważ jesień zbliża się dużymi krokami, domniemywam, że panu Czesiowi coś się pomyliło. Nie przylecieli, tylko odlecieli. Dzikie gęsi albo kaczki, albo bociany, albo już sama nie wiem, co do nas przylatuje na wiosnę, a teraz wprost przeciwnie.

Panu Czesiowi, gdy wypije więcej niż cztery piwa, wydaje się, że przylecieli króliki, sarny, jelenie i żubry. Po ośmiu piwach oznajmia, że przylatują do nas towarowe ze Szczecina i tiry z Rosji. A może dziś wypił więcej?

Podchodzę do furtki i ku swojemu zdumieniu widzę, że pan Czesio nie wykazuje śladu upojenia alkoholowego.

– Dzien dobry pani, psylecieli! – mówi pan Czesio. Ma zbielałą twarz i przerażone oczy. – Pani sama zobacy!

– Kto przyleciał? – pytam uprzejmie i ani sama, ani z nim nie chcę niczego oglądać. – Ptaki?

– Na jesień? – Pan Czesio patrzy na mnie pobłażliwie – Ptaki na jesień odlatujo. UFO psyleciało... światła mieli takie duze! – Pan Czesio zatacza rękami duże kręgi i ma wielkie przerażone oczy.

– Jakie UFO, panie Czesiu! – denerwuję się, bo przecież mam tyle roboty.

– No jak to jakie? – pan Czesio aż podnosi się na palce. – Normalne!!! Z nieba!

– Dawno przylecieli? – pytam uprzejmie, bo wiem, że z Czesiem nie ma przebacz, trzeba wysłuchać tego, co ma do powiedzenia, bo i tak nie odejdzie, póki wszystkiego nie opowie.

– Wczoraaa, w nocy... i oni u mnieeee są...

– Kto u pana jest?

– No UFO... dwóch u mnie jest...

Zanosi się na dłuższą towarzyską rozmowę. Od strony kolejki idzie Ula z Maszą. Masza na smyczy wije się jak wąż, pewnie Ula czekała na kogoś, kto miał przyjechać kolejką.

– Cześć Ula – krzyczę przez ramię pana Czesia.

Pan Czesio odwraca się, Masza na jego widok marszczy nos i przestaje obskakiwać Ulę, tylko ciągnie w stronę pana Czesia.

– Pani Uluuuu – Czesio błagalnie wyciąga ręce do Uli – pani mi wierzy, prawda?

– Oczywiście, że wierzę – mówi Ula i mruga do mnie przyjaźnie.

– To pani powie pani Judycie, że ja nie kłamię!

– Pan Czesio nie kłamie – mówi Ula i ściąga smycz.

– Oni są u mnie.

– A kto? – pyta Ula i zdaję sobie sprawę, że dzień jak co dzień, zawsze coś na tej wsi się jednak dzieje.

– Dwóch z kooosmosu... UFO...

– Panie Czesiu, a skąd pan wie, że to UFO?

Ach, podziwiam tę Ulę, ona to umie zadać pytanie, nawet jeśli nie bardzo przejmuje się wizytą z niebios.

– Jak to, po czym? Poznałeeeem ich od razu... Jedyn to ma tako zielono skóre... psetransformował się od razu... a drugi lezy w moim łozku... od razu wiedziałem, ze to oni... odwróciłżech się sybko, a tu woda ugotowana, ziemniaki obraneeee... Pani pójdzie zobacyć... – Pan Czesio widzi nasze niepewne miny i przybiera dostojny wyraz twarzy. – Ja tez myslałem, ze to delirium, ale nie!!! To prawda! Psyjechali mnie strasyć!

– Panie Czesiu, oni nie przyjechali pana straszyć – mówi Ula, a ja zamieram w podziwie dla jej talentów konwersacyjnych. – Oni przyjechali panu pomóc...

– Aaaaa – mówi pan Czesiu i jest tak samo zdziwiony – a w cym?

– Nie wiem. – Ula wzrusza ramionami. – Ale skoro się zatrzymali u pana?

Pan Czesio patrzy z uwagą na Ulę, potem na mnie, potem drapie się w głowę, kłania się i wraca do domu przez pole pana Marciniaka, pod las. Idzie zgarbiony, zamyślony. Ula zdejmuje z Maszy smycz, Masza rzuca się w kierunku Borysa, Borys rzuca się w kierunku świeżo posadzonych tawuł, które właśnie przed zimą mają zapuścić korzenie i już na wiosnę zakwitnąć.

– Borys!!! – wrzeszczę na całe gardło, ale oczywiście Borys wszystko ma gdzieś, oprócz Maszy, która prowokuje go do biegu na przełaj, to jest przez mój ogródek kwiatowy.

– Masza! – drze się Ula, ale oczywiście Masza ma to gdzieś, skoro Borys goni za nią, zatacza koła i, doprawdy, moje białe astry, które po raz pierwszy w tym roku zechciały się przedrzeć przez zatrutą glebę, nie wytrzymają tego tętentu ośmiu łap.

Ula łapie Maszę i przegania ją na własne podwórko. Teraz oba psy stoją przy siatkach, jeden z jednej, drugi z drugiej strony, i machają ogonami, to znaczy Masza macha brakiem ogona, a Borys swoim czarnym, grubym.

Ula patrzy na mnie wyczekująco.

– Wejdziesz na herbatkę?

Dlaczego mam nie wejść? Przy herbatce roztaczam przed Ulą wizję świetlanej przyszłości z Adasiem. Właściwie już bym chciała, żeby pojechał, bo im prędzej pojedzie, tym szybciej wróci. Nieostrożnie mówię to Uli.

Ula się zdenerwowała i powiedziała, że jedno wyklucza drugie.

– Ty się zastanów, czego chcesz, bo albo świetlana, albo z mężczyzną – powiedziała Ula i strzepnęła Ojeja na dywan.

Ojej miauknął zdziwiony, bo przecież u Uli koty nie wchodzą na stół, a on jak zwykle leżał sobie wygodnie na fotelu, udając szarą puchatą poduszkę, i nigdy dotąd Uli to nie przeszkadzało.

Domyśliłam się szybko, że Ula jest czegoś zła, ale na pytanie, co się stało, podniosła się i powiedziała:

– A co się miało stać? Nic się przecież nigdy nie dzieje. Nikogo nie obchodzi, że na świecie giną ludzie, wybuchają wulkany i wojny, pociągi w Indiach staczają się w przepaście! Więc nie pytaj mnie, co się dzieje, doprawdy nic się nie dzieje! Ale skoro chcesz ryzykować i uważasz, po swoich doświadczeniach, że czeka cię świetlana przyszłość, to proszę bardzo!

Natychmiast wywnioskowałam, że Ula nie tylko oglądała jakiś dziennik telewizyjny, ale również pokłóciła się z Krzysiem. Ale również prawie natychmiast pomyślałam, że to brzydko przypierać przyjaciółkę do ściany, kiedy nie chce o czymś mówić. Więc milczałam. A potem Ula, patrząc na mnie bardzo uważnie, powiedziała:

– Byłam u wróżki.

O mały włos zakrztusiłabym się na śmierć. Rozumiem feng shui, wierzę, że zielone drzwi wejściowe odpychają nieszczęścia od domu, i w dzwoneczki na klamce, i w pieniążki chińskie, koniecznie trzy i koniecznie w czerwonym portfelu, wierzę w dwie zakonnice, które przynoszą szczęście, i w tęczę, szczególnie jeśli podwójna, ale wróżka? Po co Uli wróżka? Po co te zabobony? Czyżby między nią a Krzysiem było aż tak niedobrze?

– Tak właśnie – powtórzyła Ula bojowo. – Byłam u wróżki.

– No i co ci powiedziała? – przełknęłam ślinę i zdanie pytające już mi wyszło gładko.

– Na pewno nie chcesz wiedzieć – powiedziała Ula.

– Jeśli chcesz mi powiedzieć, to chcę – powiedziałam.

– Nie chcesz – stwierdziła Ula.

Tu się chciałam trochę obruszyć, bo nic mi tak źle nie robi, jak świadomość, że ktoś wie lepiej ode mnie, co ja chcę, czy mi jest zimno, czy za ciepło, i co czuję. Prawdę powiedziawszy, doprowadza mnie to do szału. Szał zdusiłam w zarodku i postanowiłam pozostać obojętna.

– To nie mów – powiedziałam i z miejsca zaczęła mnie zżerać ciekawość.

Co taka wróżka może powiedzieć i z czego ona Uli wróżyła? Z kart? Z kuli szklanej? Tarot? Fusy? Linie na ręce? Czy tylko data z godziną urodzenia? Prawdziwa wróżka czy oszukana? Wróżka rodzaju męskiego czy żeńskiego? No i dlaczego Ula poszła do wróżki? I czego się dowiedziała, na miłość boską? I przede wszystkim, dlaczego Ula mi nie chce powiedzieć? Może się zakochała? Gdybym ja poszła do wróżki, to co innego. Ja poszłabym po prostu dowiedzieć się paru rzeczy, ostatecznie Adam wyjeżdża i mogę być zaniepokojona, chociaż oczywiście nie jestem. Ale Ula?

I tu ogarnęło mnie uczucie przykrości. Dlaczego Ula nie wzięła mnie ze sobą i takie ważne rzeczy robi w tajemnicy przede mną? Oczywiście, ja bym nigdy do wróżki nie poszła, bo po co. Chyba żeby Uli zależało, żeby jej ktoś towarzyszył. Może z ciekawości, żeby zobaczyć, jak to jest. Ale nigdy bym się nie spodziewała po Uli, że mnie nie weźmie.

Uznaję za stosowne nie wypytywać o nic więcej. To najbardziej ją ukarze.

Wypiłyśmy herbatę i poszłam przez nieskoszony trawnik do domu.

Świat jest dziwnie skonstruowany. Ula tak dobrze daje sobie radę z pojazdami kosmicznymi, dziećmi i mną, ale jeśli chodzi o samą siebie... ufff.

Niebieski bez spodni

Dom jest przewrócony do góry nogami. Adam nie może znaleźć swoich czarnych sztruksów, bez których, o czym mnie zawiadomił, pstrykając pilotem – nigdzie się nie ruszy. Nie wiem, dlaczego sztruksowe spodnie mają być ważniejsze od naprawienia klamki, która wypada, ilekroć zapomnimy, że należy ją lekko unieść do góry i przytrzymać. Właśnie mi wypadła, kiedy otwierałam drzwi. Miałam klucze i Adam był w domu, ale co by było, gdyby Adama nie było, a ja nie miałabym kluczy? Już nigdy nikt by się nie dostał do środka. Adaś klamkę byle jak wsadził z powrotem do zamka i powiedział, że naprawi przy okazji, bo teraz nie może znaleźć spodni.

– Postanowieniem komisji na przesłuchanie zostanie powtórnie wezwana... – płynęło pogodnie z telewizora.

– Nie masz w szafie? – spytałam i usiadłam przy stole.

– Nie ma nigdzie.

– Może zostawiłeś w radiu? – próbowałam być pomocna i wzięłam do ręki skrypt jutrzejszego spotkania w redakcji. Muszę zrobić plan, bo Naczelny zrzuci mnie z tego stołka szybciej niż myślę.

– Nie zostawiłem w radiu. Chyba bym pamiętał, gdybym paradował w gaciach przez miasto – powiedział mój przyszły mąż, wciąż z pilotem w dłoni.

– Chuligańskie wybryki na boisku spotkały się ze sprzeciwem zarówno trenera drużyny jak i konfederacji piłkarskiej...

– A może są u Tosi?

– Moje spodnie? – zdziwił się Adam. – Przecież ona nie chodzi w sztruksach.

– Nie chodzi, bo są za duże – przytaknęłam i skreśliłam wyjazd w sprawie morderstwa we wsi Bolimowo Suche. Nie będziemy pisać o morderstwach.

– Kocham cię i zawsze cię będę kochała, pamiętaj o tym – jęknęło z telewizora i ciemna dziewczyna osunęła się na podłogę. – Należy spodziewać się niżu znad Europy Wschodniej, którego szeroki front już jutro...

– Adam! – zdenerwowałam się – nie mogę pracować!

– Nie mam spodni, nie mogę znaleźć opracowania Herlingera, które jest mi potrzebne na jutro rano, zepsuła się skrzynia biegów, ten samochód się do niczego nie nadaje...

– Nie umieraj, nie opuszczę cię nigdy, proszę, nie umieraj – zajęczało z telewizora.

– W tej telewizji nic nie ma, tylko jakieś idiotyzmy... Nie widziałaś moich czarnych sztruksów?

Odsunęłam krzesło z niechęcią. Kobieta w lekkiej depresji jest niczym w porównaniu z mężczyzną, który gdzieś zapodział portki, zniszczył sobie skrzynię biegów oraz nie może znaleźć opracowania czegoś tam. No ale cóż, nie zapomniałam, że go kocham. Weszłam do naszego pokoju i rozbebeszyłam szafę. Wiertarka jak zwykle leżała na samym dole, pod ubraniami, jakbym na nią polowała całe dnie i noce.

– Adam, prosiłam cię, żebyś narzędzia trzymał w kuchni! – krzyknęłam w pusty pokój.

– Nie będziemy tolerować podobnej ignorancji – doszło mnie z pokoju głosem premiera.

Wyjęłam wiertarkę, poskładałam swetry, odłożyłam te, w których Adam wygląda ślicznie, potem je głęboko schowałam – po co mu wyglądać ślicznie w tej Ameryce cholernej, potem wyjęłam, przecież nie jestem jakąś ciemną babą, która nie ma zaufania do swojego mężczyzny, potem wszystkie je pieczołowicie odłożyłam na półkę, niech sobie sam wybiera, może te śliczne zostawi, nie będę się wtrącać, jak ma chodzić ubrany. Spodni sztruksowych nie było. Zajrzałam do tapczanu, zdjęłam pościel, skoro i tak jest bałagan w domu, to przynajmniej pranie zrobię, przeszłam do łazienki. Przeszukałam kosz z brudami, wrzuciłam białe do pralki, przetarłam lustro, umyłam umywalkę i wannę. Spodni nie było. Przeszłam się do Tosi, przegrzebałam jej szafę, ale tak, żeby się nie zorientowała, wyjęłam zza jej łóżka jedenaście sczerniałych ogryzków jabłek i wycofałam się na dół. Spodni nie było.

– Biorąc pod uwagę zeszłoroczne zbiory ziemniaków, należy na dzień dzisiejszy spodziewać się wzrostu wskaźników potencjalnego... – Adam patrzył tępo w telewizor.

Siadłam przy nim i wyłączyłam pudło. Spojrzał na mnie nieprzytomnie.

– Kiedy robiłeś to opracowanie Herlingera?

– W czwartek w nocy.

Był poniedziałek. W piątek odpowiadałam na listy. Skończył się papier do drukarki, nową ryzę przyniósł Adam w sobotę, bo byli na zakupach z Tosią. Mój mózg wpadł w drżenie od wysiłku.

Sobota, sobota... Zmieniłam toner w drukarce, bo umiem... Poskładałam wszystkie gazety z całego tygodnia i wyniosłam do komórki, żeby były do palenia na zimę. Zrobiłam porządek przy naszym miejscu pracy. Mogło mi się coś zaplątać w te cholerne gazety, jakieś opracowanie czy co. Może myślałam, że to brudnopis. Były tam jakieś kartki, może moje, a może nie. Nie czytałam, czytałam artykuł o tym, co myślą mężczyźni, kiedy pierwszy raz, bo Tosia do stosu makulatury dołożyła „Cosmo". Było to dużo ciekawsze niż jakaś metoda psychologiczna. Myśleli zresztą beznadziejnie – czy na przykład mają wyjść od razu po albo czy ich nie zawiedzie ta drogocenna końcówka układu myślącego, albo czy ona nie będzie miała za długich nóg, bo wtedy nie mogą się kochać na pieska. I to wszystko w piśmie dla nieletnich dziewcząt! Całe szczęście, że nikt nie drukował takich rzeczy, jak ja byłam jeszcze młodsza niż w tej chwili, bo do dzisiaj byłabym dziewicą. Więc nie przyglądałam się zbytnio tym brudnopisom, bo byłam pod wrażeniem. Ale były tam jakieś kartki... nie moje... chyba... Nabrałam tej przykrej pewności, że to ja jednak jestem przyczyną kłopotów mojego ukochanego.

– Są w komórce, na stercie gazet do spalenia – powiedziałam.

Adam zerwał się jak oparzony i pobiegł do ogrodu. Wrócił po chwili, trzymając w ręku jakieś pokreślone maszynopisy.

– Jesteś kochana! – ucałował mnie serdecznie. – Nie wiem, co bym bez ciebie zrobił.

Nie miałam ochoty mu przypomnieć, że gdyby mnie nie było, to nikt by mu nie usunął opracowania sprzed nosa – w mężczyźnie zaczynam coraz bardziej cenić przymioty charakteru. Uśmiechnęłam się niemrawo.

– Spodnie też się znajdą...

– A tam spodnie! – krzyknął radośnie Adam i zaczął przerzucać maszynopis, dość sfatygowany. – Przecież miałem je w ręku tuż przed twoim przyjściem... muszą tu gdzieś być...

Trochę mi się zrobiło dziwnie, a jakiś dreszcz przeczucia, niedobrego, przeszył moje trzewia.

– Co chciałeś z nimi zrobić? – Starałam się, żeby w moim głosie nie zabrzmiał niepokój.

– Wyprać! Przecież jadę za dwa tygodnie!

Rzuciłam się do łazienki. Pralka wspaniałe podgrzała do osiemdziesięciu stopni moją białą bieliznę, jasną pościel i dwa białe szlafroki. Otworzyłam drzwiczki – gorąca woda wylała się szerokim szarym strumieniem.

– O psiakrew – filozoficznie powiedział Adaś, dostrzegając wśród szarawych szlafroków, i szarawej pościeli czarną parę sztruksów. – Chyba nie nastawiałaś na gotowanie... Spodni się nie gotuje. To ja pójdę zobaczyć, co z tą skrzynią biegów. – I zniknął.

Zabrałam się do wycierania podłogi w łazience. Wpakowałam szarawe rzeczy z powrotem do pralki, wsypałam na ful proszku, który wszystko w telewizji doprowadza do nieskazitelnej bieli, a spodnie Adama włożyłam do miednicy. Zaraz siadł na zamkniętej muszli klozetowej i przyglądał mi się uważnie, kiedy prałam w ręku cudze spodnie. Patrzył na mnie z pełnym zrozumieniem, sfinksik kochany. Jestem tego samego zdania co on – posiadanie partnera wystawia nas zawsze na ciężkie próby.

Dlaczego mężczyzna nie chce żyć dłużej?

Siedzę w ogrodzie i przyglądam się ostatnim podrygom lata. Za chwilę, za moment zachmurzy się na całe miesiące, albowiem żyję w niesprzyjającym klimacie, nie tak jak pogodni Grecy i Rzymianie.

W naszym klimacie człowiek musi się męczyć, i na dodatek lato się skraca coraz bardziej i ustępuje miejsca zimie. Jak z takim klimatem wejdziemy do Europy? Nie mam bladego pojęcia, kto się na to zgodzi. Październikowe słońce już tak nie grzeje, marcinki rozwinęły się, najbardziej lubię te ciemnoniebieskie, trwają dzielnie do pierwszych mrozów. Z niewiadomych powodów uchowały się trzy jasnożółte bratki, przy których Potem wygląda niezwykle dekoracyjnie, choć czarny kot, jak mawia Moja Mama, powinien siedzieć w nasturcjach. Dynie wyszły spod płotu prawie do połowy ogrodu, liście im się pomięły, nie mam pojęcia, co mam zrobić z tyloma dyniami, ale wielkie żółte kule wyglądają nieziemsko. Chyba się starzeję, bo nie wydaje mi się rozsądne rozstawanie się z Adamem na całe pół roku. Ciekawa jestem, czyby pojechał, gdybym się nie zgodziła? Agnieszka twierdzi, że nie po to się żyje razem, żeby się sprawdzać, tylko żeby się wspomagać i chronić nawzajem swoje bolesne miejsca.

Gdyby mi ktoś zaproponował wyjazd za granicę, na pewno nie wyjechałabym w takim momencie. Ale może dla mężczyzny najważniejsza jest jednak praca, a dopiero potem kobieta. Może powinnam się z tym pogodzić. Ale znowu w świetle badań najlepszych uczonych świata – mężczyźni żonaci żyją dłużej średnio o sześć lat niż nieżonaci. Podobnych podobieństw nie zarejestrowano w przypadku zamężnych kobiet. Ciekawe dlaczego? Chyba Adamowi powinno zależeć na tym, żeby żyć dłużej.

– O czym myślisz? – Adam przysunął sobie ratanowy fotel (meble używane, dziewięćdziesiąt pięć złotych) i usiadł koło mnie.

– Zastanawiam się, czy chcesz żyć dłużej – powiedziałam nieopatrznie, ponieważ mnie zaskoczył.

– Dłużej niż kto?

– Dłużej niż jakiś nieżonaty mężczyzna, który żyje krócej niż żonaty – wyjaśniłam.

– Aha. – Przyjął do wiadomości i zamilkł.

– Chodzi mi o to, że mężczyźni żyją dłużej.

– Niż kto?

Adam jednak chciał rozmawiać, a ja westchnęłam ciężko. Ula pojęłaby w dwie sekundy, o czym mówię, a mężczyznom trzeba wszystko wyjaśniać.

– Niż nieżonaci.

– Ale krócej niż kobiety.

Boże drogi, weź i porozmawiaj rozsądnie z mężczyzną swojego życia.

– Krócej, ale dłużej. Zależy, jaką zależność się bada. W stosunku do kobiet krócej, ale w stosunku do siebie dłużej.

– W jakim stosunku do siebie? Jutka, o czym ty mówisz?

– O tobie – rozzłościłam się. – Nie dość, że wyjeżdżasz, to jeszcze mnie zaczepiasz. Idzie jesień, jestem przytłoczona rzeczywistością.

– Mnie też jest trudno się z tobą rozstać, naprawdę.

– Adam pochylił się i wziął mnie za rękę.

Mnie akurat jest wszystko jedno, wcale nie jest mi ciężko, jestem dojrzałą kobietą, wiem, że wybory życiowe nie zawsze są po naszej myśli, umiem pogodzić się z rzeczywistością i niech mi nie mówi, że mi jest trudno! Nie mam piętnastu lat, żebym czepiała się złudzeń i cierpiała tylko dlatego, że zostaję w tym okropnym zimnym klimacie sama! A poza tym nie sama, tylko z Tosią, którą kocham najbardziej na świecie, i Borysem, i kotami, i przyjaciółmi, i w ogóle nawet się nie obejrzę, jak te pół roku minie. Nie wytrzymam, nie chcę już nic wytrzymywać...

– Będę pisał o wszystkim, pół roku minie jak z bicza trzasł. I będę tęsknił. Właściwie już tęsknię. Poradzisz sobie, prawda?

Jasne, że sobie poradzę. Zawsze sobie radzę, rolą kobiety w naszej rzeczywistości jest radzić sobie oraz radzić też wszystkim innym, myślę i czuję, że zaraz się poryczę jak jakaś głupia małolata.

– Jutka. – Adam mnie przytula i tak strasznie bym chciała, żeby nigdzie nie jechał, żebyśmy zaczęli normalnie żyć, żeby Tosia nareszcie miała dobrą rodzinę na miejscu, żeby naprawił skrzynię biegów i żebym codziennie gotowała na trzy osoby, a nie na dwie. – Jutka, wszystko zależy od nas, prawda? Tylko nie walcz z Tosią, ona ma teraz trudny okres, matura to pierwszy prawdziwy egzamin życiowy... daj jej oddychać, ja jestem zabukowany na powrót na początku kwietnia, w maju będziemy opijać zwycięstwo Antoniny nad szkolnymi upiorami, w czerwcu będziemy opijać utratę wolności, a potem już z górki... I tak sobie pomyślałem, może na święta Bożego Narodzenia przyjechałybyście do mnie? Za czterysta dolarów można kupić bilety... Przysłałbym zaproszenia... Rozważ to...

Kocham się w nienormalnym facecie! Ja? Samolotem przez ocean? Nigdy w życiu! Natychmiast! Cudownie!

Włażę Adamowi na kolana, bo nikt nie widzi i dysk mu przestał dokuczać, i przytulam się do niego bardzo zdecydowanie. Uwielbiam jego zapach, szorstką gębę, to że jest najlepszy na świecie i że myśli o mnie.

– Kochasz mnie? – pytam i ze wstydu prawie zapadam się pod ziemię.

– Nie znoszę – szepcze Adam prosto w moją szyję i jestem najszczęśliwsza pod słońcem.

Niespodzianka z klamką w tle

Jeszcze tylko tydzień. Nie mogę wziąć urlopu, żeby pobyć w domu, w redakcji szaleństwo. Tydzień to siedem dni i siedem nocy. To dwadzieścia cztery godziny razy siedem. Co to jest wobec wieczności?

Dzisiaj odebrałam swoją pierwszą wysoką pensję. Postanowiłam im wszystkim (to znaczy Tosi i Adamowi) zrobić niespodziankę. Tosia wraca z angielskiego dopiero o dziewiątej, a Adam z radia po ósmej i jutro zostaje w domu, żeby się pakować, czyli mam mnóstwo czasu na przygotowanie wykwintnej kolacji. Jakieś wyszukane dania, dobry szampan, przecież pierwsza pensja nie powinna być zmarnowana na jakieś głupie rachunki.

Weszłam do trzech sklepów i zostawiłam tam dwie trzecie swoich zarobków. Polędwica wołowa – zrobię w sosie borowikowym, krewetki w zalewie, ale za to obierane ręcznie, dwa opakowania, wino białe za czterdzieści pięć złotych i mnóstwo innych drobiazgów, które kobiecie trzydziestoletniej ze sporym hakiem w końcu się należą, takich jak krem przeciwzmarszczkowy z proteinami wygładzającymi, liftingującymi, odmładzającymi itd., balsam do ciała, nowy tusz do rzęs, który się nie rozmazuje, czarne body wykończone genialną koronką, niestety, ze znakiem firmowym. Jak sprzedawczyni podała cenę, to zbladłam, ale nie mogłam z siebie zrobić idiotki i też wzięłam, wzięłam też pas do pończoch i cudowne jedwabne pończochy, i takie tam inne. Dla Niebieskiego kupiłam sześć butelek najdroższego piwa, bo lubi piwo i będzie gruby i brzydki, i niech wie, że o niego dbam, i wieczne pióro piękne, żeby o mnie pamiętał na końcu świata, to samo, które chciałam mu już raz kupić, ale wydałam całą forsę na aparat do masażu. Body i pończochy kupiłam za namową jednej dziennikarki, a właściwie jej artykułu (jak przywabić i zatrzymać mężczyznę). Wprawdzie z trudem doszłam do kolejki, ale aż uśmiechałam się na myśl, jaką minę będzie miał Adaśko, gdy mnie zobaczy w tej seksownej kombinacji. I niech ten widok (jak wciągnę brzuch) zabierze ze sobą do Ameryki i tam tęskni.

Dowlokłam się do domu z trudem i wypuściłam do ogrodu koty, które Tosia zamknęła w pokoju. Borys leżał pod stołem w kuchni i udawał, że śpi. Machnął ogonem i nawet nie wstał. Albo jest taki stary, albo taki przyzwyczajony do mnie. Jedno i drugie jest przykre. Jak Adam będzie mnie tak witał, to pomyślę, co robić, psem się nie będę przejmować. Zrobiłam sobie pyszną herbatę i weszłam do wanny. Najpierw się wykąpię, potem zrobię niezwykłą kolację, a potem... Poza tym musiałam się zobaczyć w tych śliczności ach, które kupiłam.

Kiedy wreszcie stanęłam przed lustrem w łazience w tym absolutnie cudownym body, zobaczyłam przed sobą prawdziwą laskę. Sięgnęłam po tusz, pomalowałam usta i byłam z siebie dumna. Narzuciłam szlafrok i gotowa do działania weszłam do kuchni.

Wyjęłam patelnię, postawiłam na ogniu, schyliłam się do zamrażalnika, żeby wsadzić szampana, niech się schłodzi. Pokrywa zamrażalnika oderwała się z suchym trzaskiem. Wewnątrz był sam lód. Góra lodu. Nienawidzę odmrażania lodówki, tego szorowania wnętrza, tego wypakowywania wszystkiego, rozkładania, wyrzucania, sprawdzania, czy dżem truskawkowy, kupiony nie wiadomo kiedy, jest już spleśniały czy nie... Ale nie było wyjścia. Pokrywę już szlag trafił, a przecież miałam przed sobą cudowny wieczór. Zaczęłam metodycznie wyjmować wszystkie różności z lodówki. A więc kawał sera żółtego, który był chyba w moim wieku, a więc dżem jagodowy – na wierzchu wyhodował się antybiotyk, jak sądzę, bo pleśń wychodziła spod pokrywki, a więc żeberka, na których zapach Borys stanął przy mnie i zaczął bardzo przyjaźnie mnie przekonywać, że jest młodym, inteligentnym i niedożywionym psem i tak dalej. Tak byłam zajęta wymiataniem z lodówki moich nadwerężonych zębem czasu zapasów, że nie zauważyłam, kiedy w kuchni zrobiło się czarno od dymu.

Patelnię teflonową, która od dłuższej chwili stała na rozpalonym gazie, bo zapomniałam o niej, szlag trafił. Wsadziłam ją pod strumień wody do zlewu, parząc sobie boleśnie prawą rękę. Kuchnię przesłoniła chmura gorącej śmierdzącej pary. Złapałam nóż i dźgnęłam w zwał lodu w zamrażalniku, żeby oderwać kawałek i przyłożyć do ręki. Przebiłam przy okazji dwie pary nowych rajstop, których spod lodu wcale nie było widać. Oto skutki czytania prasy kobiecej – wyczytałam w jakimś idiotyzmie, że rajstopy się trzyma w zamrażalniku, żeby dłużej były przydatne. Moje były przydatne krócej.

Zabrałam się za sprzątanie w kuchni.

Kiedy spojrzałam ponownie na zegarek, była dziewiętnasta piętnaście. Kuchnia wyglądała, no, jak po katastrofie, miałam pół godziny na zrobienie eleganckiej kolacji. Wyjęłam patelnię ze zlewu i okazało się, że już nigdy do niczego nie będzie się nadawać. Przypomniałam sobie, że w schowku pod schodami jest druga, odłożona na zapas, stara żeliwna, i pobiegłam do schowka. W przedpokoju uderzyłam się boleśnie w goleń i wdepnęłam w coś miękkiego. To miękkie to było masło. Rozgryziona reklamówka i kawałki pergaminu doprowadziły mnie do miejsca, w którym Borys udawał, że nie żyje. Wciśnięty pod tapczan nie oddychał. Po polędwicy wołowej nie było ani śladu. Pozbierałam warzywka, zgarnęłam masło, wylałam pół butelki płynu do naczyń na dywanik w przedpokoju i zabrałam się do szorowania podłogi.

Uroczysta kolacja oddalała się z każdą chwilą. Byłam spocona, zmęczona i... nadal seksowna, co z przyjemnością zauważyłam w lustrze w przedpokoju, choć body przy próbie domycia dywanika nie było przydatne. Weszłam do kuchni i dolałam wody do fusów w szklance. Doprawdy, życie nie jest lekkie. W łazience łyknęłam herbaty i pomalowałam usta szminką Tosi, której co prawda Tosia nie używa do twarzy, tylko do pisania na lustrze w przedpokoju „obudź mnie jutro o siódmej". Wyglądałam jak Messalina. Niebieski padnie na mój widok, jak nic. Każdy by padł.

Zauważyłam kiedyś z przyjemnością, że jeśli się pije wino, to roboty ubywa w oczach. Po drugiej herbacie nie ubywało, ale nie byłam już taka przekonana, że należy zrobić porządek w kuchni. Ostatecznie nie ja sama tutaj mieszkam. Zrobiłam krewetki i nakryłam do stołu. Sałatka z krewetek i wino to też dobry zestaw na wieczór. Borys piszczał pod drzwiami i chciał natychmiast wyjść. No cóż, kilogram polędwicy to jednak sporo. Otworzyłam drzwi, a ten niedowidzący idiota rzucił się przed siebie z ujadaniem. Szara kulka mojego kochanego Zaraza śmignęła na jabłonkę.

– Borys, ty durniu! – krzyknęłam na całe gardło i rzuciłam się za nim w te pędy, a za mną trzasnęły drzwi.

Zaraz, z wyrazem zdziwienia na mordzie, siedział tuż nad głową Borysa. Pies stulił uszy i przyjaźnie zamachał ogonem, jakby chciał powiedzieć – pomyliło mi się, przepraszam.

Wzięłam kota na ręce i ruszyłam do domu. Body, nawet przykryte lekkim szlafroczkiem, nie jest najprzyjemniejszym odzieniem na październikowy wieczór. Chciałam być w domu jak najszybciej, przebrać się, skroić pomidory. Nacisnęłam klamkę, a klamka została mi w rękach. Druga część, ta z wystającym wihajsterkiem, tkwiła jeszcze w drzwiach, prawie niewidoczna. Niestety, byłam po niewłaściwej stronie drzwi. Postawiłam Zaraza na ziemi i próbowałam trafić w otwór tak, żeby chociaż odrobinę zaczepić. W wyniku tych prób usłyszałam głuche stuknięcie po drugiej stronie drzwi. Nie miałam czasu zastanawiać się, co robić, otuliłam się szlafroczkiem i nie bacząc na to, jak wyglądam, pobiegłam przez furtkę wewnętrzną do Uli. Zapukałam w okno od kuchni, w drzwiach stanął Krzyś i o mało nie padł na mój widok, a widok miał niezły, siatkowe pończochy, czarne body i mnie w tym wszystkim, na tle zachmurzonej październikowej przyrody.

– Krzysiu, nie mogę się dostać do domu... – jęknęłam i pokazałam klamkę.

Krzyś milczał i przełykał ślinę.

– Uli nie ma – powiedział po chwili.

– Pomóż mi się dostać do domu! – krzyknęłam. – Nie widzisz, jak wyglądam? Adam za chwilę wraca!!!

– No, właśnie widzę.... – powiedział Krzysiek. – Ale Adam jest moim kolegą...

– Cholera! – zdenerwowałam się – weźmiesz coś i pójdziesz ze mną, czy mam tutaj zamarznąć na śmierć? Co ma do tego fakt, że Adam jest jego kolegą? Krzysiek niepewnie wziął ode mnie klamkę, przyjrzał się jej tak uważnie, jakby w życiu nie miał takiego świństwa w ręce, i sięgnął po skrzyneczkę z narzędziami.

– Ale ja o niczym nie wiem – zastrzegł.

Nie interesowało mnie, o czym on wie, a o czym nie wie, nie byłam przygotowana na filozoficzne rozmowy w rodzaju cogito ergo sum, otworzyłam furtkę i popędziłam do domu, za mną przyspieszonym krokiem pomaszerował Krzysztof. Podłubał chwilę w drzwiach i szybko je otworzył, wbiegłam do domu i natychmiast nalałam sobie kieliszek koniaku, byłam przemarznięta do szpiku kości. Krzyś umocował klamkę, przez dziurki przepuścił gwóźdź i staranie go zagiął, spozierając na mnie podejrzliwie.

– Wejdziesz? – wyciągnęłam do niego rękę z kieliszkiem koniaku, kiedy skończył.

– Nic nie widziałem, nic nie słyszałem, nie wiem, skąd wróciłaś, nie chcę się w to mieszać, ale nie spodziewałem się tego po tobie – wyrzucił z siebie Krzysiek i schylił się po narzędzia.

Lubię prawdziwych mężczyzn, mogą oni zadowolić kobietę mimochodem, jednym zdaniem, jednym podejrzeniem, rzuconym we właściwym momencie. Byłam tak zachwycona, że o mały włos, a nie sprostowałabym niczego. Ale rozsądek zwyciężył.

– Krzysiu, ja pobiegłam za psem, drzwi mi się zamknęły, na Adama czekam – wciągnęłam go do domu. – Życie mi uratowałeś, to się napijemy.

I nalałam nam koniaku.

*

Adam nie był zachwycony, kiedy nas zastał w ciemnym pokoju, przy resztce sałatki z krewetek i świeczkach – znowu coś się stało, może woda z lodówki coś zalała i zrobiło się jakieś zwarcie – ale zanadto się tym nie zmartwiłam. Na mój widok również padł z wrażenia i to było najważniejsze.

– Jak ty wyglądasz! – syknął. – Co on tutaj robi? – syknął.

Zupełnie zapomniałam, że jestem w szlafroku, pomknęłam do łazienki i stamtąd słyszałam, jak Krzysiek wił się jak na spowiedzi, opowiadając o klamce, mówił dużo i był coraz bardziej zdenerwowany, a Adam coraz bardziej rozdrażniony. Byłam wniebowzięta, zakładając na body za duży czarny sweter i wciągając spódnicę Tosi (za małą, ale tylko to było w łazience).

Uwielbiam Niebieskiego, kocham go do utraty tchu, a teraz jeszcze okazało się, że jest zazdrosny! O kogo? O Krzyśka? Przecież Krzysiek jest mężem Uli! Ale to i tak przyjemna świadomość...

Mimo pewnych kosztów dodatkowych, poniesionych tego dnia, takich jak dwa kontakty do wymiany i prawdopodobnie zakup nowej lodówki (razem z lodem oderwałam to coś, co mrozi), był to jeden z przyjemniejszych wieczorów w moim życiu. Adaś był naburmuszony prawie do północy.

A potem przekonałam go, że jest cudownym, najcudowniejszym facetem na świecie.

Ciekawa jestem... naprawi teraz tę klamkę porządnie czy nie?

Coś na poprawienie nastroju

W redakcji poruta straszna. Naczelny chodzi z zaciśniętymi zębami, bo dyrektor wydawniczy dał mu dwa miesiące na wprowadzenie nowego projektu. Jak skoczy nakład pisma znacząco w tym czasie, to się wybroni, jak nie – strach pomyśleć.

– Dwa miesiące, dwa miesiące – mruczy Naczelny – w dwa miesiące to dziecko można zrobić, a nie nakład podwoić!

– Pana żona musi być szczęśliwa... – szepcze złośliwie Jagoda, nie zważając na statystyki, które mówią o dwóch minutach, a nie o dwóch miesiącach.

– Pani Judyto, do mnie, bardzo proszę.

No to jestem. Stoję u niego w gabinecie jak durak. Swoją drogą to ciekawe zaproszenie – do mnie, proszę. Niechbym ja tak spróbowała się do niego odezwać! Czy to już jest mobbing? Czy zdanie „do mnie, proszę" jest złamaniem podstawowego prawa do szacunku, czy Naczelny przekracza tę cienką granicę? Dręczy mnie i mi

ubliża czy nie? Obserwuję jego chodzące szczęki z zaciekawieniem. Nie lubię, kiedy mężczyźnie chodzą
szczęki, bo nie wiem, czy jest zły na mnie, czy na resztki
obiadu.

– O rozwódkach.

– O rozwódkach co? – pytam przytomnie.

– O rozwódkach, ale nie sztampa, nie poradnictwo,
nie reportaż amerykański. Czysta żywa prawda, nowa-
torskie spojrzenie. O rozwodach inaczej, po prostu.
Z sercem. Bez wyżywania się na mężczyznach, OK?

– Ile? – pytam krótko.

– Pięć stron maszynopisu.

Naczelny, tak jak ja, nie liczy znaków. Stara szkoła.
Bułhakow też nie liczył znaków. I on, i ja, i Bułhakow
wiemy również, że rękopisy nie płoną.

– Na kiedy?

– Na wczoraj, jak zwykle.

To znaczy, że mam najwyżej tydzień. Gdzie ja mu
znajdę rozwódki, które powiedzą co innego niż zwykle?
Mężczyźni myślą, że są jakieś nieodkryte prawdy o rozwodach, a wszystkie wyglądają tak samo – ona go kochała, a on nie. Nawet jeśli kobieta odchodzi do innego
mężczyzny, wkrótce się okazuje, że jednak nie jest
szczęśliwa. Jedynym smakowitym przykładem na oba-
lenie tej teorii jest historia koleżanki Mańki. Iwona
odeszła mimochodem od męża do swojej przyjaciółki
i z nią żyje szczęśliwie. Jej eksio, którego spotkałam
u Mańki, jest do dzisiaj rozgoryczony. Mańka szczepiła
jego pieska, pitbula, którego kupił sobie po rozwodzie

na otarcie łez, ja czekałam, aż Mańka da mi receptę na robale dla moich słodkich kotków, co czyni raz na kwartał, a eksio Iwony, który widział mnie drugi raz w życiu, chwycił mnie za rękę i powiedział:

– Pani Judyto! Pani sobie wyobraża, że moje, MOJE dziecko jest hodowane przez lesby?

Lesby? Hodować dziecko? Aż się wzdrygnęłam. Łapkę miał śliską, obleśniak jeden, i takim wstrętem od niego biło, że gdybym miała takiego męża, to też bym zmieniła orientację seksualną i dopilnowała, żeby moje dziecko było wychowywane przez jakąś miłą drugą mamusię, a nie takiego tatusia. Obleśniak coś jeszcze chciał powiedzieć, ale pitbul wyrwał się Mańce i próbował jej zgnieść przedramię, więc eksio Iwony rzucił się na pitbula i z trudem go wyprowadził. Pan i pies byli do siebie podobni. Moim zdaniem powinni wstąpić do jednej partii politycznej, której nie wymienię.

Ale artykułu o lesbijce Naczelny nie przełknie, a Iwona nie będzie o tym mówić, bo ją ukamienują na ulicy. W statystyce jesteśmy tolerancyjni, ale lepiej nie wierzyć statystyce. U nas polityk cieszący się w sondażach poparciem społecznym i zaufaniem właśnie dlatego przegrywa w wyborach.

*

Adam biega po mieście i próbuje teraz właśnie załatwić wszystkie życiowe sprawy, kupić na wyjazd nowe spodnie i mnóstwo innych rzeczy, zupełnie jakby nie wiedział, że tam jest taniej niż u nas. Właściwie już za nim tęsknię.

Próbuję skończyć zamówiony przez Naczelnego artykuł o kobietach po rozwodzie.

Rozmawiałam z czterema.

Doprawdy, winna jestem Eksiowi wdzięczność za sposób, w jaki się ze mną rozstał. Człowiek nie wie, na jakim świecie żyje, dopóki się troszkę nie rozejrzy. Kiedy przyszłam do pierwszej rozwódki, znalezionej przez Jagodę, ujrzałam śliczną dziewczynę trzydziestoletnią, bezdzietną, w wypieszczonej kawalerce. Otworzyła mi drzwi, cichutko zaprosiła, otwarła sok pomarańczowy, stuliła dłonie na kolanach i powiedziała:

– Prawdę powiedziawszy, ja nie mam nic do powiedzenia, bo, proszę pani, nic na to nie wskazywało, naprawdę... był tak samo niemiły jak zwykle. Tak samo nieobecny duchem jak przez te wszystkie lata... Dopiero przed tą ostatnią Wigilią... Ale kiedy wszedł do pokoju, ubrany w świeżo wyprasowaną koszulę i garnitur, a zwykle męczył się strasznie w garniturze, i uśmiechnął się do mnie, to straszne przeczucie przemknęło mi przez głowę, proszę pani. I siedzieliśmy bardzo miło przy stole, z moimi i jego rodzicami, potem ich odprowadziliśmy do taksówki, a potem wróciliśmy do domu, pomógł mi sprzątnąć ze stołu, dał mi bardzo ładną broszkę w prezencie, i jak siedliśmy sobie spokojnie, tak świątecznie, na fotelach, przy choince, tu stała choinka. – Wskazała kąt pokoju między oknem a ścianą, a ja zawzięcie notowałam. – I powiedział, że odchodzi, bo ma inną i jego miłość wyczerpała się i że nie może mnie dłużej ranić, bo jest takim s... – głos jej się załamał, a ja przestałam notować z wrażenia.

– W Wigilię? – zapytałam zgoła nieprofesjonalnie i aż we mnie zadrżało z oburzenia.

– No właśnie... w Wigilię... I ja go zapytałam, dlaczego właśnie w Wigilię mi to mówi? – Jej głos był cichy i zrozpaczony, pomyślałam sobie, że powinnam zmienić zawód. – A on popatrzył na mnie i powiedział, że przecież byłam zajęta przygotowaniami, więc nie chciał mi przeszkadzać...

Wyszłam od Wigilijnej Porzuconej. Spokojna, miła, śliczna dziewczyna. Może to wystarczający powód, żeby z nią nie być. Jak ja mam napisać niekonwencjonalnie o rozwodach???

Wsiadłam do prawie pustej kolejki. Nie lubię wracać wieczorem. Nie chcę oczywiście powiedzieć, że świat jest pełen niebezpieczeństw, wierzę w to, co wymyślił Marek Aureliusz – jesteśmy tym, czym myślimy, że jesteśmy, rozszerzyłam to na własne potrzeby i uważam, że świat jest taki, jakim go widzimy, upieram się więc, że podróż będzie bardzo przyjemna, chociaż jest późno i ciemno, ale tym razem nie bardzo mi się to udaje. Jest nieprzyjemnie. Nie lubię jeździć w nocy kolejką. W nocy lubię robić całkiem co innego.

Całe szczęście, że na stacji czeka na mnie Adaśko.

*

Czwartek wieczór. Dwie rozwódki się wycofały, wypadły mi dwie strony tekstu, zadzwoniły dzisiaj, że jednak nie. Mam tylko historię wigilijną (żeby mężczyźni wiedzieli, że tak się nie robi) i historię pewnej porzuconej mężatki, do której mąż pisywał listy – kocham cię najbardziej na świecie. To znaczy nie zawsze pisywał, ale od kiedy zastała pierwszy raz taką karteczkę na poduszce, jakiś niepokój zaczął w niej kiełkować. Nie wiedziała, co się z nią dzieje, miała pewne podejrzenia, że zaczyna być chora psychicznie, bo przecież powinna się cieszyć, a wcale ją to nie cieszyło. Była nawet u psychiatry, który powiedział, że ten niepokój to objaw menopauzy (dziewczyna trzydzieści trzy lata), teraz to się wcześnie zaczyna, i żeby zrobiła najpierw badania na poziom hormonów, a potem ewentualnie przepisze się coś na poprawienie nastroju. No i być może dziewczyna by zwariowała, ale na szczęście poprosił ją o rozwód, bo już od jakiegoś czasu ,,rozumiesz, jestem zaangażowany gdzie indziej".

Kiedy minął szok, zapytała go:

– Jak mogłeś pisać jeszcze wczoraj, że mnie kochasz???

– Bo to nie było wyznanie – powiedział – tylko taka forma podtrzymania cię na duchu.

To pewno miał na myśli lekarz, mówiąc, że przepisze się coś na poprawienie nastroju. Trzeba szukać kobiet – psychiatr; psychiatryczek czy psychiatr?

Będę się jednak upierać, że mężczyźni są w łańcuchu dużo dalej albo dużo bliżej, zależy z jakiego końca patrzeć – kobieta jednak by na coś takiego nie wpadła.

Ale dwie historie to za mało na wnioski, choćby zupełnie sprzeczne z zaleceniami Naczelnego. Jest dwunasta, po raz kolejny próbuję zmieniać tekst, nie chce wyjść więcej niż cztery strony maszynopisu. Padam na twarz ze zmęczenia. Nic już więcej nie wymyślę, nie jestem w stanie ani myśleć, ani pracować.

W drzwiach cichutko staje Tosia.

– Dlaczego nie śpisz, mamo?

Odwracam się. Dlaczego moja córka o tej porze nie śpi?

– Idź spać – mówię.

– Pomóc ci jakoś?

Robię się czujna, ale zmęczenie bierze górę. I chęć marudzenia.

– Nie możesz mi pomóc.

– Zaufaj mi – mówi moja córka, zwana Tosią. Jak w filmie.

– Nie napiszesz przecież za mnie tekstu, Naczelny mnie zwolni, nie mam siły, nie będę miała pięciu stron, żebym zdechła, nigdy się nie sprawdzam, nic nie potrafię, nigdy mi się nic nie udaje...

– Mamo! – Tosia staje koło mnie i z zainteresowaniem czyta mi przez ramię. – Dobre – mówi z przekonaniem – o, mogę opowiedzieć Isi o tej Wigilii? – Przesuwa sprawnie kursorem.

– Może i dobrze, ale za krótko.

– Możemy zrobić dłużej. – Tosia odsuwa mnie, trafia kursorem w „edycja", zaznacza „zaznacz wszystko", cały tekst robi się ciemny, potem robi podwójne odstępy i powiększa czcionkę z dwunastu na czternaście. Potem jeszcze jedno kliknięcie i mój czterostronicowy tekst zamienia się w przejrzyste pięć stron.

– Proszę bardzo – mówi Tosia i daje polecenie „drukuj".

Z drukarki wypływa mój pięciostronicowy artykuł. Tosia korzysta z tego, że twarz mi się rozjaśniła, i nie bacząc na późną porę, zagaduje:

– Myślisz, że kobiety są szczęśliwe tylko z pierwszym mężem?

– Jak jest dobry... – mruczę, przeglądając tekst.

– Nie o to chodzi! Chodzi o to, że mamy skłonność do powtarzania tych samych błędów! Że z człowiekiem, którego się zna, jest łatwiej! Że małżeństwo to ciężka praca. – Wpadam w słowotok, bo jak mam własnemu dziecku wytłumaczyć tak poważną sprawę?

Żeby tylko nie brała ze mnie przykładu, żeby wybrała kogoś na całe życie, kogoś dobrego, z kim będzie się chciała dogadywać, kto jej nie będzie zdradzał...

– Ludzie powinni ze sobą rozmawiać i tyle...

– Kłócić się też?

– Jasne. Kłótnie są twórcze. Idź już spać.

– A czy ludzie mogą wrócić do siebie? – pyta Tosia, a ja widzę dwa akapity do poprawki, niepotrzebnie drukowałam, drobne literówki, ale jutro zapomnę. – Wiesz, mamo, tak jak ja z Jakubem...

– Pokłóciłaś się z Jakubem? – drętwieję.

– Trochę... – mówi Tosia. – I nie widzieliśmy się w zeszłym tygodniu, a teraz on chce się spotkać...

– Ty głuptasku – głaszczę ją po głowie – oczywiście, że można. Między ludźmi zdarzają się różne rzeczy, ale najważniejsze to wyjaśnić, wybaczyć i dalej być ze sobą. Z każdego rozstania można wyciągnąć wnioski, drugi raz nie popełniać tego samego błędu... i tyle. Na tym polega mądrość... Chyba... – dodaję niepewnie.

Tosia idzie do siebie na górę, a ja poprawiam błędy. Jakie szczęście, że mam genialne dziecko! Nigdy w życiu bym na to nie wpadła, żeby z czcionki dwunastki zrobić czternastkę. Nie zastanawiam się, czy to uczciwe, czy nie, kładę się obok Adaśka i natychmiast zasypiam snem uczciwego człowieka.

Nie jesteś moim ojcem!

Tosia wbiegła do domu i usłyszałam jej kroki na schodach na poddasze. Jak świat światem Tosia zawsze po szkole kierowała swe kroki do lodówki. Zaniepokoiłam się na dobre, przestałam wgapiać się w swój niedokończony tekst i zamarłam. Szybki tupot i cisza. To się prawie nigdy nie zdarzało! Zawsze, nawet bez mycia rąk, czasem jeszcze w kurtce, Tosia biegła do kuchni i otwierała lodówkę.

W zamierzchłej przeszłości zdarzyło się, że weszła do mieszkania i... klucze zniknęły. Ten od Joli miał nawet taką światłą teorię, że Tosia zgubiła klucze w szkole, ale przecież nie weszłaby do mieszkania bez kluczy, prawda? Więc przerzuciliśmy całe mieszkanie – klucze diabli wzięli na zawsze. Eksio zmienił zamki, klnąc na czym świat stoi (dlaczego nie potrafisz nauczyć swojej córki, żeby kładła wszystko na miejsce!), a klucze znalazły się, jak odmrażałam lodówkę, w zamrażalniku. Tosia, nieletnia, po przyjściu ze szkoły tam je zostawiła.

A teraz? Prosto do swojego pokoju. Czyli coś się musiało stać. Przypomniałam sobie nieliczne przypadki, kiedy nie zaglądała najpierw do lodówki, i każdy z nich kojarzył mi się dość nieprzyjemnie. Na przykład, jak zerwał z nią Andrzej. Albo jak przyniosła białego żywego szczura, z którym tylko Borys szybko doszedł do porozumienia – świetnie się razem bawili, demolując mieszkanie. Szczur nazywał się Colombo i miał długi różowy ogon, brrr. Albo jak przyniosła kijanki, dawno temu. Albo...

Stanęłam przy schodach.

– Tosia!!!

– Co?

– Nie mówi się co! – odwrzasnęłam. – Przyjdź tu natychmiast!

Człap, człap po schodach.

– Co się stało?

– A co się niby miało stać? – Tosia patrzy na mnie zdziwiona.

– Jak to co? – zapominam języka w gębie. – Nie odpowiadaj pytaniem na pytanie...

– Słucham, mamusiu. – Ileż ironii można zmieścić w takim uprzejmym zdaniu.

– Tosia! – mówię groźnie – co jest?

– Jezu, czemu ty się mnie czepiasz? Inne matki są w pracy, nie śledzą własnego dziecka!

– Ja cię nie śledzę i jestem w pracy!

– To o co ci chodzi?

– Co ty przyniosłaś do domu?

– Ja???

– Nic żywego?

– Mamuś, ty się dobrze czujesz? – moja córka patrzy na mnie z troską.

– Byłaś w szkole? – nie daję się zwieść.

– No a gdzie? – wzrusza ramionami.

Teraz już mam pewność, że dzieje się coś złego.

– Tosia – mówię spokojnie – widzę, że coś jest nie tak, więc może porozmawiasz ze mną, zamiast gryźć się w samotności...

– Mamo, wróciłam ze szkoły, i to wystarczy, żebym była lekko zniechęcona do życia, szkoła jest niereformowalna, szkolnictwo i lecznictwo w naszym kraju są rozłożone na obie łopatki, rośnie liczba przestępstw, a maleje ich wykrywalność, wzrosły ceny benzyny, co pociągnie za sobą wkrótce wzrost wszystkich cen, prawa kobiet są na poziomie Trzeciego Świata, a my chcemy wchodzić do Europy, Saddam jest w dalszym ciągu na wolności, najpotężniejsze państwo świata nie może sobie z niczym poradzić, spadł kurs dolara, a...

– A...? – podchwyciłam.

– A Jakub spotyka się z Ewką!!! Nienawidzę ich!

– Tosiu! – Nogi mi miękną w kolanach, córka zawsze powtarza traumatyczne związki matki, czy coś w tym rodzaju, muszę natychmiast coś powiedzieć, bo widok zrozpaczonej Tosi robi mi gorzej niż widok Złotozębnej Joli w przeszłości – Tosiu, nic się nie martw, lepiej, że to się zdarzyło teraz, niż gdybyście byli po ślubie...

– Nienawidzę cię! – rzuca Tosia i mknie na górę.
Stoję u stóp schodów i czuję się jak... nie powiem
jak. Nie umiem rozmawiać ze swoją córką, nie umiem
jej pocieszyć, nie umiem nic zrobić, żeby jej ulżyć.
Nienawidzę Jakuba! A takie dobre robił wrażenie,
dzień dobry pani, do widzenia, proszę, dziękuję, dobrze
wychowany młody człowiek, i proszę bardzo, wylazło
szydło z worka! Niech ja go jeszcze kiedyś spotkam!
O, nie życzę mu tego!

A potem nastąpiło to, co musiało nastąpić właśnie
dzisiaj, kiedy do wyjazdu Adama zostały tylko trzy dni!

Gdybym tylko pomyślała przez chwilę, jak ja rea-
gowałam w przeszłości na podobne rzeczy, tobym nie
pozwoliła wejść Niebieskiemu do Tosi. Ale nie przypomniałam sobie w porę wychodzenia w nocy na bal-
kon, żeby zapalić, kiedy pewien Zbyszek czy Zdzisiek,
czy już sama nie pamiętam, jak on miał na imię, zaczął
chodzić z Elką czy jakąś inną, a to ja go nad życie kochałam. Niestety, pamięć mnie zawiodła i kiedy Adam
wsunął głowę do kuchni i zapytał, gdzie są płyty, które
przygotował sobie na wyjazd, nieopatrznie powiedziałam, że Tosia wzięła, żeby posłuchać.

A kiedy poszedł na górę do Tosi w tej bardzo ważnej sprawie strawy dla ducha, ja byłam zajęta przyziemnymi sprawami na dole – gotowałam dla Borysa kluski
na wczorajszym rosole, bo się jedzenie dla psa skończyło, a do sklepu nie chciało mi się jechać. Usłyszałam tylko trzaśnięcie drzwi i Niebieski zbiegł po schodach.

– Ona pali! – powiedział pobladły ze zdenerwowania.

– Pali co? – zapytałam niedbale, bo kluski mają tę właściwość, że bardzo lubią się przypalać, jak się człowiek zajmie innymi rzeczami.

– Pali papierosy! Odłóż do cholery to jedzenie i zrób coś! Zareaguj!

– Nie wrzeszcz na moją matkę! – krzyknęła Tosia; tupot jej kroków rozległ się tuż za tupotem Adama.

Odwróciłam się od piecyka, na którym radośnie gotowały się kluski, i zamarłam. Nie słyszałam jeszcze Adama mówiącego takim tonem, i nie słyszałam jeszcze nigdy, żeby Tosia w ten sposób odnosiła się do Adama. W moim mózgu rozbłysło czerwone światło na alarm: nie wtrącaj się, zareaguj, co to jest, żeby dziecko paliło papierosy, i to na dodatek tak bezczelnie, nie ukrywając tego, w swoim pokoju? Dlaczego Adam do niej wszedł, dlaczego ona się z nami nie liczy, dlaczego ona na niego krzyczy, co ja mam zrobić? I powracające: nie reaguj, jeśli staniesz po stronie Adama, to będziesz przeciwko własnej córce, jeśli nie staniesz po stronie Adama, to będziesz po stronie palenia papierosów. Nie reaguj. Prawdopodobnie zbladłam.

– Tosia, czy to prawda? – zapytałam, próbując nieudolnie wykrzesać z siebie jakikolwiek obiektywizm, zupełnie bezwartościowy w tej sytuacji.

– To nie trzeba było wchodzić do mnie do pokoju! – wrzasnęła Tosia, a Adam odwrócił się i wyszedł z kuchni.

Zrobiło mi się niedobrze. Kiedyś to musiało nastąpić, ale dlaczego teraz, dlaczego dzisiaj?

– Tosia, jak ty się odzywasz do Adama?

– Zawsze stajesz po jego stronie! – powiedziała kłamliwie moja córka.

Pobielało mi pod powiekami.

– Tosia! Mówiłaś mi, że nie palisz! Nie masz prawa palić papierosów w tym domu! – krzyknęłam. – Miałam do ciebie zaufanie... a ty...

– Nikt mnie nie rozumie! – krzyknęła Tosia, a mnie zaczęły się trząść ręce.

– Nie wolno ci krzyczeć – powiedziałam, dobywając z przepastnej głębiny, w którą wpadłam z szybkością światła, ostatki zdrowego rozsądku – bardzo cię proszę, żebyś nie podnosiła głosu ani na mnie, ani na Adama!

– Nie jest moim ojcem, niech się odczepi! – krzyknęła Tosia i pobiegła na górę.

Odstawiłam kluski do zlewu, zatkałam korkiem komorę, napuściłam zimnej wody. Borys siedział cierpliwie na środku kuchni i przyglądał mi się bacznie, wyjęłam spod stołu jego miskę i postawiłam na blacie. Oto marzenie o dobrej rodzinie rozwiało się jak sen jaki złoty, Tosia, która jest prawie dorosłą kobietą, zachowała się jak dziecko w kiepskim podręczniku dla dorosłych rozwiedzionych.

Droga Pani,
nie można być ciągle między Scyllą a Charybdą.
Dziecko nie może przejmować kontroli nad życiem Pań-

stwa, a Pani mężowi należy się szacunek. Uczucia dla ojca – bez względu na to, jak wiele krzywdy wyrządził Pani – nie ulegną zmianie, dzieci po prostu kochają swoich rodziców i tej miłości nie wolno im zabierać. Ale bez względu na uczucia do ojca, pani dziecko musi Pani męża (również przyjaciół, rodzinę itd.) traktować z szacunkiem. Egzekwowanie tej grzeczności, niepoddawanie się manipulacjom, zarówno męża, jak i dziecka, jest Pani obowiązkiem, jeśli chce Pani stworzyć nową, dobrą rodzinę, w której nie będzie elementów rywalizacji (twój mąż jest ważniejszy dla ciebie niż ja) i w której zapanują zdrowe stosunki, oparte na przyjaźni, wzajemnym szacunku i zrozumieniu...

Kluchy wystygły, na poddaszu panowała cisza, w pokoju na dole również. Ani radia, ani telewizora. Nałożyłam Borysowi pełną michę strawy, wymyłam garnek, przetarłam blaty, włączyłam wodę i nasypałam do szklanki herbaty. Borys mlaskał, siadłam przy stole i czekałam, aż woda się ugotuje.

Gdzie mam iść? Do Tosi, która zachowała się jak smarkula i na dodatek pali? Czy do Adama, który dostał po łbie za nic? Powinnam porozmawiać z Tosią, ale w jej stanie każda rozmowa będzie moją porażką.

Najchętniej uciekłabym z domu, ale, niestety, byłam dorosła.

Adam siedział na kanapie i patrzył przed siebie.

– Chcesz herbaty?

– Poproszę – powiedział, a serce mi się zwinęło ze smutku.

Przyniosłam herbatę i siadłam przy nim.

– Nie powinnaś była pytać, czy to prawda – powiedział Adam. – Podałaś w wątpliwość moje słowa.

– Nie wiedziałam, co powiedzieć.

Może ma rację, teraz się okaże, że tego nie wytrzyma, wyobrażał sobie, że będzie inaczej, że wszyscy go będą kochali, nie będzie awantur z dorastającą panną i w ogóle, i po co mu taka nowa rodzina, w której mu się krzyczy, że nie jest ojcem.

– Ale ja też się zachowałem jak idiota – powiedział po chwili. – Sam powinienem był z nią porozmawiać, a nie biec do ciebie.

– No wiesz – oburzyłam się – powinnam wiedzieć!

– Nie tak – machnął ręką. – Nie jestem w dobrej formie, trochę się już tą podróżą denerwuję. No cóż, ma rację, nie jestem jej ojcem.

Podniosłam się i poszłam do Tosi. Zapukałam. Cisza.

– Tosia?

– Cisza.

– Tosia, chcę z tobą porozmawiać!

– Ale ja nie chcę! – warknęła Tosia.

Kolację jedliśmy osobno. To znaczy ja nie jadłam, bo mi się żołądek zwinął. Adam zrobił sobie kanapki i poszedł do komputera, Tosia zeszła do kuchni, obrażona, zrobiła kanapki i poszła do siebie na górę.

Porozmawiam z nią jutro, jak będę w stanie coś sobie przyswoić, z moich światłych rad, których mam pełen komputer.

Tosię mi zostaw w spokoju!

Poprosiłam w redakcji o trzy dni urlopu – ale jaki to urlop, kiedy i tak muszę zrobić korektę tekstów sprzed tygodnia. Adama nie ma, znowu pojechał „coś załatwić", a ja tak bym chciała posiedzieć z nim zwyczajnie, spokojnie spędzić trochę czasu, napalić w kominku i po prostu pobyć. Myślałam, że przez te ostatnie dni będziemy razem – Niebieski, Tosia i ja. Ale już na wieczór zapowiedziała się Agnieszka z Grześkiem – bo trzeba Adaśka pożegnać, a jutro wpadną Renka i Ula z mężami. Pojutrze wydaję obiad rodzinny na pożegnanie i tyle tego bycia razem. Ech, życie... Może i lepiej, bo Tosia obrażona, a mnie dusi z przerażenia.

I jeszcze ten cholerny, wstrętny Jakub, na którego się tak nabrałyśmy. Skąd w młodych ludziach taka potrzeba zdradzania pięknej dziewczyny? Muszę w końcu iść na górę i porozmawiać z Tosią jak kobieta z kobietą.

Drzwi zamknięte. Pukam.

– Nie chcę z tobą rozmawiać! – mówi moja córka urodzona przeze mnie w bólach.

– Tosia, proszę cię!

Stoję pod drzwiami i zastanawiam się, czy robię słusznie. Ale, jak mawia Adam, to nieważne, że ona cię nie wpuszcza, może kiedyś sobie przypomni, że ty pod tymi drzwiami stałaś.

– Co chcesz? – Drzwi się uchylają.

– Tosia, pogadajmy – podejmuję raz jeszcze próbę – tak nie może być.

– Ojciec po mnie przyjedzie i zabierze mnie na obiad – mówi Tosia. – On mnie rozumie.

Wycofuję się.

Nie mogę być zazdrosna o kontakty Tosi z ojcem. Nie mogę i nie powinnam.

Ale, do cholery, JESTEM! Co to znaczy ojciec po mnie przyjedzie? Czy był przy nas, jak miałyśmy jeden zdechły serek w lodówce? Czy obchodziło go, jak sobie radzimy? Czy miał czas spotykać się ze swoją córką, jak leciał na Jolę? Dopiero teraz, kiedy Jola, zdaje się, odrobinę zmądrzała i już nie jest uzależnioną żoną, przypomniał sobie, że ma dziecko? Dorosłe? Nieledwie kobietę? Kiedy trzeba iść na wywiadówkę, to nie ma czasu, ale popisać się córką w knajpie może? I kiedy ten beznadziejny Jakub, który nigdy mi się nie podobał, spotyka się z jakąś Ewką, Tosia chce o tym rozmawiać z ojcem, który jest nie lepszy?

Eksio ostatnio spędza z Tosią sporo czasu, zupełnie jakby ją dopiero teraz poznał. Powinnam się cieszyć,

cieszyć, cieszyć, ale do diabła z radością! Teraz mi ją zabiera, ot co! Może jeszcze pozwala jej palić!

Ściągam ze strychu walizki. Nie wiem, w którą spakuje się Adam. Pół roku minie jak z bicza trzasł, ale w jednej walizce? Może wziąć moją, postmałżeńską – prezent od Eksia, jest co prawda żółta, ale za to ma kółeczka. W dwie może jakoś go spakuję. Wcale się nie cieszę, że przyjdzie Agnieszka i Grzesiek. Wcale. Powinni siedzieć w domu i w ogóle nie zajmować się wyjazdem mojego Adasia. Tylko ja się powinnam tym zajmować.

Wczoraj kupiłam mu przepiękny sweter. Jest taki mięciutki i cudowny, że aż mnie skręca na myśl, że będzie w nich chodził nie przy mnie. Ale mój dobry charakter wziął górę nad moim beznadziejnym egoizmem i dam mu teraz, a nie kiedy wróci.

A w ogóle, co to za pomysły, żeby Eksio tutaj przyjeżdżał po Tosię? To nie jest małe dziecko. Mogli się umówić gdziekolwiek, na przykład na przystanku kolejki. Albo, jeszcze lepiej, w mieście. I najlepiej wtedy, kiedy Adam wyjedzie, przecież Tosia wie, że zostało nam tak niewiele czasu, ale co ją to obchodzi. Wszystko przez tego obrzydliwego Jakuba. A Adam nie powinien chcieć wyjeżdżać, ot co. Zostaję sama jak palec w taką obrzydliwą pogodę, i to wtedy, kiedy trzeba wykopać bulwy dalii, bo się zmarnują, a na dodatek wtedy, kiedy nieubłaganie zbliżam się do czterdziestki. Taka jest prawda.

Adam dzwoni, że będzie po siódmej. W taki oto właśnie sposób mój trzydniowy urlop okazuje się marnotrawstwem. Jutro jedzie do Szymona, bo obiecał mu coś jeszcze załatwić przed wyjazdem, konto założyć czy coś w tym rodzaju, i musi być w radiu, żeby się pożegnać, i wszystko jest ważniejsze niż ja.

Ale nie będę przecież zazdrosnym dzieckiem, skoro jestem dojrzałą kobietą. Stawiam walizki w sypialni i biegnę do kuchni. Zrobię na dzisiejszy wieczór coś bardzo niezdrowego, czego na pewno nie ma w Ameryce. Zapiekankę, którą Adam uwielbia, z ziemniaków i boczku parzono-wędzonego, z bazylią i czosnkiem.

*

Ciekawe, kiedy zrozumiem, że nie należy się wtrącać do własnych dzieci, nawet jeśli na pierwszy rzut oka potrzebują tego. Mam na to dowód niezbity. Tosia wyfrunęła z Eksiem, ja zajęłam się czynnościami pożytecznymi, takimi jak krojenie boczku parzono-wędzonego przy współudziale kotów i Borysa, który odzyskuje węch natychmiast, jak wyjmuję boczek z lodówki, a tu proszę bardzo, brzęczyk domofonu. I przez okno widzę, jak Jakub wysportowanym krokiem sunie w kierunku drzwi jak gdyby nigdy nic. Z kawałkiem boczku w dłoni rzuciłam się do drzwi. Cóż za śmiałość! Trudno to sobie wyobrazić! Uśmiech na przystojnej gębie, już by lepiej było, żeby może jakaś ospa – i jak gdyby nigdy nic, kłania się grzecznie i serdecznie zagaja:

– Dzień dobry pani Judyto, jest moje słońce?

– Zachmurzyło się – mówię ostrożnie – więc nie ma.

– Umawialiśmy się, stało się coś?

Ty psie – warczę – nic się nie stało! Nic, oprócz tego, że spotykasz się z jakąś Ewką, że oszukałeś niewinną istotę, która wiązała z tobą niedojrzałe (mam nadzieję) uczucie, nic się nie stało, ale ja nie pozwolę ci krzywdzić mojego dziecka, nie będziesz tutaj stał sobie w progu jak gdyby nigdy nic – i prask go połciem boczku z lewej strony, i prask z prawej – nie pokazuj mi się więcej na oczy! Możesz inne dziewczyny sobie zwodzić, ale moją Tosię zostaw w spokoju!

Otwieram oczy i przyglądam się boczkowi, który trzymam w ręku.

– Nie ma i, jak sądzę, to dość śmiałe, przychodzić tutaj po tym wszystkim...

– Po jakim wszystkim?

Proszę, nawet młody chłopaczyna już jest wprawiony w grach i zabawach płciowych. O mały włos ja, dorosła kobieta, dałabym się nabrać na tę niewinność drzemiącą w błękitnych oczkach, ale nie daję.

– Sam pan chyba najlepiej wie, o czym mówię.

Co prawda, już mówiłam mu na ty, ale na ty mogę być z przyjacielem mojej córki, z wrogiem będę zawsze na pan.

– Co się stało?

– Przepraszam, ale jestem zajęta.

Wyciągam przed siebie boczek i nóż, Jakub cofa się nareszcie. Zamykam drzwi i już przez okno w kuchni widzę, jak zamyka za sobą furtkę.

Żegnaj, Niebieski

A więc jednak wyjeżdża. Właściwie dopiero wczoraj to do mnie dotarło. Może mimo wszystko miałam jakąś wredną nadzieję, że coś się wydarzy. Na przykład Adam stanie w drzwiach, rozejrzy się i powie: nigdzie nie jadę, nie chcę się z tobą rozstawać.

Tosia pogodziła się z Adamem, przeprosiła, przysięgła, że nie będzie palić, ale była zdenerwowana. Adam ją przeprosił, że nie załatwił tego z nią, tylko ze mną. Oczywiście teraz razem są przeciwko mnie, ale to jest lepsze, niż gdyby byli przeciwko sobie; uściskali się, ale jakoś mnie serce boli.

My nie spaliśmy przez całą noc. Walizki stoją w przedpokoju, moja żółta i Adasia w kratę niebieską, paszport i bilet na stole, żeby nie zapomnieć, o siódmej przyjedzie po nas Grzesiek i odwiezie na lotnisko. Skończyliśmy się pakować o drugiej, nie wiem, dlaczego wszystko zawsze na ostatnią chwilę. A potem siedzieliśmy w wannie czterdzieści minut, razem, aż wystygła woda. A potem poszliśmy do łóżka. A potem zrobiła się piąta trzydzieści i Adam się podniósł, a ja razem z nim. Siedziałam na brzegu wanny i patrzyłam, jak się goli.

Pędzel z borsuka, krem do golenia, Niebieski używa normalnej maszynki, a ja gapię się, jak ostrze wędruje pod brodą, po policzkach, raz i jeszcze raz; jak Adam naciąga skórę i śmiesznie podnosi głowę, żeby się widzieć w lustrze. Lubię patrzeć, jak się goli. Odkłada maszynkę, bierze znowu pędzel, maże mój nos:

– Tylko Szymon, jak był mały, to lubił patrzyć, jak się golę – mówi i dalej skrobie po sobie maszynką, a mnie łzy stają w oczach, bo oto mój mężczyzna szykuje się do wyjazdu, a ja nic nie mogę zrobić, żeby go zatrzymać.

Adam wyciera ręcznikiem twarz, a ja idę do kuchni i przygotowuję ostatnie nasze wczesne śniadanie.

I tak oto siedzimy w kuchni przy zapalonym świetle, i kawie, i herbacie, i to nasz ostatni poranek. Adaśko ubrany w cudowny nowy sweter, w którym wygląda bosko i z którego się bardzo ucieszył.

Oczywiście poryczałam się w nocy jak jakaś głupia baba, co nie potrafi żyć bez faceta. A wcale nie chciałam niszczyć Adaśkowi tego wyjazdu, tylko jakoś smutno mi się zrobiło, że jednak jedzie. Pół roku to jedna osiemdziesiąta mojego dotychczasowego życia, a gdybym miała jeszcze na przykład żyć rok, to byłaby jedna druga mojego przyszłego życia. A już jedna druga życia, które mi pozostało, to nie w kij dmuchał. Próbowałam to wytłumaczyć Adasiowi, ale dostał takiego ataku śmiechu, że nie sądzę, żeby wiele zrozumiał. Więc najpierw płakałam, ale potem trochę się też śmialiśmy.

Zaraz i Potem śpią zwinięte na parapecie, Borys wlazł do rozbebeszonego łóżka, Adam go tam przydybał, jak poszedł po walizki, Tosia nie pojedzie na lotnisko, bo ma zaliczenie z angielskiego, ale powiedziała Adamowi, że pojechałaby na pewno, gdyby nie to zaliczenie. Siedzimy w tej kuchni, za oknem robi się różowo, dawno nie oglądaliśmy razem świtu, ale mam jakieś okropne przeczucie, że to ostatni raz, że coś się stanie, że on nie wróci.

— Będziesz pisał?

— Pisał i dzwonił — mówi Adaś i mnie przytula. — Pół roku to nie wieczność, naprawdę, Jutka, nawet się nie zorientujesz, kiedy będę z powrotem.

— Ale gdyby mi zostało jeszcze pół roku życia, to wtedy...

— Judyta! Nie zostało ci pół roku! Zostało nam dwa miesiące do świąt, natychmiast po przyjeździe się zorientuję i być może przyjedziecie...

— Ale przecież rozstajemy się... — jęknęłam.

— Wiesz co? Zdanie „rozstajemy się" brzmi dla jednej strony pesymistycznie, a dla drugiej optymistycznie, więc bądź po właściwej stronie.

— Co ty za głupoty opowiadasz? — zdenerwowałam się.

— Cytuję.

– To mi nie cytuj żadnych idiotów. – Już nie byłam smutna, tylko zła.

– Naprawdę nie chcesz wiedzieć, czyj to cytat?

Trwałam w obrażeniu odwrócona w stronę świtu. Adam stanął za mną i objął mnie. Uwielbiam, jak przytula mnie do swojego brzucha.

– To cytat z twojego listu do czytelniczki... – Całuje mnie w szyję. – Kocham cię...

A jednak niegłupio powiedziane... I nie będę rozważać, czy mówi tak tylko, żeby mnie wesprzeć, czy mnie kocha, czy może myśli, że mnie kocha, czy może czuje, że myśli, że mnie kocha, ponieważ to jest zupełnie, ale to zupełnie obojętne. Jest mężczyzną mojego życia, mojego dalszego życia, mam do niego bezgraniczne zaufanie i wiem, że wszystko, co się zdarza, zdarza się po coś, i będę na niego czekać i tęsknić, i w ogóle...

– Tosia ma teraz naprawdę stresową sytuację – przypomina mi Adam. – Dbaj o nią i o siebie.

Nic na to nie poradzę, że czuję się tak, jakbyśmy się rozstawali na wieki.

Grzesiek dzwoni do furtki za piętnaście siódma.

– Chciałem być wcześniej, bo nie wiadomo, jak się będzie jechało. O, mażesz się? – Spojrzał na mnie i upił łyk mojej herbaty. – Słodzona, obrzydlistwo. Tylko tyle bagażu na tę emigrację? – roześmiał się radośnie, a mnie serce podskoczyło do ramienia i tam zostało przez dłuższą chwilę. – Stany, kurczę pieczone, sam bym się tam pobujał, te Murzynki, te Mulatki...

– Zamknij się! – powiedziałam uprzejmie.

Adaś pogłaskał kocie kłębuszki, chwycił za ucho Borysa, który uznał widać za stosowne zwlec się z ciepłego łóżka w takiej chwili, i pojechaliśmy na lotnisko.

*

Tak oto tego październikowego ranka wróciłam sama do domu, do domu, w którym nie było już Tosi, bo poszła do szkoły, do domu, w którym nie było Adasia, bo właśnie odleciał do Stanów, do domu, w którym nie było kotów, bo przepadły gdzieś w ogrodzie, ale za to w łóżku leżał Borys i spał snem kamiennym. Położyłam się obok niego (nie posunął się ani o milimetr) i zapłakałam gorzko, choć pamiętałam Niebieskiego tuż po odprawie celnej. Odwrócił się do mnie nad ramieniem celnika i pomachał, a tak mu było ładnie w tym moim/jego swetrze, i tak na mnie spojrzał z daleka, z takim uśmiechem, że niepotrzebne mi są żadne zapewnienia, ani wiedza, ani przypuszczenia – wiem, że mu na mnie zależy, i wiem, że to nie ma znaczenia, jak wyglądam ani ile mam lat, ani czy robię głupstwa, czy nie, po prostu jestem kobietą, którą kocha, i to wystarczy.

Jeszcze tylko sześć miesięcy, a gdyby wyłączyć październik, który właściwie trwa już parę dni, to właściwie pięć, a gdyby jeszcze usunąć kwiecień – bo to miesiąc, kiedy wróci, to właściwie zostały nam cztery miesiące. A jeśli pojedziemy tam z Tosią w grudniu, to przecież grudzień jest tuż-tuż! A dwa miesiące to tylko cztery tygodnie razy dwa, a cztery tygodnie spokojnie da się przeżyć. Co prawda wyszło mi również, że jeśli on wraca za cztery tygodnie, to Tosia ma maturę za osiem, ale byłam zbyt zmęczona, by to porządnie rozważyć.

I z tymi myślami zasnęłam obok psa Borysa swojego.

*

Niebieski zadzwonił wczoraj w nocy, a właściwie nad ranem, że doleciał, że jest zmęczony, chociaż trochę już odespał, że napisze zaraz, że nie wie, gdzie będzie mieszkał, że nie wyobrażam sobie, co tu, to znaczy tam, jest, i że mnie kocha, i że właściwie tu (to znaczy tam) jest wczoraj albo jutro, nie skojarzyłam dokładnie, bo był blady przedświt. I potem znowu nie mogłam zasnąć. Tyle mu chciałam powiedzieć, a nie powiedziałam właściwie nic, kazał ucałować Tośkę i zwierzaki, i tyle tego.

Znowu jestem samotną kobietą.

Bez względu na prasę, która kolportuje zawsze żywą prawdę, że kobieta musi być i jest samowystarczalna, lubię być z mężczyzną, którego kocham, i nic na to nie poradzę. Jako kobieta samowystarczalna stanowię komplet z Niebieskim.

Wolę mężczyznę bez samochodu
niż samochód bez mężczyzny

Tęsknię za nim. Minęły dopiero dwa dni i może to się wydać śmieszne. Nie wracam z taką radością do domu, w którym czeka na mnie tylko pies i koty, bo Tosia się uczy do matury z koleżankami. Na razie to uczenie się do matury polega chyba głównie na obmyślaniu tego, w co się ubiorą na studniówkę. Tosia posunęła się w przygotowaniach jeszcze dalej, to znaczy już piłuje paznokcie na bal. Robi to codziennie wieczorem przed telewizorem, co doprowadza mnie do szału. Wczoraj wbiła sobie opiłek pilnika pod paznokieć i musiałam z nią jechać do chirurga, którego to cholernie rozbawiło, a musiał jej zrobić dwa zastrzyki znieczulające w palec, zanim zabrał się do opiłka. Samochód Adama z nawalającą wciąż skrzynią biegów jest u Szymona, a Szymon jest w górach z narzeczoną Kalinką, której nie lubi Tosia.

Szymon przywiezie mi samochód w przyszłym tygodniu, tak jesteśmy umówieni, ale co mi po samochodzie! Zdecydowanie wolę mężczyznę bez samochodu niż samochód bez mężczyzny. Nie mogę sobie znaleźć miejsca, nie rozbawiło mnie nawet pytanie czytelniczki, czy jeśli współżyła seksualnie z chłopcem po raz pierwszy w życiu i byli zabezpieczeni przed ewentualną ciążą, a w dwa tygodnie później wyskoczyła jej na biodrze gulka, to przypadkiem nie jest ciąża pozamaciczna.

Dzisiaj się z tego wszystkiego wzięłam za porządki. Siedziałam wczoraj do drugiej w nocy przy komputerze i przyglądałam się czterozdaniowemu liścikowi od Niebieskiego. Jaki to list na ekranie, umówmy się! Ale przyglądałam mu się z największą ciekawością:

Judyta, napiszę dłużej wkrótce, tutaj wszystko OK, żałuję, że Ciebie nie ma, tęsknię, uściski dla Tosi, próbuję wam załatwić wizę, Adam.

Przyznam, że byłam nieco rozczarowana. Judyta, Judyta, sam jesteś Judyta! – pomyślałam ze złością, a ponieważ z moich doświadczeń wynika, że na złość najlepsza jest praca, ciężka praca fizyczna – skoro świt, wzięłam się do roboty.

Stanowczo za małe mamy mieszkanko. Trzy pokoiki dla trzech dorosłych osób (a przecież z Adamem pracujemy również w domu!) to stanowczo za mało. W jednej szafie w przedpokoju mamy wszystko – ręczniki, pościel, obrusy i kurtki zimowe. I co z tego, że skoro nie ma Adasia, mogę je sobie ułożyć, jak chcę. I nie wiem, gdzie są różne ważne dokumenty, których przez te lata nazbierało się mnóstwo. Nie wiem nawet, gdzie jest mój akt rozwodu, który mi będzie potrzebny przy ślubie. Nie wiem, czy chcę brać ślub z mężczyzną swojego życia, który do napisania ma jedno: *Judyta!* Mógłby palant napisać ,,kochana", ,,jedyna", ,,słońce", ewentualnie nawet ,,misiaczku", ale nie! Sucho i konwencjonalnie ,,Judyta"! A co to, nie ma zdrobnień? Judyczko nawet przecierpiałabym. Ale nie, niedoczekanie moje. Następna ważna wiadomość to: *napiszę wkrótce*. Niezwykle pocieszające, powiedziałabym nawet – porażające. Rozumiem, tak jak nowo zelektryfikowana wieś czeka na prąd, tak ja powinnam czekać na wiadomość, nie odchodząc od komputera. Trzecia wiadomość, która powinna mnie uradować, to, że tam, czyli w USA, *wszystko OK*.

Do tego nie trzeba mi listu od ukochanego, dziennik mogę sobie pooglądać, jakby USA przestało istnieć, to przecież podaliby tę wieść w głównym wydaniu, tuż, jak sądzę, po pokazaniu prezydenta i premiera, i prognozy pogody, ale przed reklamą podpasek, które mówią do mnie, jak się wczoraj przed filmem dowiedziałam, językiem mojego ciała. Ciekawa jestem, kto to wymyślił. Do mnie podpaski nie ważą się odezwać, i słusznie. Więc dowiedziałam się, że tam wszystko OK. Na taką wiadomość trudno nie popaść w euforię.

Zostawiłam porządki w spokoju, ostatecznie nic się nie stanie, jeśli sobie pójdę do Uli, bo przez ten wyjazd Adama w ogóle nie wiem, co się u nich dzieje. I przez tę pracę. I przez maturę Tosi. Tylko dzięki temu cholernemu klimatowi widać, jak przemykają czasem do domu okutani w kurtki, ponieważ, niestety, u nas drzewa tracą liście. Niepotrzebnie. I nie wykopałam dalii i szlag je trafi, w nocy było minus siedem, a mnie ten smutny obowiązek całkowicie wyleciał z głowy. Ziemia jest zmarznięta, wiem, że tylko z wierzchu, ale nie mam siły przekopywać się przez tę zmarzlinę. To już lepiej wpadnę do nich na herbatkę, skoro jestem całkiem sama.

Ula też jest całkiem sama, właściwie nic dziwnego, bo Isia z Tosią w ramach przygotowań do matury poszły do kina i zawiózł je Krzyś, który odwoził Agatę do dentysty. Postanowiłam znowu zaczepić Ulę o wróżkę. Ostatecznie minęło tyle czasu, że powinna się przyznać, co takiego u niej usłyszała.

Ula postawiła na stole pierniczki, które już zrobiła, mimo że do świąt jeszcze kupa czasu. Ale pierniczki Ula zawsze robi wcześniej, trzyma je w puszce metalowej, tam pierniczki najpierw twardnieją, potem mękną, potem znowu twardnieją, czy coś takiego, w każdym razie te podane na stół teraz były na etapie utwardzania się. Pierniczek, rzecz złośliwa, złamał Mojemu Ojcu w zeszłym roku ząb, więc Ula podała je teraz ze słowami:

– Do moczenia.

Takie pierniczki włożyłyśmy sobie natychmiast do herbaty, z tym, że mój się nadłamał i spadł na dno szklanki.

– To mów, co ci powiedziała wróżka – zagaiłam przewrotnie.

– Właściwie to nic – odpowiedziała Ula i wylała moją herbatę z pierniczkiem, a potem nalała nowej, bez pierniczka.

Wzięłam następny do ręki i zastanawiałam się, czy zaryzykować, czy podać ukradkiem Maszy. Wygrało moje dobre serce.

– Nie karm mi psa przy stole! – napomniała mnie Ula. Masza w przeciwieństwie do Borysa strasznie głośno mlaszcze. A zamlaskała, suka jedna.

– Przepraszam – powiedziałam. – Co ta wróżka?

– Oj nic, takie tam – powiedziała Ula i wstała, żeby nasypać Maszy suchej karmy; miała na celu oszukanie psa.

– Oj Ulka, powiedz! Bo sama pójdę!

– Ty nigdzie nie chodź! – zdenerwowała się Ula.

– Ja byłam i wystarczy.

Od słowa do słowa wyciągnęłam z niej wszystko. Poszła, ponieważ koleżanki z pracy postawiły jej tę wróżkę w ramach zaległego prezentu urodzinowego. Ula z ciekawości poszła. Wróżka była sympatyczną panią, młodszą od nas, nie miała ani kuli, ani czarnego kota, ani nic z tych rzeczy. Rozłożyła karty i powiedziała Uli, że Ula ma dwie córki, więc Ula się strasznie zdenerwowała. Próbowałam ją uspokoić, bo córki ma od dawna i powinna się tym denerwować od dawna, ale Ula kazała mi się zamknąć. Zamilkła, a potem grobowym głosem oznajmiła, że wróżka przepowiedziała kłopoty z mężczyzną za granicą, ale nie jej mężczyzną, tylko niedalekim, i to dotyczy Uli albo kogoś z bliskich Uli. Przez co Ula będzie miała kłopoty. Granica nie jest daleko, ona, wróżka, nie widzi gdzie, ale nowa kobieta blisko. Nie będzie miała wpływu na życie Uli, ale na życie ludzi, którzy są obok. I teraz Ula się martwi, bo obok jestem ja i dlatego nie chciała mi wcześniej mówić. I przecież Adam wyjechał za granicę. A poza tym wszystko w porządku.

Strasznie się zaczęłam śmiać, bo przecież za granicą działki Uli jest pan Czesio, a on już ma kłopoty. I ta wróżba jest świetna, ale dla niego, skoro mu się szykuje nowa kobieta. Zwłaszcza że żadnej jeszcze nie ma. Nie może to być wróżba dla mnie, ponieważ granica z Ameryką nie istnieje, nasza, polska, a ja na pewno nie będę miała żadnej kobiety, ponieważ preferuję mężczyzn. Wytłumaczyłam to Uli i Ula się ucieszyła. Rozpatrywałyśmy również inne warianty tej przepowiedni. A mianowicie, że Krzyś wyprowadzi się do namiotu obok, na pole, które zwykle jest obsiane oziminą, i tam sprowadzi nową kobietę, na przykład panią Stasię.

Wreszcie Ula zmieniła temat:

– Jutka, wiesz, że Ania się rozwodzi?

Aż mi dech zaparło, bo nie ma miesiąca, żebym o jakimś rozwodzie nie słyszała, mężczyźni koło czterdziestki zaczynają szaleć.

Ania to nasza przyjaciółka, ale wyprowadziła się parę lat temu. Jej mąż miał romans, wrócił po dwóch latach – wyglądało na to, że zmądrzał. Zwykł powtarzać, że odbył już podróż dookoła siebie i z pewnym pobłażaniem patrzył na mężczyzn rzucających się w nowe życie. Na przykład Tego od Joli to nawet nie wyśmiał, tylko powiedział, że mu współczuje. I bardzo proszę, powtórka z rozrywki.

– Wiesz, co mu Ania powiedziała na pożegnanie?

Tak się zatopiłam w myślach, że nie usłyszałam, co Ula mówi.

– Powiedziała mu, że on już odbył podróż dookoła siebie, a ona niniejszym kończy dwudziestoletnią podróż dookoła niego.

– Niech on dobrze zapamięta ten dzień – powiedziałam. – Od teraz to on będzie się dowiadywał co stracił, a ona co zyskuje.

– Ula patrzyła na mnie uważnie.

– Wiesz, te wszystkie nowe związki... w gruncie rzeczy się nie sprawdzają. Na przykład ja i Krzyś nie uznajemy drugich ślubów. Ślub jest jeden.

– Oj Ula – obruszyłam się. – A tak lubicie Adama.

– Nie mówię o Adamie – powiedziała Ula. – U ciebie jest zupełnie inna sytuacja. Adam to kulturalny facet, ale drugi ślub to nie ślub... Zresztą on ci bardzo pomógł w trudnych chwilach, a teraz Tosia tak często spotyka się z ojcem...

– No to co? – zapytałam średnio inteligentnie, bo przecież nie widzę związku.

– No wiesz... – Ula patrzyła na mnie, jakby chciała coś usłyszeć.

Nie wiem, co chodzi Uli po głowie, wiem natomiast, że ja jeszcze im pokażę, że można szczęśliwie żyć.

Bardzo miło spędziłyśmy następną godzinę na uważnym moczeniu pierniczków w herbacie.

Potem wrócił Krzyś i rzucił w Ulę nowymi pismami, które jej w przypływie dobrego humoru kupuje. Wróciłam do domu i zaczęłam się zastanawiać, czyby przypadkiem nie pójść do wróżki. To chyba zabawne doświadczenie w życiu każdej kobiety. A potem przyszła z kina Tosia, powiedziała, żebym poszła na ten film, co były z Isią, bo one nie wiedzą, o co chodzi, i co było prawdą, a co imaginacją, a sam koniec, który wyglądał tak, że ten facet skazany na śmierć...

– Nie opowiadaj mi filmu, który chcę zobaczyć – wrzasnęłam na Tosię i zatkałam uszy.

Znowu to samo. Tosia opowiada mi końcówki filmów, które chcę zobaczyć, i książek, które właśnie czytam. A potem ma pretensję, że nie chcę z nią rozmawiać. Ot, życie.

– Isia mówi, że jakieś nieszczęście się szykuje, u nas na wsi. Bo jej mama powiedziała, a jej mamie wróżka. I nie chodź w tym swetrze, mówiłam ci – powiedziała moja córka obrażonym tonem – wyglądasz na dziesięć kilo więcej.

Mam za swoje. A mogłam ostatecznie wysłuchać, kto kogo zabił i kto został skazany. Ot, życie.

*

Dzisiaj odebrałam nowiutki paszport. Jak się okazuje, niepotrzebnie go wyrabiałam, bo jak wejdziemy do Unii, to i tak każdy będzie musiał wyrobić sobie zupełnie nowy i inny. Co nie jest podawane do publicznej wiadomości, bo ludzie by się zdenerwowali. Ludzie

131

się i tak denerwują, więc nie rozumiem, dlaczego to tajemnica.

Nareszcie Niebieski usiadł przy jakimś obcym komputerze, w jakimś obcym kraju i napisał:

Kochanie (to już lepiej)
ledwo mi zniknęłaś na lotnisku, a może raczej ja Tobie zniknąłem, zaczęły się kłopoty. Kupiłem Ci nieopatrznie we free shopie w Warszawie przyrządy do manicure, i to był pierwszy błąd. Przy prześwietleniu okazało się, że mam nie powiem ile forsy wyrzucić w błoto, to znaczy do kosza, stojącego obok, i na nic zdało się tłumaczenie, że to dla Ciebie. W ogóle mnie nie słuchali, tylko stukali ręką w duży napis, którego wcześniej nie zauważyłem: ,,*Narzędzia do cięcia dowolnego rodzaju i imitacje tychże, sztylety, brzytwy, szpilki, łańcuchy... – i nie wiem, co tam jeszcze było – nie podlegają przewozowi w bagażu podręcznym".* *Poprosiłem wobec tego o udostępnienie mi bagażu właściwego, ale okazało się to niemożliwe. O mały włos nie spóźniłem się na samolot, bo próbowałem negocjować, byłbym w ogóle nie poleciał, jak mnie zaczęli pouczać, co ja mogę pilnikiem do paznokci zdziałać w samolocie. Nie muszę dodawać, że natychmiast po wystartowaniu podano nam posiłek i do tego normalne metalowe sztućce – noże i widelce. Gdybym nie był wściekły, to by mnie to rozweseliło.*

Ani się obejrzałem, jak byliśmy we Frankfurcie. Wiesz, że lubię latać, ale Niemcy zafundowali mi wspaniałe widowisko, które obniżyło w stopniu najwyższym moje morale. A mianowicie miałem okazję zobaczyć na największym europejskim lotnisku płonący samolot i trzy jednostki straży pożarnej, które zgrabnie próbowały go ugasić. Co im się już prawie prawie udawało, to samolot zaczynał na nowo płonąć, a oni na nowo zaczynali puszczać pianę. Stałem przy oknie jak wmurowany i zastanawiałem się, jak by tu się szybko wydostać do miasta, wsiąść w pociąg i udać się drogą naziemną do ojczyzny, która ma ten plus, że tam jesteś Ty. Okazało się zresztą, że to tylko ćwiczenia, ale wyobrażam sobie, co byś Ty zrobiła, gdybyś ze mną leciała... skoro nawet ja nie byłem cool.

Cool, cool! Wystarczy, że chwilę pomieszka z Tosią, a już do mnie pisze, jakby był nią. Z tym, że Tosia do mnie nie pisze.

Ale cieszę się, że bardziej jesteśmy podobni do siebie, niż myślałam. Ja też nie jestem cool. Nie dlatego, żebym coś przeciwko byciu cool miała – ale nie bardzo wiem, co to znaczy być cool. Córki Uli powiedziały, że prezydent jest cool, Papież jest cool oraz Jasiek z trzeciej a szkoły społecznej też jest cool, a wszystkie te osoby są zupełnie niepodobne do siebie. A ja nie jestem podobna ani trochę do nich – nawet płeć mam inną – nasuwa się więc prosty wniosek, że na pewno nie jestem cool, i tu jestem podobna do Adasia. Ale kurczę blade, to nie jest list miłosny!!! W żadnym wypadku! Z wyjątkiem zdania podrzędnego, *która ma ten plus, że tam jesteś Ty...*

Czy teraz mam sobie wydrukować ten list i schować do koperty, kopertę zaadresować na siebie i schować do szuflady?

Osiemnaście lat świetlnych

– Mamusiu... – Tosia wchodzi do kuchni i siada naprzeciwko mnie.

Przyniosłam z redakcji siedemdziesiąt listów, leżą w części pootwierane, a ja zajęłam się rzeczami wyższej rangi, to znaczy pustoszę lodówkę. Jest to czynność, którą widać, w przeciwieństwie do odpowiedzi na siedemdziesiąt listów, której nie widać.

– Mamo...

– Co kochanie? – pytam słodko, bo czuję przez skórę, że moja córka ma do mnie niecierpiący zwłoki interes.

– Mogę zrobić urodziny? – Kromka z serem żółtym i majonezem zatrzymuje się w połowie drogi do moich ust.

– Komu? – pytam niewyraźnie.

– Sobie – odpowiada Tosia i patrzy na mnie ze zdziwieniem.

Urodziny! Moja córka kończy przecież osiemnaście lat! Ale do urodzin są jeszcze trzy tygodnie!

– Zapomniałaś, prawda?

Nie zapomniałam. Żadna matka nie jest w stanie zapomnieć dnia, kiedy sobie rodziła dziecko. Sobie albo i światu. Albo i jakiemuś Jakubowi, co potem je rzuca.

Ten od Joli, w chwili jej narodzin był jeszcze troskliwym mężem. Kiedy w nocy dostałam bóli i go obudziłam, powiedział:

– Kochanie, ja przecież czuwam – i przewrócił się na drugi bok. I ja miałabym zapomnieć o tej nocy? Nigdy!

Umyłam samodzielnie włosy, zakładając, że to, co przy porodzie jest najistotniejsze to – fryzura. Pomalowałam nad ranem paznokcie u nóg i rąk, co zajęło mi dwie dalsze godziny przedświtne, podczas gdy mój przyszły Eksio czuwał, pochrapując w najlepsze. A spróbujcie sobie pomalować paznokcie ze skurczami co półtorej minuty! Kiedy go znowu zaczepiłam i poinformowałam, że mam skurcze co minutę, wyskoczył z łóżka jak oparzony i zaczął krzyczeć, że jestem niepoważna, zbladł, zrobiło mu się słabo. Zadzwoniłam do rodziców, ojciec nawet nie zdążył powiedzieć, co by zrobił na moim miejscu, bo podobno też zbladł, mama wezwała taksówkę i zawieźli mnie do szpitala. O dziewiątej rano Tosia słabym krzykiem oznajmiła, że oto jest na tym świecie, ale Eksio siedział w poczekalni do drugiej, bo go nikt nie poinformował, że to tak szybko poszło, i miał do mnie pretensję. Ech, czasy...

Wszystko to było blisko osiemnaście lat temu, a jak wczoraj. I teraz przede mną siedzi dorosła kobieta, a to dziecko prawie, i informuje mnie, że zaprosi do domu bandę równie młodych i niepokornych ludzi. Jak znam życie, będzie tego z pięćdziesiąt osób, które będę musiała wyżywić, które na pewno przyniosą alkohol w różnych torbach w tajemnicy przede mną, a nie daj Boże, może nawet trawę, pochleją się, znarkotyzują, zniszczą nasz malutki domek i wpędzą mnie w straszne kłopoty.

Tosi koleżanki w zeszłym roku obchodziły osiemnastki (moje biedactwo było zdolne, nudziło się w przedszkolu i dlatego poszło wcześniej do szkoły – wybacz, kochanie, nie wiedziałam, co czynię), i to było straszne. Jednej rodzice urządzili osiemnastkę w hotelu Brostal, kosztowała trzydzieści tysięcy. Może Tosia też chce mieć urodziny w hotelu, biedactwo? Chociaż ostatnio wydaje mi się, że mam inteligentne dziecko. Może jednak chce tylko zdemolować nasz dom?

Westchnęłam ciężko.

– Ile osób chcesz zaprosić?

– No właśnie, mamo...

Niestety, w tym „no właśnie, mamo" wyczułam wyraźnie, że nie tylko klasę swoją, złożoną z dwudziestu osób. Prawdopodobnie również klasy ościenne, bo Tosia, jako zwierzę towarzyskie, ma mnóstwo znajomych. I na pewno pomyślała o swoich sześciu przyjaciółkach ze szkoły podstawowej, bo się do dzisiaj spotykają. Koleżanki mają chłopców, to daje sumę następnych dwunastu osób. Są oczywiście jeszcze przyjaciele, z którymi była w Szwecji i znajomi, których tam poznała. Dochodzi do tego obóz żeglarski i wędrowny – jakieś trzydzieści osób, lekko licząc. Rodzina i sąsiedzi. W lecie można by zrobić party ogrodowe, ale już jest sześć stopni. Za trzy tygodnie będzie minus sześć. Wtedy takie party ogrodowe mogłoby być bardzo interesujące, bo krótkie, ale za to na dwieście osób, które najlepiej byłoby zawiadomić, żeby przyszły po jedzeniu, złożyły życzenia i poszły. Tosia mogłaby stać koło otwartej furtki z kieliszkiem szampana i od razu odprawiać.

– ...i dlatego nie chcę. – Usłyszałam końcówkę wypowiedzi Tosi.

– Czego nie chcesz? – wróciłam do kuchni zasłanej listami. – Przepraszam, wyłączyłam się...

– Dlaczego ty mnie nie słuchasz?

– Słucham, tylko zastanawiałam się, jak to zrobić.

– Mamo, jak Konrad robił osiemnastkę w zeszłym roku, to mu wyrzucili telewizor przez okno, bo tak się spili. A u Ani z kolei Konrad razem z kumplem, trochę starszym, bo go ze studiów wyrzucili ze dwa lata temu – Tosia zastanawia się chwilę, a mnie zaczyna się kręcić w głowie – wyrzucili go – wyjaśnia Tosia, widząc moją minę – bo wyłączył światła na Żwirki i Wigury, bo miał ojca policjanta i wiedział, gdzie się wyłącza, tam są takie skrzynki, i kierował ruchem... A pamiętasz, w telewizji pokazywali, jaki korek się zrobił... No i został zatrzymany... Bo wiesz, on od ojca wziął mundur, a tego nie wolno mu było robić... No to Konrad razem z nim przyszedł do Ani i wyrzucili u Ani wszystkie lampy z szesnastego piętra...

– Lampy? Jakie lampy? – pytam nieprzytomnie, bo właśnie dowiaduję się, co moja córka robiła w zeszłym roku na imprezach.

– Normalne – wzrusza ramionami Tosia i sięga po moją niedojedzoną kanapkę. – I właściwie zrzucili tylko dwie, z Ikei, niedrogie, bo chcieli zmierzyć prędkość światła...

– Tosia! Zmiłuj się nade mną! To wy się tak bawicie? Mówiłaś, że twoi przyjaciele to normalni ludzie.

– Oj mamo. Przecież ja się nie przyjaźnię z Konradem. Ja nic nie wyrzucam przez okno. Ja znam prędkość światła, nie muszę tak sprawdzać – śmieje się Tosia, a potem poważnieje. – U Arka stłukli wszystkie szklanki, które zbierał jego ojciec ze szkła kryształowego, ze scenami myśliwskimi. Arek prosił, żeby nie ruszali, ale wiesz, jak chłopcy się popiją, to nic do nich nie trafia. A Arek, dopóki był trzeźwy, to ich pilnował, a potem to tak się ululał, że strzepywał popiół ze swojego papierosa do swojej kieszonki w koszuli, bo się nie mógł ruszyć.

– Tosia! – wyrwało mnie nareszcie ze stuporu. – Jak ty możesz tak spokojnie o tym opowiadać! To wcale nie jest wesołe! W jakim ty się towarzystwie obracasz!

– Widzisz mamo, dlatego z tobą się nie daje szczerze rozmawiać. Ty po prostu nie przyjmujesz do wiadomości, że takie jest życie.

– Czyje życie! – Jestem przerażona. – Twoich przyjaciół? Twoje?

– Nie, ale takie rzeczy się zdarzają. I na pewno się zdarzały również tobie, tylko wy wszyscy jesteście zakłamani. Ojciec to się śmiał, jak mu to opowiadałam. Milknę. Właśnie dowiedziałam się, że moja córka ma kolegów, którzy, być może, już niedługo będą za kratkami. Na dodatek piją i palą. O czym powszechnie zresztą wiadomo, młodzież pije i pali, kiedy my, czyli nieco starsza młodzież, nie widzimy. Tosia właśnie dzieli się ze mną swoimi przeżyciami z osiemnastek różnych swoich kolegów i koleżanek, czyli robi ze mnie wspólniczkę. Ale też z drugiej strony mówi... a jak dziecko mówi, to rodzic nie powinien się od razu obruszać. I prawdą jest, że ja również na prywatkach bywałam. I dokładne pamiętam, co się tam działo.

Patrzę na moją córkę i myślę sobie, że robię dokładnie to, czego nie powinnam robić i co mnie złościło, jak ja miałam osiemnaście lat. I że wtedy – jak moja mama siedziała naprzeciwko mnie i mówiła to, co ja teraz mówię, to obiecywałam sobie solennie, że nigdy, nigdy nie powiem tego do swojego dziecka.

– Ja w twoim wieku – mówię i widzę, jak Tosia przewraca oczami, więc szybko się reflektuję – też właściwie miałam kłopoty... Ostatnia prywatka, którą zrobiłam... na którą mi babcia pozwoliła, też skończyła się niedobrze... – Zamyśliłam się, a Tosia spojrzała na mnie z nadzieją. – Moi koledzy mieli kolegę Średnika... wiadomo było, że tam, gdzie przychodzi Średnik, zawsze jest jakaś afera. Nie znałam Średnika, ale przyjaźnił się ze Zbyszkiem, w którym się kochałam. I jak babcia w końcu pozwoliła mi zrobić prywatkę, a ja obiecałam, że nie będzie żadnego alkoholu, to prosiłam, żeby przypadkiem nikt Średnika nie przyprowadzał. Wszyscy przyszli, bardzo porządnie, dziadkowie poszli do teatru... a o wpół do dziewiątej dzwonek – do drzwi. Przed drzwiami stoi hydraulik i mówi, że woda cieknie do sąsiadów. Wpuściłam go do łazienki... Nawet nie zauważyłam, że siedzi w tej łazience i siedzi i tylko chłopcy znikają w niej kolejno i wychodzą, coraz bardziej na luzie... Owszem, domyślałam się, że pewno przeszmuglowali jakieś wino, ale jedno wino... Potem ten hydraulik przeniósł się do kuchni, bo w kuchni coś też nie działało... A następnego dnia, jak przyszła na obiad prababcia, okazało się, że wódka w lodówce to herbata z cytryną, a Średnik wyśmienicie się u mnie bawił jako hydraulik... i w tej torbie miał alkohol... Ale babcia nic nie rozumiała...

– No właśnie, mamo! – Tosia, wyraźnie ucieszona, popatrzyła na mnie. – I dlatego ja nie chcę zapraszać na osiemnaste urodziny nikogo! Tylko rodzinę!

– Jak to nie chcesz? – zbaraniałam. – Nikogo?

– No przecież ci mówię, tylko rodzinę! Żeby było jakoś normalnie, a nie że wszystko zdemolują! Mogę?

Przez głowę przebiegła mi nieprzyjemna myśl, że będę musiała ten dzień spędzić nie tylko z rodziną swoją starą, ale i nową rodziną swojego starego męża.

– Rozumiem, że chcesz zaprosić tatę i jego... – nie chciało mi coś przejść przez gardło słowo „żona" – ...i Jolę?

– Nie, samego tatę, proszę, mamuś, Jola pojechała do swoich rodziców do Krakowa... na jakiś czas i tata jest sam... a ja pomyślałam sobie, że przyjdzie babcia i dziadek, i tata, i Agnieszka z Grześkiem, i może ciocia Marylka... I tak sobie spokojnie spędzimy ten wieczór... Ja ci pomogę zrobić coś dobrego... dobrze?

Wieczór z byłym mężem. I to wtedy, kiedy Adaś na zgniłym Zachodzie. No cóż...

Nie będzie przyjemnie... Dlaczego Eksio nie pojechał do tego Krakowa za żoną swoją młodą i nowym dzieckiem? Co to za pomysł, żeby się rozstać ze szczupłą, miłą, nieobsypaną ospą, bez złotego zęba żoną? Dlaczego on jej na to pozwala, głupek jeden? A z drugiej strony Tosia ma prawo mieć przy sobie rodziców w taki ważny dzień.

– Jasne, córciu – mówię odważnie. – Zaprosisz, kogo zechcesz, i będziesz miała bardzo przyjemne urodziny. A ode mnie dostaniesz...

– Nie mów mi! – krzyknęła Tosia. – Chcę niespodziankę! I bardzo ci dziękuję, to ja powiem tacie. I mamo, będzie oczywiście Jakub, chciałam cię prosić, żebyś już go więcej nie straszyła. Ewkę to on spotkał wtedy przypadkowo i powiedział, że jak przyszedł wyjaśnić, to go straszyłaś nożem! – I już jej nie było.

Sprzątnęłam ze stołu, zgarnęłam listy i siadłam przed komputerem. Właściwie powinnam być zadowolona, że trzysta dwadzieścia osób, które miały gościć w moim małym domku, oddaliło się na bezpieczny dystans, ale poczułam tylko niepokój. Zrobię to dla niej, oczywiście. Być może kiedyś doceni moje poświęcenie, ale umówmy się – nie po to brałam rozwód, żeby teraz spędzać czas z Eksiem. I ja się wtrącam do Jakuba? Przypomniałam sobie, że kiedy przyszedł, kroiłam boczek – ale żeby od razu straszyć?

Nie będę się więcej wtrącać, po co mi to? Oni sobie to wyjaśniają, a ja nie śpię po nocach, ot co, i z westchnieniem głębokim odpaliłam komputer. Dłuższą chwilę próbowałam się połączyć z Telekomunikacją Polską SA, która, niestety, nie chciała się w żaden sposób połączyć ze mną. I nie wysłałam odpowiedzi do Adasia.

*

Dzisiaj zadzwonił do mnie Eksio. Już już miałam wołać do telefonu Tosię, ale Eksio nie dał mi dojść do słowa. Bardzo przeprasza, że ingeruje w moje życie, ale właściwie nie dzwoni do Tosi, tylko do mnie, bo chciałby ze mną skonsultować sprawę prezentu dla Tosi na jej osiemnaste urodziny i bardzo dziękuje za zaproszenie, będzie mu niezwykle miło. A jak moi rodzice? A jak Borys? A jak ja w ogóle sobie radzę? A tralala. A w ogóle to dobrze sobie radzę, dziękuję. Bo Tosia właśnie chciałaby od nas dostać wieżę i on właśnie chciałby znacznie zapartycypować w tym wydatku, ale byłoby dobrze, gdybyśmy razem tę wieżę kupili. I czy się możemy spotkać, w celu tymże właśnie.

Siedziałam trzeci dzień nad tekstem, który nawet w połowie nie był optymistyczny. Pewna pani, owszem, wtedy, kiedy pisała do redakcji, pełna była nadziei na zmianę swojego życia, niestety, bank udzielił jej pożyczki, a potem natychmiast kazał spłacić, bo w wyniku pomyłki itd., została bez grosza, z długami, nie może skończyć budowy pomieszczenia firmy, bez którego firma nie ruszy, zapowiada się, że będzie bankrutką, chciała tylko, żebyśmy coś zrobili. To miło, że ktoś jeszcze wierzy w potęgę prasy, a Eksio chce się ze mną spotykać. Czy ja mam czas na głupstwa?

– I chciałbym porozmawiać z tobą o Tosi – zaszemrał Eksio w słuchawkę, a ja się natychmiast zdenerwowałam. – Nie wiem, czy ona nie potrzebuje pomocy... Jest jakaś dziwna...

Przez osiemnaście lat miał do powiedzenia mniej więcej jedno, w zależności od wieku Tosi. Do powiedzenia to za dużo powiedziane, Eksio był specjalistą od zadawania retorycznych pytań. Kiedy była niemowlęciem:

– Dlaczego ona nie śpi po nocach?

– Dlaczego inne dzieci śpią?

– Dlaczego ona ma kolkę?

– Dlaczego pieluchy pachną moczem?

A potem:

– Dlaczego ona nie odrobiła lekcji?

– Dlaczego inne dzieci mogą na czas się przygotować?

– Dlaczego ona nie ma się w co ubrać?

– Dlaczego ona się do mnie niegrzecznie odnosi?

– Dlaczego ona tak długo rozmawia przez telefon?

– Dlaczego ona spotyka się z tym chłopakiem?

Dlaczego, dlaczego, dlaczego... Do dziś na pytanie „dlaczego" reaguję alergicznie. Potem po tych pytaniach następowało coś w rodzaju: Zrób coś z tym. I robiłam. A teraz nagle ta troska w odniesieniu do dorosłej kobiety. Ale zaniepokoiłam się, bo może wie o czymś, o czym ja nie wiem.

– Tosia? Dziwna?

– Spotkajmy się, Judyto, proszę.

Tak poważnie to zabrzmiało, że umówiłam się z własnym eksmężem na piątek. A niech tam, to Jola będzie miała problem, a nie ja.

Szkoda, że Adasia nie ma, boby mi poradził, jak mam z nim rozmawiać, żeby sobie nie popsuć stosunków z Tosią.

Ale co ja na to poradzę, że nie lubię swojego byłego męża?

*

Wsiadłam w kolejkę i pojechałam do redakcji. Pod pachą miałam dyskietkę z artykułem, wyszedł mi niezły tekst o tym, jak bardzo trzeba uważać, zabierając się za nowe życie, jak łatwo ulec złudzeniu, że wszystko można zmienić, i jak w nowej rzeczywistości nie żyje się wolnością, tylko troszczy się o chleb powszedni, a własny bank w niezawisłym kraju robi cię w konia.

Tekst oddałam, w redakcji trochę luzu, właśnie zszedł nowy numer, więc oddaliłam się dostojnie, nikomu się nie tłumacząc, na spotkanie z byłym mężem.

Eksio był bardzo podniecony, że no wiesz, nasza córka, dorosła, kto by pomyślał, że to tak szybko...

Ja, ja bym pomyślała, szczególnie, baranie, że cię w ogóle nie obchodziła.

A teraz może byśmy zrobili jej przyjemność i ona by się tak cieszyła, bo to takie ważne, żeby rodzice jednak byli razem i nie hodowali w sobie pretensji...

W życiu bym sobie niczego do ciebie nie hodowała w tej chwili. Nawet pretensji.

I co ja myślę o zakresie tego sprzętu.

Nic. Wszelkie zakresy wszelkich urządzeń są mi obce, ty baranie. Ma być ładny.

Ach, bo wy kobiety szukacie błyszczących i ładnych, a tymczasem rozdzielność basów, które niosą, albo i nie niosą, jest istotna dla słuchania muzyki...

Uszy są istotne, ty głuchy baranie.

A czy pamiętam, jak mała Tosia rozłożyła mu radio? Ach, jakie to było urocze dziecko.

Pamiętam. Awanturę z trzaskaniem drzwiami i z retorycznym pytaniem, czy ktoś ją wychowuje.

Ja, ja ją wychowywałam. Szkoda, że nie nauczyłam jej, jak rozłożyć wszelkie inne twoje sprzęty, baranie, samochód, telewizor, magnetyczny notes, gdzie figurowała Jola... Tfu, co też ja plotę. Nie, nie żałuję.

Uśmiecham się grzecznie i miło, bo co mi tam. Gdyby ze mną był Adaś, poszalelibyśmy... Obejrzelibyśmy przy okazji zmywarkę – kupimy, jak wróci. I Adaś by szybko coś wybrał, zna się najlepiej na świecie na sprzęcie grającym. A przynajmniej u nas na wsi. I nie musi o tym dyskutować.

Ale pasmo przenoszenia i zakres, bo wie pan, my z żoną na osiemnaste urodziny córki, pan rozumie...

Z byłą żoną, na szczęście, baranie.

Uśmiecham się milutko. Eksio przegląda wieże ze znawstwem, a ja sobie myślę, że słusznie ktoś zauważył, że mężczyzna lubi zabawki. Pokaż mu tylko coś, co błyska, świeci, gra, jest małe i potrzebuje co najmniej dwustu dwudziestu woltów lub paru baterii, a nie przejdzie spokojnie. Patrzę, jak w Eksiu włącza się paw. Jak mu się ogon stroszy, jak plecy prostują, jak chce zadziwić sprzedawcę znajomością przedmiotu, jak mam się zachwycić, że on zadziwił.

I myślę o Adasiu.

Nie jestem depresyjna

Dwa razy dzisiaj Telekomunikacja Polska w niezmierzonej swojej łaskawości połączyła mnie z moją skrzynką pocztową. Pusto. Nic, żadnej odpowiedzi. Nie lubię e-maili. Na list to by sobie człowiek czekał spokojnie tydzień albo dwa, a tak zaglądam codziennie, jakby to był obowiązek codziennie pisać. Ale przykro mi jest całkiem bezsensownie przez ten komputer. Kiedy przyszła Ula, postawiłam na stole herbatę i jęknęłam:

– Jesień jest stanowczo za długa.

– To świetnie – powiedziała Ula. – Może będzie też długie lato.

– Leje! – przypomniałam jej. O szyby ciął deszcz, aż dudniło.

– Bardzo dobrze. Ziemia jest sucha.

Zamilkłam. W domu było wilgotno i zimno. O tej porze roku wydało mi się to bardzo niesprawiedliwe. W mieście zmokłam, a w pociągu stałam. Kamila się rozwodzi, a Aneta była w Kołobrzegu i przeżyła gehennę podróży. Życie było doprawdy bezlitosne.

– Jestem zmęczona. Pranie nie schnie. Muszę jechać z Tosią do ortodonty, a nie mam samochodu, muszę wymienić prawo jazdy, a mam tylko jedno zdjęcie, które mi zostało po zrobieniu paszportu – marudziłam w najlepsze i robiło mi się coraz lepiej.

– To świetnie! – ucieszyła się Ula. – Pojedziemy razem. Podwiozę cię. Zresztą na tym zdjęciu, które masz, wyglądasz okropnie.

Wzięłam zdjęcie do ręki. Okropnie? Owszem, ucho na wierzchu nie jest szczytem porządnej stylizacji, ale zaraz okropnie?

– Widzisz, jak to dobrze, że się musisz sfotografować? Nareszcie będziesz wyglądać jak człowiek. – Ula odłożyła moje całkiem nie najgorsze zdjęcie i łyknęła herbaty.

– No wiesz co... – poczułam się urażona.

– Co? – Ula uśmiechnęła się do mnie. – Fajna pogoda na damskie pogaduszki, nie? Pada, nareszcie pada, świat się wtedy robi taki przytulny, prawda?

Nie, nieprawda. Koty weszły przez okno w sypialni i zostawiły błoto na biurku oraz poduszce. Cały dzień spędziłam w mieście. Czekałam na przystankach i mokłam. I ten rozwód Kamili! Ilekroć ktoś się rozwodzi, robi mi się jeszcze smutniej. Świat sprzysiągł się przeciwko mnie, a również i Ula.

– Zobacz, co mi zrobiły te koty – pociągnęłam Ulę do sypialni. Ciemne ślady łapek zdobiły nie tylko poduszkę i biurko, ale i półkę z książkami, czego wcześniej nie zauważyłam.

– O, to znaczy, że oba wróciły do domu! Nie musisz się martwić!

Milczałam. Rzeczywiście, oba były w domu. Poprzedniej nocy nie wrócił Zaraz i nie mogłam zasnąć. Dzisiaj będę mogła.

– Opowiedz po prostu, co się stało? – zaproponowała Ula.

– Widziałam się z Kamilą – powiedziałam niepewnie, bo właściwie Kamila nie prosiła mnie, żebym od razu wszystko mówiła Uli.

– Ojej – Ula roześmiała się – to cudownie! Co u niej?

– Fatalnie – zebrałam się na odwagę.

– Chora? – zmartwiła się Ula.

– Nie... Rozwodzą się... – Siadłam ciężko przy stole i zapatrzyłam się na ogród.

– Och, to fatalnie – Ula zmarszczyła brwi.

– Fatalnie to nie... – westchnęłam – Myślę, że to dobrze.

– Przecież ten jej mąż... – Ula nieco się zająknęła. – On przecież...

– Miał inną – dodałam uprzejmie.

– No właśnie!

– Miał inną! – krzyknęłam rozpaczliwie. – Więc chyba dobrze, że się rozstają i ona już nie będzie cierpieć tych jego zdrad, prawda?

Ulę zatkało.

– Z tego punktu widzenia, oczywiście, że dobrze. Ale czy nie mogliby się kochać do końca życia i żyć szczęśliwie?

– Oj Ula, jaki to związek, jak się ludzie zdradzają... No i Aneta była w Kołobrzegu... – powiedziałam cicho.

– Nie martw się, ty też przecież pojedziesz na urlop.

– Nie martwię się tym, że ona była, a nie ja – oburzyłam się.

– Nie możesz się ucieszyć, że twoja koleżanka odpoczęła?

Jaka ta Ula jest!

Aneta boi się jeździć pociągami, bo w pociągach kradną. Napadają. Gaz usypiający. Itd. Aneta ogląda dzienniki, więc wszystko wie. Zdecydowała się pojechać na wczasy odchudzające i pojechała. Była sama z jedną panią w wagonie. Konduktor powiedział, żeby się przesiadły bliżej warsu, bo znaleziono kogoś pociętego w ubikacji pociągu relacji Chorzów–Warszawa. To się przesiadły. Przed Gdańskiem przyszedł i powiedział, żeby uważały, bo zbliżają się do Trójmiasta. Przed Słupskiem przyszedł i powiedział, żeby nie leżały, bo mogą się obudzić bez butów. Siedział z nimi do samego Kołobrzegu! Aneta jest wykończona! W ogóle nie wypoczęła, tylko cały tydzień się martwiła, jak będzie wracać!

– Aneta to ta ładna blondynka z tym jamnikiem ostrowłosym? – pyta Ula i uśmiecha się.

Za grosz w niej empatii. A świat jest taki straszny. Czyha na niewinnych ludzi.

– Owszem – burczę i wiem, że nie powinnam Uli już nic mówić.

– No to nic dziwnego, że konduktor próbował...

– On je chronił! Wyobrażasz sobie, co się dzieje, jeśli konduktor siedzi z dwoma kobietami w przedziale, bo mogą przyjść jakieś zbiry?

– Uspokój się – powiedziała Ula. – Jakie zbiry? Aneta zawsze podobała się facetom. I pewno spodobała się konduktorowi. Nic dziwnego, że próbował ją podrywać. A jaki mężczyzna się najbardziej podoba? Taki, co nas obroni, ty głuptasie!

Teraz przypomniałam sobie szczegóły. Aneta głównie mówiła o tym konduktorze. Wspaniałym. Studiuje zarządzanie. Ma trzydzieści lat. Pracuje, bo inaczej nie opłaciłby studiów. O mojaż ty naiwności! I dała mu numer telefonu, bo taki fajny facet! A ja tu siedzę i zamartwiam się nieprzyjaznym światem!

Zdenerwowałam się. Ula wpatrywała się we mnie z uśmiechem. Może nawet lekko pobłażliwym.

Spojrzałam na ogród. Pięknie lało. Strumienie spadały na ziemię równo. Zapowiadała się trzydniówka, niebo było zaciągnięte po horyzont. Powinnam włączyć dodatkowo elektryczny kaloryfer w łazience, bo mi pranie zgnije. Jutro nie jadę do Warszawy, a w domu jest przytulnie, kiedy tak leje i leje. Spojrzałam na odłożone zdjęcie. Rzeczywiście fatalne.

Ula podniosła się.

– Świetna herbata. To co, jedziemy jutro do tego ortodonty? Na targu kupimy jabłka. – Ulę ogarnął entuzjazm.

Dziwna ta Ula.

– Ostatecznie ziemia potrzebuje deszczu. Szczególnie przed długim latem – uśmiechnęłam się.

Przecież nie jestem depresyjna!

Będę miała dziecko

Wczoraj krótki list od Niebieskiego – że mam dzwonić do odpowiednich urzędów i zapisywać się na rozmowę, faksem wysyła zaproszenie, które załatwił przez jakiegoś Davida Childhooda i przekazuje tysiąc dolarów na podróż na moje konto. Podskoczyłam z radości i pobiegłam do Tosi.

– Tosia, jedziemy! – krzyknęłam od progu.

– Ojejku, mamo, to wspaniale, ale czy ja muszę? Mam maturę w tym roku, taki wyjazd całkowicie mnie wybije z rytmu. Rozmawiałam z babcią i chętnie zostanę.

Zeszłam na dół, nie posiadając się ze zdumienia.

Właściwie mogłabym jechać sama, ale przecież nie zostawię jej na święta. Zupełnie nie znam swojej córki – byłam przekonana, że nie pozbiera się z radości. Ale Tosia powiedziała, że przecież ktoś musi zająć się domem (Borys i koty potrzebują człowieka, czyli jej, tak jakbym ja jej nie potrzebowała!) i że nie zostawi

153

babci i dziadka, którzy są osobno, a nie powinni, i żebym to przemyślała.

– I odpocznij sobie – krzyknęła Tosia, po czym zarzuciła torbę podróżną na ramię i wybiegła z domu, gdzie już na nią czekał Jakub, który od czasu, kiedy rzekomo straszyłam go nożem, nie za chętnie wchodzi, kiedy jestem w domu.

Westchnęłam tylko. Tosia razem z całą klasą jedzie do Pragi na cztery dni, a ja zostaję sama.

*

Wróciłam dzisiaj wcześniej z redakcji i zastanawiam się, co robić. Całą radość diabli wzięli. Nie wiem, dlaczego mam ciągle być między młotem a kowadłem, wybierać między Tosią a Adamem. Nie tak miało być przecież!

Wyciągnęłam odkurzacz i postanowiłam doprowadzić dom do porządku. Ale ledwo podjęłam tę desperacką decyzję, zadzwoniła Moja Mama i zapytała, czy ja serio myślę o wyjeździe, bo przecież idą święta i mój brat może przyjedzie, ale oczywiście, jeśli chcę, to proszę bardzo, chociaż ona drży na myśl o samolocie, podróży, pieniądzach itd. No i szkoda, że nie będzie wnuczki (to znaczy Tosi), ale skoro tak postanowiłam, to trudno, ona nie będzie się wtrącać.

Wróciłam do przedpokoju ze ścierką w ręce, bo co mi po odkurzaczu, jak kurze niestarte. Wtedy zadzwonił Mój Ojciec, do którego zadzwoniła Moja Mama, i powiedział, że oczywiście on nic nie ma przeciwko temu, żebyśmy jechały, chociaż gdyby był na moim miejscu, toby nigdzie nie jechał, bo po co, teraz strach latać, i że być może to będą ostatnie święta, które moglibyśmy spędzić razem, bo on się nie czuje za dobrze, ale oczywiście nie szkodzi, jeśli chcę zostawić go na te ostatnie święta, to proszę bardzo, on nie ma nic przeciwko temu.

Nastawiłam wodę na herbatę. Wypuściłam koty i spojrzałam na szybę w kuchni, zapapraną do połowy odciskami kocich łapek. Zaraz nauczył Potemka wspinać się i rozciągać na szybie, chyba żeby mi na złość zrobić. Tosia przecież uczy się do matury, więc nie może robić tak przyziemnych rzeczy jak odkurzanie czy nie daj Boże pranie, nie wspominając o myciu okien. Borys leży w przejściu i ciężko oddycha. Nie jest już młody, od kiedy samochód stoi w warsztacie i wracam kolejką, nawet nie podnosi się na zgrzyt klucza w zamku. Dotykam go delikatnie, otwiera oczy.

– Borysku, koteńku, na miejsce! – mówię, ale pies chyba nie jest zadowolony, jak się mówi do niego „kotku". – Pies! Na miejsce! – poprawiam się, a Borys podnosi się ociężale i lezie do pokoju.

Kiedy już przegoniłam Borysa, żeby się nie plątał pod nogami, doszłam do wniosku, że jestem zmęczoną kobietą, która sobie szybko posprząta i obejrzy może jakiś film wieczorem, zamiast siadać przed komputerem i przy telefonie zarazem. Ale nawet nie zdążyłam zamknąć szafki, w której nie znalazłam płynu do mycia szyb, kiedy zadzwoniła Moja Mama i zapytała,

dlaczego godzinami rozmawiam przez telefon, dodzwonić się nie można, i że przemyślała wszystko, właściwie
sobie jedźmy, bo zawsze to okazja, żeby zobaczyć trochę świata, tylko żebyśmy bardzo uważały. Ledwo
skończyłyśmy półgodzinną rozmowę i zdążyłam zała-
dować pralkę porozrzucanymi malowniczo rzeczami
Tosi, która przed każdym wyjazdem stwierdza, że
wszystkie ciuchy ma albo brudne, albo niemodne, zadzwonił Mój Ojciec, który zapytał, po pierwsze, czy
ja nie mam nic lepszego do roboty, jak tylko rozmawiać
przez telefon, bo on się nie może dodzwonić, po drugie,
jak ja sobie wyobrażam załatwienie wizy przed świąta-
mi, kiedy na rozmowy czeka się dwa miesiące i czy ma
prosić swojego kolegę z MSZ, żeby mi to ułatwił.

Po rozmowach z rodzicami poczułam się kompletnie wypluta i zaczęło mieć dręczyć poczucie winy, że
chcę jechać do Niebieskiego i ich zostawić na pastwę
losu i na święta, i co będzie, jeśli to rzeczywiście ostatnie święta, które moglibyśmy spędzić razem.

Odkurzacz stał na środku przedpokoju, zlew był
pełen wczorajszych naczyń, w pralce jeszcze nie było
proszku, gdzieś mi się podziała ściereczka do kurzu,
a koty siedziały na zewnętrznym parapecie i przeciąga-
ły się, brudząc szybę również od zewnętrznej strony.

*

Chcę jechać! Marzę o tym i, niestety, tęsknię do
Niebieskiego. Niechby sobie nawet gazetę czytał albo

głupi mecz oglądał. Albo trzymał wiertarkę w szafie pod swetrami. A wiertarka leży spokojnie w kuchni, tam gdzie ją przełożyłam po jego wyjeździe i ani myśli udać się z powrotem do szafy na ubrania. Tak mi się zrobiło przykro z tego powodu, że sięgnęłam do szafki koło zlewu i przeniosłam ją z powrotem do pokoju. A co mi to przeszkadza! Niech przynajmniej wiertarka sobie leży tam, gdzie ją lubił trzymać.

Zadzwoniłam do koleżanki z zaprzyjaźnionych linii lotniczych, która mi powiedziała, że wszystkie loty są zabukowane od września, ale wsadza mnie i Tosię na listę oczekujących, że będzie pilnować i jeśli coś się zwolni, to natychmiast da znać. I w taki oto prosty sposób zrobiła się siódma.

Sprzątałam do dziewiątej wieczorem, posunęłam się nawet do wymycia okna w kuchni, ale tylko od wewnętrznej, bo na zewnętrze zabrakło mi sił. I kiedy wreszcie wylądowałam na kanapie koło Borysa, który uznał, że komenda „na miejsce" znaczy „idź, kochanie, i połóż się na kanapie, wybrudź ją trochę i nie zwracaj uwagi na tę kobietę, która sprząta", zadzwoniła do mnie Agnieszka, czy może pilnie i natychmiast wpaść, bo ma pilną i natychmiastową sprawę. Może, oczywiście, czemu nie, właśnie domek jest czysty, ja jestem wykończona i chcę się położyć spać, ale czemu nie!

Agnieszka przyjechała o wpół do dziesiątej, uściskała mnie serdecznie, ogarnęła wzrokiem moje niewielkie gospodarstwo i powędrowała za mną do łazienki – pranie się wyprało i musiałam je powiesić – powiedziała:

– Ja to cię podziwiam, że tak dobrze sobie ze wszystkim radzisz, i praca, i dom. No, ale cóż, jesteście we dwie, a ja mam cztery osoby do obrobienia!

Byłam o krok od sprostowania, ale machnęłam ręką, w myślach oczywiście machnęłam, bo właśnie wyjmowałam prześcieradła i machnąć w rzeczywistości nie miałam jak. Niech sobie mnie podziwia. W końcu należy mi się.

Powiesiłam pranie i przeszłyśmy do pokoju. Przewracałam się ze zmęczenia. Agnieszka siadła na fotelu, oznajmiła, że przewraca się ze zmęczenia, oraz zainteresowało ją, dlaczego pozwalam psu leżeć na kanapie.

A potem nagle i niespodziewanie przeszła do rzeczy, to znaczy zapytała, czy mój Nieletni Siostrzeniec może u mnie pomieszkać. Właśnie przełykałam i łyk herbaty stanął mi kością w gardle.

– Jedziemy do Anglii. On chodzi do szkoły – dodała Agnieszka wyjaśniająco, a mnie głos nie chciał wrócić.

Na myśl o Nieletnim ciarki mi przeszły po grzbiecie, wizja niebiańskiego spokoju, który miał być moim udziałem, ulotniła się, nie pozostawiając po sobie nawet wspomnienia.

– Do Anglii? – zapytałam inteligentnie, żeby przygotować się do podjęcia decyzji.

– Zadzwoniła ciocia Hanka – Agnieszka zatopiła się w fotelu i podwinęła nogi pod siebie – bardzo prosi, żeby Grzesiek przyjechał. Likwiduje mieszkanie na Braganza Street, nie da sobie sama rady, przenosi się na Kensington, okazyjnie kupiła dom. A Grzesiek pojedzie, ale ze mną. Nie byłam w Anglii, więc chętnie pojadę. A Honorata uprosiła nas, żebyśmy ją wzięli. A Piotruś nie chce – dodała z wyraźnym żalem – bobyśmy pojechali całą rodziną. Dwa tygodnie przerwy w szkole dzieciom nie zaszkodzi, ale Piotruś się zaparł. No i chciałam cię prosić, żebyś się nim zajęła.

Przed oczami przemknęła mi sala gimnastyczna w ich domu, w której mieszkałam, jak się budował mój domek, Tosia, której łóżka użyczyła Nieletnia Siostrzenica, pies Kłopot i kot Kleofas, wiecznie poszarpany przez towarzyszy nocnych ksiutów, Agnieszka, która cierpliwie znosiła przez tygodnie mnie i Tosię, Grzesiek, który odwoził na moją budowę kolejnych specjalistów. Ich cierpliwość i troska.

Oraz Nieletni, niestety, też mi stanął przed oczyma. Że chce spać w ich łóżku, bo się boi. Że nie chce spać w ogóle, bo o dwudziestej drugiej jest *Terminator* i wszyscy koledzy widzieli, a on nie. Że nie chce iść do szkoły, bo go boli brzuch, ale chce iść grać w piłkę, bo go przestał boleć brzuch. Że pani w szkole go nie lubi, albo że on nie lubi pani. Przypomniałam sobie wszystkie jego propozycje, takie jak ta, żeby go oddali do domu dziecka, bo on nie lubi swojej rodziny, albo żeby sami poszli do domu starców, skoro go nie lubią, żebyśmy się bujali, wreszcie zasadnicze pytanie, które Nieletni zawsze zadaje po przyjściu ze szkoły – leczysz się?

Nie! – krzyknęłam – nie, nie, nie! Nieletni mnie wykończy! Gra w gry komputerowe, ma kolegów, zadaje milion pytań, chce jeść, pić, oglądać telewizję! Nie!!! Wyrosłam z małych dzieci, nie umiem postępować z jedenastolatkiem! Chętnie zajmę się jakimś trzydziestolatkiem, ale małym dzieckiem nie! Nie rób mi tego – jęczałam – poproś kogoś innego! Nawet Moją Matkę albo Mojego Ojca, albo swoją matkę, albo swojego ojca, ale nie mnie!

Otworzyłam oczy i spojrzałam w ufną twarz Agnieszki, która ciągnęła:

– No, to co będzie? Chciałam poprosić moją matkę, ale wyjeżdża z przyjaciółką do Buska. My byśmy wracali dziesiątego grudnia. Chcemy być na osiemnastkę Tosi z powrotem. A Piotruś... wiesz, nie będzie z nim kłopotu. Wtedy u nas mogłaby mieszkać pani Ola, ale pani Ola nie może się nim zająć, bo nie ma prawa jazdy. A my byśmy ci zostawili samochód...

Ja nie mam siły – krzyknęłam i zacisnęłam pięści – ja nie mam siły! Agnieszko, nie możesz mnie o to prosić, nigdy nie miałam syna, nie wiem, co się robi z blisko dwunastoletnim chłopcem! Będę musiała zwalniać się z pracy, wstawać rano, robić mu śniadanie i odwozić go do szkoły na ósmą! Nie!

Otworzyłam oczy i powiedziałam:

– Oczywiście. Nie ma sprawy. Jedźcie.

Agnieszka podniosła się i uściskała mnie serdecznie.

– Jesteś absolutnie kochana, wiedziałam, że mogę na ciebie liczyć.

Po czym sięgnęła po słuchawkę i wykręciła numer. Głosem radosnym, jak za dawnych lat, krzyknęła:

– Zgodziła się! Zgodziła!

A mnie wydawało się, że mam zły sen.

*

Nasza wspólna, moja i Agnieszki, ciocia, nie jest wcale naszą ciocią. Jest siostrą cioteczną, kuzynki naszej babci, która mieszka w Krakowie. Ciocia Hanka ma ciekawe życie. Przed drugą wojną światową jako nastolatka skakała z mostu do Wisły, bo się założyła z kolegą, że skoczy. W nagrodę za to jej rodzice natychmiast przenieśli ją do bardzo surowej szkoły, którą prowadziły zakonnice. Szkoła próbowała wykończyć ciocię Hankę, ale nie dała rady. Tej szkoły dziś już nie ma, a ciocia Hanka ma się dobrze. Gdy wybuchła wojna, to zanim siostry zdecydowały, co robić, Hanki już w internacie nie było. Chciała zaciągnąć się do wojska jako siedemnastolatka, sprytnie ukrywając swój wiek – powiedziała, że ma lat dziewiętnaście.

– Przed wojną sobie dodawałam, po wojnie ujmowałam – powiedziała kiedyś.

Ponieważ do wojska jej nie przyjęto, uciekła z domu na granicę wschodnią, gdzie stacjonował pułk, w którym służył jej przyszywany kuzyn. ,,Sympatyzowaliśmy ze sobą" – mówiła o nim aktualnie ciocia

Hanka. Chciała go pożegnać, zanim ów Zenobiusz, świeżo upieczony podporucznik, ruszy do boju, ale nie zdążyła, bo Zenobiusz ów ruszył na dalszy Wschód, ale już w transporcie z jeńcami, zanim ona znalazła się na jeszcze dalszym Wschodzie, na Sybirze.

Z armią Andersa wracała przez Afrykę do Polski. W Iraku poznała pewnego majora, któremu się natychmiast oświadczyła, bo uczucie do podporucznika było krótkotrwałe. Major nie mógł wrócić do Polski, bo byłby oskarżony o zdradę ojczyzny, albowiem w powietrzu wisiała już zapowiedź przyszłego ustroju. Razem wylądowali w Anglii i zostali tam na stałe.

Ciocia Hanka jest niezwykle żywotna. Nic dziwnego, że po osiemdziesiątce postanowiła sprzedać mieszkanie na Braganza i kupić dom na Kensington. Kiedy to zrobi, jak nie teraz? Szkoda tylko, że to nie ja jadę do Londynu, tylko zostaję z małolatem, który jest na dodatek chłopcem, ale cóż.

Ciocia Hanka w rodzinie słynie ze swoich złotych myśli, których zresztą w miarę upływu lat się wypiera. Na przykład ja pamiętam, jak dwadzieścia lat temu powiedziała mi:

– Pamiętaj Judytka, arytmetyka bardzo przyda ci się w związkach z mężczyznami. Po dwudziestce mężczyźni po czterdziestce, po trzydziestce, mężczyźni po dwudziestce, po czterdziestce, mężczyźni po trzydziestce.

Sama zresztą nigdy nie zastosowała się do tej rady.

Ciocia Hanka ma również jedną podstawową cechę – nie sposób jej odmówić niczego, więc się wcale nie dziwię, że Agnieszka, wcale nieskora do takich wybryków jak nagłe wyjazdy, podjęła decyzję o wyjeździe.

*

Agnieszka, Grzesiek i Nieletnia lecą w poniedziałek. Tosia przyjeżdża we wtorek wieczorem. Nieletniego wraz z nowym samochodem Grześków dowieziono w poniedziałek po szkole. On zostaje w domu, ja ich odwożę na lotnisko. Z czterech dni wolności, które miałam po wyjeździe Tosi do Pragi, zostaje mi sobota i niedziela. W niedzielę obiecałam Mojej Mamie, że przyjadę, no i oczywiście Mojemu Ojcu, bo ,,skoro będziesz u matki, to wpadnij do mnie". Czyli zostaje sobota. Czyli nici z wypoczynku, bo muszę Nieletniemu przygotować nasz pokój, a sama przenieść się do tzw. salonu. I jakoś się urządzić – komputer, drukarka, miejsce do spania. Będę przez dwa tygodnie żyć w pomieszczeniu, gdzie stoi telewizor. Czarno widzę. Ale czego się nie robi dla rodziny, która parę lat temu uratowała mi życie, przechowując mnie i Tosię?

Mój śliczny, ukochany Niebieski!
życie bez Ciebie kompletnie nie ma sensu. Nic mi się nie udaje, zmieniają mi teksty, Tosi prawie nie ma w domu, koty brudzą szyby, jestem ohydnie samotna i opuszczona i wolałabym, żebyś był ze mną. Nawet mógłbyś się nie odzywać. Nie lubię już sama spać i jestem kompletnie

emocjonalnie od ciebie uzależniona. Myślę tylko o tym, kiedy się zobaczymy, a Tosia wcale nie chce jechać i być może nie załatwię wizy, i nie mogę się dodzwonić do ambasady, i nie mam samochodu, bo w opelku poszła skrzynia biegów, i jestem strasznie biedna i nieszczęśliwa, i jest zimno, i nie lubię listopada najbardziej ze wszystkich miesięcy. Nienawidzę Cię, bo wyjechałeś, zamiast nie wyjeżdżać i mnie kochać nad życie, jako i ja czynię. Boję się, że poznasz jakąś Murzynkę albo Mulatkę, bo każdy facet marzy o Murzynce albo Mulatce, chociaż niektórzy się z tym marzeniem nie ujawniają, i zakochasz się w niej, i będziesz ją porównywał do mnie, i to porównanie, niestety, wypadnie na moją niekorzyść, i już nigdy nie wrócisz, bo ci spadnie bielmo z oczu, i zobaczysz mnie taką, jaka jestem, i to będzie koniec mojej szczęśliwej miłości. Kocham cię nad życie i tęsknię najbardziej na świecie...

Alt-D. Skasuj.

Kochany Adaśku,
  cieszę się, że Ci dobrze w tych Stanach, Borys smuci się od Twojego wyjazdu, ja może brałabym z niego przykład, ale samo dzwonienie do różnych urzędów stawia mnie na baczność na wiele godzin. Ojciec powiedział, że coś spróbuje przez swoich kolegów załatwić, ale nie wiem, czy nie za późno na to. Mam mnóstwo roboty, w poniedziałek przyjeżdża Piotruś i będzie tu mieszkał, moje komórki mózgowe zanikają z przerażenia. Czy taki Nieletni Facet robi tyle kłopotu co Letni? Czy on się już goli? Jaka szkoda, że Ciebie nie ma, bo ja nigdy nie miałam do czynienia na dłuższą metę z niedojrzałym chłopcem, nie licząc oczywiście Tego od Joli.

W pracy nie najlepiej, ale nie będę ci tym zawracać głowy. Obawiam się, że najbliższe dwa tygodnie będą mnie sporo zdrowia kosztować. Mam nadzieję, że zamykasz oczy, jak widzisz jakąś piękną kobietę, która jest młoda i mądra. Całuję Cię mocno, tęsknię. Judyta.

Lepiej. Dużo lepiej. Nie należy za bardzo okazywać mężczyźnie, że nie można bez niego żyć. To najgłupsze, co może zrobić kobieta. Ten list jest dobry, wyważony, dostatecznie długi, ale nie za długi, opowiadam, co się dzieje, ale nie zarzucam go zbędnymi szczegółami, tak. Może iść.

Oczywiście nie może, bo przecież niemożliwe jest połączenie się internetowe. Wiem, że podobno na świecie trwa to parę sekund. Ale świat jest zbyt daleko od mojej wsi i mojej niezmiennie niezainteresowanej w połączeniach Telekomunikacji Polskiej SA. Spróbuję wieczorem.

Nieletni odpoczynek

– Tu zapalasz światła, tu otwierasz maskę, ale wlałem płyn zimowy, powinno ci starczyć na dwa tygodnie, tu masz przeciwmgielne. Tu masz numer serwisu, jakby coś się działo, tu jest ubezpieczenie, tu karta wozu. Wszystko trzymaj razem. Tu masz telefon do dentysty, gdyby Piotrka bolały zęby, tu telefon do szkoły, tu domowy do jego wychowawczyni, tu do rodziców Arka, bo oni się przyjaźnią z Arkiem. Tu do klubu, wtorki i piątki trening, ale wcześniej musisz zadzwonić, bo czasem odwołują. Piotruś nie je orzeszków ziemnych, bo jest uczulony, musisz uważać. Nie je szczypiorku ani koperku, bo się brzydzi, więc go nie zmuszaj. Nienawidzi szpinaku, to go nie namawiaj. W razie czego zamów pizzę, przez dwa tygodnie nie umrze z głodu. – Grzesiek stoi nad bagażnikiem swojego ślicznego nowego samochodu i wyjmuje torby Piotrka. – Zadzwonimy natychmiast po przylocie. Nie pozwól mu siedzieć za długo przed komputerem. Niech nie ogląda telewizji po dwudziestej, chyba że w piątek. Ma przeczytać *W pustyni i w puszczy*, masz? Bo chyba nie wziął ze sobą. Lepiej, żebyś prowadziła na lotnisko, siądę z przodu, to ci wszystko wytłumaczę, ale przecież masz prawo jazdy, prawda? Samochód jak samochód, wszystkie są takie same.

Chowam dokumenty i kartki z telefonami, Piotruś zarzuca sobie torbę na ramię i idzie w kierunku domu. Podążam za nim.

– Cześć Grzesiu! – krzyczy zza płotu Krzyś.

– Cześć – odkrzykuje Grzesiek i podchodzi do płotu, bo przecież nigdy za dużo czasu na rozmowy z kumplem.

Wbiegam do domu, koty pryskają spod nóg, otwieram drzwi do sypialni.

– Piotruś, tu będzie twój pokój, twoje biurko, opróżniłam ci trzy półki w szafie na ubrania. Ręczniki duże czerwone są twoje. W łazience ta półeczka z prawej strony będzie twoja, OK?

– Spoko ciociu – mówi Nieletni i odwraca się do mnie tyłem. – Mogę sobie trochę pograć na komputerze?

Komputer. No cóż. Może.

– Kochanie, pocałuj mamę! – krzyczy Agnieszka.

– Bujaj się – mówi Nieletni, zupełnie jak jego ojciec nieodrodny, i podchodzi do matki bez kurtki. Agnieszka całuję Nieletniego, a Nieletni ociera twarz rękawem, ale w dłoni już ściska jakieś dyskietki.

– To mogę ciociu?

– Możesz kochanie. Nikomu nie otwieraj, wracam za godzinę.

– Spoko ciociu – mówi Piotruś i wchodzi do domu, a ja z drżeniem serca wsiadam za kierownicę pięknego nowego samochodu.

I tak zaczyna się zupełnie nowy etap w moim życiu.

*

We wtorek zwlokłam się z łóżka o wpół do siódmej i próbowałam obudzić Piotrusia. Nie lubię spać na kanapie w salonie, bo jest niewygodna.

– Wstawaj, już wpół do siódmej – powiedziałam najłagodniej, jak umiałam.

– Już wstaję – odpowiedział Piotruś, a ja pomyślałam sobie, że nie będzie tak źle. Tosia w ogóle nie wstawała, posuwałam się do tego, że oblewałam ją wodą.

Wróciłam do kuchni i nastawiłam wodę na herbatę, wyjęłam masło z lodówki. Nasłuchiwałam, czy coś się rusza, nie mogę przecież wchodzić do pokoju jakiegoś mężczyzny, choćby miał dwanaście lat! Pokroiłam chleb, zrobiłam dwie porządne kanapki, zapakowałam w folię. Za drzwiami cisza. Zapukałam delikatnie, nic. Weszłam. Piotruś spał jak zabity. Potrząsnęłam go za ramię.

– Wstawaj kochanie, jest za piętnaście siódma!

– Już wstaję – powiedział Piotruś i spojrzał na mnie nieprzytomnie.

– Spuść nogi z łóżka – powiedziałam jako wytrawny znawca dziatek wysyłanych do szkoły. Nieletni posłusznie wysunął nogi.

– Już jestem obudzony.

– Czekam ze śniadaniem. Idziesz do łazienki?

– Idę – powiedział Piotruś.

Wypuściłam Borysa, który ze zdziwieniem przyglądał się otwartym drzwiom na ogród. Nigdy w nocy go nie wypuszczałam. Na wschodzie jaśniało. Koty nawet nie podniosły głów. Zrobiłam sobie i Nieletniemu herbatę i poszłam do łazienki. Tosi nie można wyrzucić rano z łazienki, ale chłopiec to chłopiec. Pewno szybko umył twarz, i to wszystko. Weszłam pod prysznic, wysuszyłam głowę, ubrałam się, było piętnaście po siódmej.

W kuchni nieruszone śniadanie i cisza w domu. Wpadłam, nie pukając, do pokoju Nieletniego. Spał jak zabity ze spuszczonymi na podłogę nogami.

– Piotrek! Jest wpół do ósmej – krzyknęłam rozpaczliwie.

Poderwał się i spojrzał na mnie z wyrzutem.

– Dlaczego mnie tak późno budzisz?

Naprędce zapakowałam mu do torby śniadanie i wyprowadziłam samochód za bramę. Była za dziesięć ósma. Kiedy się wycofywałam, zamachała na mnie Ula, która biegła do kolejki:

– Tylko jedno światło ci się świeci z tyłu!

Psiakrew, nienawidzę nowych samochodów, w których natychmiast coś wysiada, jak człowiek się

169

cofa. Bez świateł stopu jestem jak kaleka, już nie wspomnę o mandacie, odpukać, ale o tych cholernych idiotach, których pełne są drogi, o facetach, którzy polują na bezbronną kobietę, zwłaszcza na kobietę w nie swoim aucie! Którzy nie zauważą, że będę hamować i wjadą mi w kuper! Bo są zagapieni i senni! I mogą nie zauważyć jednego światła!

Wysadziłam Nieletniego przed szkołą, powiedziałam, że będę punktualnie o trzeciej, żeby na mnie czekał, i ruszyłam prosto do warsztatu, którego adres zostawił mi Grzesiek. Nie muszę dodawać, że ten warsztat był na dalekich przedmieściach, żeby mi nie było zbyt łatwo. Wpadłam do salonu i krzyknęłam, że samochód na gwarancji, a już się zepsuło światło i proszę, żeby natychmiast coś zrobili.

Zza biurka wyszedł przystojny młody człowiek i zapytał, czy jestem właścicielem. Nie, właścicielem nie, ale użytkownikiem samochodu swojej własnej kuzynki, która razem z samochodem zostawiła mi dziecko i nie ma mowy, żebym ten samochód im zostawiła na cały dzień, mieszkam na wsi, pracuję w mieście, mam dosyć zepsutych samochodów i na pewno nie kupię sobie tej marki, choć przyjemnie się jeździ, i dziwię się mojej kuzynce, która namawiała męża, żeby ten samochód kupić...

Powiedziałam to wszystko jednym tchem, żeby przypadkiem mi nie przerywał, i potraktował mnie poważnie. Przystojny mężczyzna wziął ode mnie kluczyki i udał się do samochodu. Dochodziła dziesiąta. Właśnie za chwilę zaczynało się kolegium, na którym miałam być.

– Które światło nie działa? – zapytał spokojnie.

– Z tyłu – powiedziałam mniej spokojnie.

– Ale które? Cofania, stopu?

I tu właśnie zawsze, ale to zawsze ogarnia mnie wściekłość. Gdybym jednocześnie mogła być z tyłu samochodu i za kierownicą, tobym wiedziała! Ale nie mogę! Więc skąd mam wiedzieć, które?

– Jedno z tylnych – powiedziałam uprzejmie. – Mogę wsiąść i pojechać, a pan niech spojrzy, bo mnie będzie jednak trudno.

– To skąd pani wie, że nie działa?

– Sąsiadka mi powiedziała! – jęknęłam. – Przyjaciółka! Zatroskana! Która nie chce mojej śmierci, mi powiedziała! Może pan to naprawić?

Przystojny pan wszedł do samochodu, podjechał pod błyszczącą bramę i powoli cofał. Paliły się dwa czerwone i jedno białe. Ula miała rację.

Po czym podjechał do mnie i oddał mi kluczyki.

– Wszystko w porządku – powiedział – pani przyjaciółka się pomyliła.

Nie pomyliła się, ty durniu! To ty jesteś ślepy! Wy wszyscy niedbale pracujecie i narażacie cudze życie! W tej chwili oddawaj pieniądze za samochód! Jesteście fatalną marką i dosyć tego robienia konsumentów w konia!

Otworzyłam oczy.

– Paliło się jedno, sama widziałam – zaprotestowałam wyniośle.

– W tym modelu jest jedno światło cofania. Czyli palą się wszystkie. Wszystko jest w jak najlepszym porządku. Polecamy się na przyszłość.

Uśmiechnęłam się niemrawo i szybko wsiadłam do samochodu. Pan patrzył za mną i w jego wzroku nie było nic dobrego.

*

W redakcji wylądowałam po kolegium. Zdjęłam płaszcz w pokoju dziewczyn i pobiegłam do sekretarki. Tekst dzielnie dzierżyłam w dłoni, rzuciłam zdawkowe „cześć" Jadze i wpadłam do gabinetu Naczelnego. I pierwszą osobą, na którą się natknęłam, był Artur Kochasz.

Pana Artura Kochasza poznałam tydzień temu. Wychylił się z gabinetu Naczelnego z cudownym uśmiechem na ustach – wtedy, nie dzisiaj – i wyciągnął do mnie rękę.

– Miło mi panią poznać, jestem – był wyraźnie rozbawiony – Artur Kochasz. Pełniący obowiązki na razie.

– Ja do Naczelnego. – O mały włos i byłby mnie rozbawił.

– Nie ma, nie ma, nieobecny na razie. W czym mogę pomóc?

Pomóc to mi może Tosia, obierać ziemniaki na przykład, i czego, niestety, nie robi, bo przecież ma maturę w tym roku.

Poza tym pełniący obowiązki?

Naczelny wrócił, teraz zobaczyłam go za plecami Kochasza i zrobiłam minę skruszoną.

Pan Kochasz i Naczelny również spojrzeli na mnie wzrokiem, który nie wróżył nic dobrego.

– Pani Judyto...

– Korki – wyszeptałam.

– Czas na korki musi być doliczony do dojazdów. Wszyscy dojeżdżamy – powiedział Artur Kochasz.

I właściwie miał rację. Oddałam tekst i wycofałam się.

Nie mam pojęcia, jak zawiadomię Naczelnego, że o drugiej muszę wyjść z pracy, żeby zdążyć do szkoły na trzecią, bo czeka na mnie Nieletni Siostrzeniec, który nie może jeździć kolejką, bo jest za mały, chociaż niedługo będzie wyższy ode mnie. Za dwa albo trzy lata.

*

Tosia wróciła zachwycona Pragą i tym, że w domu jest Piotrek. Od razu go wzięła na górę i przynajmniej nie siedzą u mnie przed telewizorem. Mogę spokojnie popracować. Muszę przygotować dwa krótkie teksty (trzy tysiące znaków – pan Kochasz liczy znaki) i jeden duży, do numeru styczniowego. Listy na razie czekają, Kama odkłada na kupkę. Podobno jest już dziewięćdziesiąt dwa, trzydzieści nowych, i ponad sześćdziesiąt z zeszłych dwóch tygodni. Naczelny miał rację – nie daję sobie rady. Jest ósma wieczór i naprawdę zwykle ludzie o tej porze odpoczywają. Dlaczego ja pracuję? W przyszłym tygodniu muszę porozmawiać o urlopie na okres świąteczny. Muszę przekonać Naczelnego, po prostu muszę, żeby mi dał urlop. Mimo że Kama wyjeżdża, bo ma rodzinę w Szczecinie.

A my z Tosią jesteśmy zapisane na rozmowę w sprawie wizy w przyszłą środę, choć Tosia na razie mówi, że nigdzie nie pójdzie. Już za miesiąc zobaczę Niebieskiego! Tylko to mnie trzyma przy życiu.

Jest wpół do dziesiątej. Poprawiałam teksty i całkiem zapomniałam o Piotrusiu! Drzwi do pokoju zamknięte, staję cichutko i słyszę monotonny głos Tosi.

– I wtedy Staś postanowił, że musi jej uratować życie, i ruszył w stronę ognia. I tam znalazł jednego pana, który mu dał chininę. I to uratowało Nel, bo ona już miała gorączkę, ale tamten facet umarł z gangreny. I Staś go pochował. Ale za to zyskał broń i zapasy i mógł dalej iść szukać białych ludzi. Mimo że miał czternaście lat, był bardzo dzielny. Jutro ciąg dalszy, śpij.

Odskakuję od drzwi, Tosia wychodzi, bardzo z siebie zadowolona.

– Szkoda, że nie mam rodzeństwa – mówi do mnie i uśmiecha się.

– Nie opowiadaj mu *W pustyni i w puszczy*, on to ma przeczytać – mówię wbrew sobie, bo właściwie jestem bardzo dumna, że Tosia jest taka opiekuńcza.

– Nie zdąży. Jutro mu dokończę, jak zasłuży.

Nie chcę jej przypominać, że ma rodzeństwo, ma przyrodniego małego rozkosznego braciszka, którego jej tatuś zafundował. Wzdycham, bo Tosia ma ostatnio świetny kontakt z ojcem i muszę uczciwie powiedzieć, że Ten od Joli zdecydowanie zmienił się na lepsze. Tosia dzwoni do niego często, on również dzwoni do niej, coś tam szepczą, a ja oczywiście jestem natychmiast gorszą matką. Mam wrażenie, że Tosia opowiada ojcu o wielu rzeczach, o których mnie już nie mówi.

– Mogę się czegoś napić? – Nieletni w piżamie pojawił się w kuchni.

Tak właśnie wygląda pójście spać. Wypił dwie szklanki soku, powiedział „dobranoc" oraz łaskawie dodał, że właściwie to on to chce przeczytać, bo jak czternastoletni chłopiec zabija lwy, to on też chce, chociaż cały wątek głupiej miłości jest głupi i on się nigdy nie ożeni, i nie wie, dlaczego akurat Staś się ożenił z głupią Nel, na koniec oświadczył, że nie jest małym dzieckiem, i poszedł spać.

– Tosia, chcesz herbaty? Pogadamy?

– Oj, no co ty, mamo... A co się stało?

– A musi się coś stać, żebym chciała z własną córką napić się herbaty? – uśmiecham się z przymusem.

– Nic się nie stało... Nawet nie powiedziałaś, jak było w Pradze...

– Oj mamo... Mówiłam ci, że ekstra. Wiesz co? – Tosia ożywia się. – Tata powiedział, że może mnie wziąć do Pragi na jakiś weekend jeszcze raz, żeby spokojnie sobie pochodzić, bo wiesz, z klasą to taka bieganina, nic nie pamiętam... I że ciebie też może zabrać. Fajnie byłoby, prawda?

– A co na to Jola? – pytam jadowicie, bo perspektywa zrobienia na złość Joli, niestety, budzi mój entuzjazm, anielicą nie jestem, niech zobaczy, jak to jest.

– No z Jolą... nie za dobrze. – Tosia opiera się o ścianę i patrzy gdzieś nad moją głową. – Tata mnie prosił o dyskrecję, ale chyba tobie mogę powiedzieć... Oni postanowili się na jakiś czas rozstać... To znaczy nie całkiem, oczywiście, ale żeby sprawdzić... Jola wyjechała do Krakowa, do rodziców... Wiesz, niby tam może kontynuować te swoje podyplomowe, ale ojciec to chyba laskę położył na tym wszystkim...

– Tosia! – ściszam głos, Nieletni pewno podskoczył w łóżku – jak ty mówisz!

Kot Potem patrzy na mnie z kredensu, nie spodobał mu się mój ton. Potem kładzie z powrotem czarny łepek pod ogon i mruży oczy.

– Normalnie – wzrusza ramionami moja córka – takie jest życie. Ludzie się schodzą, rozchodzą, potem znowu schodzą... Tata dużo na ten temat ze mną rozmawia, nie tak jak ty...

Perspektywa wyjazdu z ojcem Tosi do Pragi, wyjazdu, który nie byłby robieniem Joli na złość, już nie jest tak miła. Podły mam charakter, ot co. Nawet mi się robi trochę Tego od Joli żal, ale w porę sobie przypominam, jaki był dla mnie. Mężczyźni się tak bardzo nie zmieniają – jak daje popalić pierwszej żonie, to i drugiej na pewno da popalić. Ale w końcu to jest ojciec Tosi, więc powstrzymuję się od jadowitego komentarza.

– Nie martw się, córciu – mówię – Jola jest młoda, pewno wszystko odbiera bardzo emocjonalnie, ojciec dużo pracuje, Jola pewno wygrzeje się u rodziców i wróci. A jak mały?

– Tak myślisz? – Tosia patrzy na mnie uważnie, nie rozpoznaję intencji w tym spojrzeniu, nie wiem, czy ją pocieszyłam, czy zmartwiłam, a potem rozjaśnia się.

– Mały jest cudny! Widziałam go w ostatni weekend, bo Jola przyjechała! Cudny, mówię ci! Powiedział do mnie „totam tosi"!

Trochę mi serce drgnęło. Gdybyśmy byli dobrym małżeństwem, pewno mielibyśmy więcej dzieci. Tosia była taka słodka, jak była malutka! A teraz jej brat, który nie jest moim dzieckiem, mimo że jest dzieckiem ojca Tosi, mówi do niej „totam".

Moi czytelnicy mają rację. Życie nie jest sprawiedliwe, ot co. Tosia idzie do siebie na górę, dolewam sobie gorącej wody do szklanki i wracam do komputera, o mały włos nie zabijając się o Borysa. Zawsze, ale to zawsze leży mi na drodze, szczególnie, jak niosę coś gorącego. A przecież jest jeszcze przynajmniej czterdzieści metrów kwadratowych, po których nie chodzę. Na przykład pod stołem. Albo pod oknem. Albo przy tapczanie. Albo w rogu pokoju, w którym bywam rzadko z rzeczami gorącymi i jak znalazł do wylania.

Dostałam list od Niebieskiego. Wygląda na to, że nie muszę się bać wszystkich kobiet obnoszących swoje wdzięki po świecie. Całe popołudnie odpisywałam. Piotruś zaglądał mi przez ramię.

– Dlaczego, ciociu, piszesz w Wordzie?

Przewaga kartki papieru nad monitorem jest taka, że można ją zasłonić dłonią, zaszyć się w jakimś kącie i spokojnie pisać do Ukochanego. A ekranu dłonią nie zasłonisz!

– Bo tak – wyjaśniłam pokrótce.

– A jaką masz pocztę?

Odpowiedziałam jaką, zbytnio nie rzucając epitetami, to dziecko jeszcze przecież, ten mój siostrzeniec.

– Ale na jakim portalu, pytam?

Powiedziałam, bo wiedziałam, wyjątkowo.

– To kiepsko – powiedział Piotruś. – Ja ci mogę zrobić na lepszym. Szybciej chodzi.

– Przy okazji – powiedziałam oględnie i kazałam mu iść robić lekcje.

– To musisz mi pozwolić włączyć telewizor – powiedział Piotruś, przyglądając się badawczo mojemu komputerowi.

– Będziesz odrabiał lekcje przy telewizorze? – prychnęłam.

Wyciągnął przed siebie kasety *W pustyni i w puszczy*.

– Muszę przecież odrobić lekcje – westchnął.

Wygasiłam ekran i poszłam do kuchni z tekstem do korekty. Nie próbowałam dyskutować, przekonywać, że film to co innego niż książka, nie, po co, ja swoje odchowałam, niech się rodzice martwią.

Potem wpadł Krzyś z Ulą, Krzyś pożyczył ode mnie piłę skośną, wygrzebałam mu spod zlewu, Adam by mu też pożyczył. Krzyś poszedł, a Ula siedziała ze mną i obierała orzechy.

– Jak z Adamem? – zapytała zdawkowo.

– Pracuje. Pisze – odpowiedziałam równie zdawkowo.

– Do Iśki też ten jej chłopak pisał, pamiętasz?

– Ula! – westchnęłam – Isia miała wtedy czternaście lat. Adam to nie chłopak Isi.

– No właśnie. Niektórzy piszą, ale nie o wszystkim. Ten chłopak Isi też nie napisał, że siedzi w poprawczaku.

– Czy insynuujesz, że Adam siedzi w poprawczaku, a nie w Stanach? – zapytałam, choć jednym okiem rzucałam na tekst i poprawiałam literówki. Ula tłukła orzechy aż miło. Zaraz rzucił się na skorupkę i zaczął z nią baraszkować po całej kuchni, grzechocząc przy tym niemiłosiernie.

– Wiesz, może ten nowy facet to twój mąż?

– Jaki nowy facet? – zdziwiłam się, ale tylko trochę, i poprawiłam „usrane" na „usłane". – Były mąż – poprawiłam również Ulę.

– Ten, co to mówiła wróżka! – przypomniała mi Ula.

– Ona mówiła o nowej kobiecie – przypomniałam – a nie o nowym facecie.

– No właśnie – powiedziała Ula i poszła do siebie.
Trzasnęły drzwi, weszła, tupiąc nogami, Tosia.
– Zimno! – powiedziała. – Jeść!
Wyciągnęłam w jej stronę orzechy włoskie, obrane przez Ulę. Z pokoju dochodziły głośne ryki słonia.
– Co tam się dzieje? – spytała Tosia, sięgnęła jednak do lodówki i dodała: – Dlaczego nie ma nic do jedzenia!
Podniosłam się.
– Piotruś odrabia lekcje – nachyliłam się do lodówki – a tu masz serek żółty, serek biały, jogurcik, wczorajszy krupnik, dwa mielone, jeden zostaw na jutro Piotrusiowi, kapustę.
– Nie ma co jeść – westchnęła powtórnie Tosia.
– Odchudzam się. Nic nie ma dla odchudzających się. Żadnych produktów, które by miały zero procent.
– Alkoholu?
– Tłuszczu – powiedziała moja córka i udała się przed telewizor, żeby razem z Piotrusiem poodrabiać lekcje.
Kiedy weszłam o dziesiątej, oboje siedzieli przy moim komputerze. Tosia była blada, a Piotruś czerwony.
– Co wy robicie! – krzyknęłam, bo nienawidzę, kiedy ktoś grzebie przy moim komputerze.
– Chciałem cioci zrobić niespodziankę – wyszeptał czerwony Nieletni – i się skasowało...
Zobaczyłam wszystkie gwiazdy na niebie, mimo sufitu.
– Co się skasowało? – jęknęłam.

– Cioci skrzynka – odjęknął Piotruś. – Ale teraz chcę założyć cioci nową, na lepszym serwerze, i wtedy ciocia będzie mogła szybciej i bez problemu, bez aktualizacji i...

– Piotrek, idź spać – powiedziałam bardzo ostro.

– To ja pójdę odrobić lekcje – powiedział Nieletni i powlókł się do pokoju.

Siedziałam z Tosią przed ekranem i próbowałam wytłumaczyć mojemu komputerowi, żeby jednak przywrócił poprzednią pocztę. Nie dał się przekonać.

– Ale mamo, nie było żadnych nowych wiadomości, to co się martwisz? – Tosia próbowała mnie pocieszyć.

Kiedy zadzwonił telefon, podskoczyłam na równe nogi. Mój stan psychiczny pozostawia wiele do życzenia.

– Cześć, mamo – powiedziałam do słuchawki.

– Co słychać, kochanie, jak sobie dajesz radę?

– Znakomicie – skłamałam gładko.

– Wiesz, z chłopcami zawsze są problemy. Na przykład twój brat... – wsłuchiwałam się w głos Mojej Mamy i byłam szczęśliwa, że jestem w domu, zaraz pójdę spać, Tosia tym razem wróciła do domu, nie zadzwoniła od tatusia, że jutro jest dzień otwarty dla przyszłych studentów na uniwerku i że śpi u tatusia, i że Nieletniemu się nic nie stało... – Więc musisz być czujna – załapałam się na ostatnie słowa.

– Jestem, mamusiu, wszystko jest w porządku.

– Bo masz taki dziwny głos, na pewno?

– Jestem zmęczona, niedawno wróciliśmy do domu – udało mi się nie skłamać, ale też nie powiedziałam całej prawdy.

– To kładź się, kochanie, nie przeszkadzam – powiedziała Moja Mama, a ja powlokłam się do przedpokoju, powiesiłam kurtkę Nieletniego, rzuconą malowniczo na podłogę, i schowałam buty do szafki.

Jutro muszę wezwać kogoś do komputera, całe szczęście, że mi nie skasował bazy danych, bobym zabiła. Dzieci naprawdę ocierają się co chwilę o śmierć.

*

O jedenastej Nieletni wychylił się ze swojego pokoju. Rozkładałam właśnie tapczan.

– Ciociu, to ja idę spać, dobranoc.

– Dobranoc – powiedziałam. – Ja też się kładę.

– To ja ci może zrobię kąpiel? – zapytał nieśmiało, a ja zobaczyłam, że bardzo chce mi zrobić przyjemność w zamian za stres, który mi zafundował przedtem.

Właśnie skończyłam dwie rozmowy telefoniczne – jedną z Kamą, która mi zreferowała, co się działo po moim wyjściu z pracy, i drugą z Naczelnym, któremu zreferowałam, dlaczego wyszłam wcześniej z pracy. Kajałam się bardzo, Nieletni musiał słyszeć i wywnioskować, że jest główną przyczyną moich kłopotów w pracy i zagrodzie.

– Dobrze, kochanie – powiedziałam, bo najważniejsze w wychowaniu dziecka to się nie obrażać i pozwolić się dziecku zrehabilitować.

– I włączę ci aparat do masażu, to cię odpręży – powiedział Nieletni, a ja pobłogosławiłam pomysł bycia kobietą luksusową z bąbelkami w wannie.

Otworzyłam szeroko drzwi na ogród, Borys przeturlał się w stronę kominka, koty wybiegły radośnie na dwór, doszedł do mnie szum wody z łazienki i pomruk mojej maty masującej. Nalałam sobie kieliszek koniaku i siadłam w fotelu. Jednak ten dzień się przyjemnie kończy, będę spać jak zabita, jeszcze tylko dziesięć dni, za dziesięć dni wraca Agnieszka i Nieletni będzie sobie dłubał przy ich komputerze i im kasował różne pliki. Pomyślałam o tym z ulgą, mimo że przepadam za swoim siostrzeńcem. Ale wolę przepadać za nim z pewnej odległości.

– Ciociu – Piotrek stanął w drzwiach, a ja szybko postawiłam dyskretnie kieliszek obok fotela, niech dziecko nie widzi, że ciocia tak leczy nerwy. – Ciociu, tam się leje woda, to ja się już położę...

– To śmigaj. Dziękuję! – powiedziałam i uśmiechnęłam się, a Nieletniemu jakby ktoś garb zdjął. Wyprostował ramiona, podbiegł i pocałował mnie w policzek.

Nieletniemu mężczyźnie niewiele trzeba do szczęścia, szkoda, że im to na lata nie zostaje. Wypiłam łyk koniaczku i włączyłam telewizor. Na ekranie jakiś pan przesyłał jakiejś pani zdjęcie z toalety, niby że nie ma czym tyłka wytrzeć. A smutna dotychczas pani, jak tylko zobaczyła to zdjęcie i zrozumiała, że on z powodu braku papieru ją opuścił, a nie innej kobiety, rozjaśniła się i pobiegła podać mu ten papier. Była to reklama telefonu, jak się okazało, który robi zdjęcia. I ta reklama prawdopodobnie nie miała nic przeciwko kobietom, nie, jak zwykle. Całe szczęście, że nie mam telefonu komórkowego, szczególnie takiego, żeby jakiś facet mi pokazywał, że ma brudny tyłek. Brrr. Zbrzydziło mnie doszczętnie i wtedy sobie przypomniałam, że do wanny leje się woda.

Kiedy otworzyłam drzwi do łazienki, wypłynęła na mnie fala białej piany, pachnącej świerkiem. Rzuciłam się do kurków, rzuciłam się do kontaktu i wyłączyłam matę. A potem usiadłam po kostki w wodzie i rozpłakałam się.

Ale skąd mój Nieletni Siostrzeniec miał wiedzieć, że nie leje się płynu do kąpieli, jeśli się włącza bąbelki?

Wycierałam mieszkanie do północy. Pech jakiś ciąży nad moją podłogą. To już trzecie gruntowne mycie na przestrzeni paru tygodni. Podłoga może tego nie wytrzymać. Piana dosięgła kuchni i pokoju, w którym Nieletni spał snem sprawiedliwego. Jedyny profit z tego zdarzenia to ubytek w butelce koniaku, bo na całkiem trzeźwo nie byłam w stanie sprzątać po nocy. A podłoga w końcu czysta i pachnąca świerkiem jak nigdy. Padłam do łóżka o pierwszej i natychmiast zasnęłam jak suseł. O trzeciej w nocy zbudził mnie telefon. Byłam nieprzytomna.

– Jutka, co się z tobą dzieje? – usłyszałam w słuchawce głos mojego Niebieskiego.

– Która godzina? – zapytałam bezsensownie, bo chyba jeszcze nie czas wstawać, na miłość boską!

184

– Jutka, to ja, Adam! – daleki pogłos niósł się po drutach, ale ja, choć w części byłam przytomna, to nie była to część na ogół używana do porozumiewania się. Większa część mnie spała. – Co się stało?

– Nic... – mruczałam do słuchawki – wszystko w porządku. Co u ciebie?

– Załatwiłaś wizę? Przyjeżdżacie? – Adam odpływał w siną dal. – Czemu nie piszesz?

– Nie wiem... Nie mam pojęcia... – Czy ja gdzieś mam jechać? Dzisiaj? Po nocy?

– Masz taki dziwny głos... Na pewno wszystko w porządku?

– Tak... tak – wyszeptałam resztką sił – skasowałam sobie pocztę, jutro wyślę emalkę z pracy...

– Jak to, skasowałaś? – chciał wiedzieć Niebieski, ale oczy mi się zamykały ze zmęczenia i widocznie przesadziłam z ubytkiem w butelce... – Nie można skasować!

Można, niestety, jak się ma zdolnego siostrzeńca, to wszystko można.

– Napiszę jutro z redakcji – szepnęłam w słuchawkę.

– To całuję. – Kochany Niebieski całował mnie na dobranoc.

– Tęsknię za tobą – powiedziałam i odpadłam na łóżko, tuż obok Zaraza, który leżał przy mojej poduszce.

*

Dlaczego akurat w Ameryce jest inny czas niż w Polsce? Na dobrą sprawę nic nie usprawiedliwia takiej różnicy czasu. Czy nie byłoby lepiej, gdybyśmy zostali przy Ziemi jako płaskim talerzu przytrzymywanym przez słonie, które stoją na grzbietach żółwi? Byłoby. Ale nie, Kopernik musiał odkryć, że Ziemia jest kulista, i dlatego właśnie mam noc, kiedy jedyna miłość mojego życia ma dzień. Kiedy obudziłam się rano, nie mogłam sobie uświadomić, dlaczego słuchawka jest w łóżku, w kudłach Borysa, wydawało mi się, że Adaśko dzwonił i bardzo żałowałam, że nic z tego snu nie pamiętam.

Czułe kłamstwa

Nie mam czasu, nie mam czasu, nie mam czasu. Rano pobudka, wyprawiam Nieletniego, w pędzie zakupy, potem redakcja, teraz muszę być codziennie, Nieletni dzielnie wraca ze szkoły kolejką i kasuje bilety, Tosia przychodzi do domu wieczorem, uczy się albo jeździ z koleżankami wybierać sukienkę na studniówkę, średnio dwa razy w tygodniu, poza tym weekendy spędza u ojca i oświadczyła, że nie może sobie pozwolić na przerwę w nauce.

Z Ameryki więc nici, nie zostawię jej na święta.

Nie wiem, jak inne kobiety dają sobie radę, choćby takie, które mają dwójkę dzieci, albo trójkę dzieci, albo czwórkę dzieci. Nie wiem, jak ja sobie dawałam radę przy Nieletniej Tosi. Nie pamiętam. Może już jestem za stara na takie dzieci. Ale przecież Agnieszka jest starsza i sobie daje radę. A Grzesiek jest dużo starszy od Agnieszki. Ale oni się wyszaleli, zanim mieli dzieci. Bardzo mądrze.

Napisałam do Niebieskiego, że nie przyjeżdżamy, i nakłamałam, że jedziemy do mojego brata na Wigilię, bo złamał nogę i nie może przyjechać. Żeby Adaśkowi nie było przykro, że to z powodu Tosi. Już wolę żeby Adaś miał pretensję do losu, który mojemu bratu nadwerężył kości. Nie czuję się dobrze po takim kłamstewku, ale przecież nieczęsto to robię. A właściwie bardzo rzadko, prawie nigdy. I zawsze w dobrej wierze, to powinno mi być policzone.

Kiedy powiedziałam Mojej Mamie, że zostajemy, odetchnęła z ulgą, Mój Ojciec za to powiedział, że gdyby był na moim miejscu, toby pojechał, bo nigdy nie wiadomo, jak długo Ameryka będzie istnieć.

Tosia siedziała wczoraj ze mną do pierwszej w nocy. Zebrało jej się na rozmowy, a artykuł o sektach, który próbuję pisać, rozpaczliwie wył z tęsknoty. Tosi zbiera się na poważne rozmowy zawsze w okolicach północy. I gadałyśmy o życiu, wybaczaniu, rozstaniach, dojrzałości. Kiedy jej powiedziałam, że zdecydowałam również nie jechać do USA, uścisnęła mnie z radości.

– Wiesz co, mamuś? Od czasu, kiedy pojawił się Adam, zawsze byłam na drugim miejscu. A teraz wiem, że mnie kochasz.

Prawdę powiedziawszy, zrobiło mi się nieprzyjemnie. Gdzieś w zakamarkach mojej duszy tkwiła jednak tęsknota za dorosłą córką – taką, która nie stawia się w jednym rzędzie z mężczyzną. Tosię kocham najbardziej na świecie jako moją córkę, Adaśka – jako mężczyznę. Jak można porównywać te dwie miłości? Na co liczyłam? Że powie, kochana mamo, jedź, ja z przyjemnością zostanę?

Nie mam czasu na spotkania z Ulą, w ciągu ostatnich paru dni trzy razy zajrzała, wiem, że chce o czymś pogadać, ale jakie tu warunki do rozmowy? Kiedy wracam z redakcji, jest ciemno, naprędce coś gotuję na następny dzień, Tosia tylko podgrzewa i podaje sobie i Nieletniemu. Po powrocie głaszczę koty i Borysa i wysłuchuję Nieletniego, który oberwał zupełnie niesłusznie jedynkę z biologii, bo zapomniał pracy domowej odrobić, minus z polskiego, bo nie pamiętał, że w środy ma polski, i nie rozumie w ogóle matematyki. *Déjà vu* jakieś przeżywam. Ja też nic od razu nie rozumiem, więc najpierw się muszę nauczyć, żeby mu wytłumaczyć. A potem, wykończona, siadam do komputera. Powinnam się cieszyć, że mam taką świetną pracę i że nareszcie zarabiam, ale pal to licho. W ogóle nie żyję.

Dopiero wczoraj naprawiono mój komputer. Ale poczta i tak wróciła. ,,Nieudane wysłanie wiadomości'' – zawiadomił mnie komputer. To nie jest dobry wynalazek. Wczoraj w nocy dzwoniłam do Adasia, ale go nie było pod telefonem. Kolejna noc zarwana. Kiedyś, jak będę na emeryturze, pośpię sobie całą dobę.

Na szczęście z Nieletnim nie ma kłopotu, właściwie ten incydent z komputerem dobrze nam zrobił. Nieletni jest do rany przyłóż. Nawet nie prosi, żebym mu pozwoliła oglądać filmy. Już czwarty dzień jest cholernie grzeczny. Pomyślałam sobie nawet, że z chłopcem wcale nie ma więcej problemów niż z dziewczynką.

Niestety, w złą godzinę to pomyślałam.

Będę ojcem...

Dzisiaj, w samo południe, kiedy z Kamą skracamy rubrykę „Listy", bo trzeba zmieścić wywiad z nową gwiazdą, telefon. Dzwoni Tosia, że właśnie odebrała Nieletniego ze szkoły, jest z Jakubem, i za chwilę będą w domu, i wszystko w porządku, ale że mam się skontaktować z wychowawczynią.

Słabnę.

– Czy coś się stało Piotrusiowi?

– Nie! – krzyczy Tosia, ale i tak źle słychać. – Ale masz przyjść do szkoły! To znaczy rodzice mają przyjść! Czyli ty w zastępstwie! Jego wychowawczyni ma dzisiaj kółko, jest w szkole do osiemnastej!

Ona ma kółko, a ja mam krzyżyk, a właściwie krzyż pański. Urywam się wcześniej i podjeżdżam pod szkołę. Szukam długo pani Welczes, która jest wychowawczynią Piotrusia od dwóch lat. Wreszcie ją znajduję.

– Dzień dobry, ja w sprawie Piotrka.

– Kim pani jest i z czyjego upoważnienia? Czy pani jest rodzicem, czy opiekunem prawnym? – pyta pani Welczes.

Nie będę się dziwić, że nie pamięta, kto jest rodzicem. Chociaż słowo rodzic zakłada również, że mogłabym być ojcem, a na pewno nie jestem. Ale po co się mam denerwować.

– Jestem ciotką – mówię pokornie, bo wiadomo, że ze szkołą nie należy zadzierać, bo się to potem na dziecku odbija.

– Aaaa, to nic dziwnego – pani Welczes patrzy na mnie ze zrozumieniem.

Nie widzę nic dziwnego w tym, że jestem ciotką, i tu bym się mogła zgodzić z wychowawczynią Piotrusia, ale jej ton mi się nie podoba.

– A więc proszę pani – pani Welczes podnosi dłoń do oczu i trze czoło – szkoła nie wychowuje, szkoła pomaga, szkoła szeroko pojmuje współpracę z rodzicami lub opiekunami prawnymi swoich uczniów.

– Aha – przyjmuję do wiadomości i w dalszym ciągu nie wiem, dlaczego zostałam wyrwana z pracy. Dla mnie to dość błahy powód – rozważania o roli szkoły w życiu codziennym ucznia.

– A więc, jak już wspomniałam, szkoła tylko pomaga, pomaga – pani Welczes kładzie nacisk na ,,pomaga" i patrzy na mnie badawczo, czy zrozumiałam – pomaga w trudnej roli wychowawczej. Ale na szkołę nie spadają obowiązki wychowywania dzieci tylko dlatego, że rodzice nie poświęcają im czasu! To prowadzi do wykolejenia się tych młodych ludzi! Od łyczka do rzemyczka! Najpierw krótkie kłamstwo, potem dowcip, a potem kradzieże, rozboje, morderstwa! Tak, proszę pani, właśnie tak!

– Czy to ma związek z Piotrkiem? – pytam przestraszona nieco.

Pani Welczes patrzy na mnie wrogo.

– Czy pani jest matką?

– Nie, ciotką – mówię, zastanowiwszy się, bo przecież już to mówiłam.

– A gdzie matka dziecka?

– W Londynie – odpowiadam, nie chcąc wyjaśniać owej pani, że powinna poznawać rodziców swoich uczniów. W końcu Agnieszka biega na każdą wywiadówkę.

– No właśnie! Nic dziwnego, że dziecko tak się zachowuje!

– Jak? – pytam ponownie. Zawsze nienawidziłam wywiadówek.

– To pani nie wie, co on dziś zrobił???

– A skąd mam wiedzieć? Przecież rozmawiam z panią dopiero pół godziny! – wyrywa mi się, ale na szczęście pani Welczes nie zwraca na mnie uwagi.

– A więc pani syn przyszedł dzisiaj do szkoły, ach, nie chcę nawet mówić, ale muszę powiedzieć, w koszulce, która miała napis...

Aż czuję dreszcze na plecach. Jaki to był napis? „Fuck me?" „Wolna miłość?" „Onanizm powoduje wady" i maluteńkimi literami pod spodem „wzroku"?

– „Chcę być księdzem, jak mój ojciec!" – wybucha pani Welczes.

Oddycham z ulgą.

– To nieprawda – staram się natychmiast wyjaśnić to nieporozumienie. – Ojciec Piotrusia jest ekonomistą, tak jak mój mąż, były – dodaję niepotrzebnie.

– Proszę pani! – mówi dobitnie pani Welczes. – To niedopuszczalne! Nic dziwnego, że dziecko chowane w takiej rodzinie tak się zachowuje! Jeszcze jeden taki wyskok i Piotrek będzie zawieszony w prawach ucznia! Jeszcze mi tego brakowało. Wracam do domu i zastanawiam się, jak mam rozmawiać z Piotrusiem. Nie mógł tej koszulki włożyć, jak rodzice przyjadą? Wredne dziecko.

Na dzisiaj mam dosyć. Piotrek schował się w swoim pokoju, wpadam do niego bez pukania.

– Jutro przeprosisz panią Welczes, księdza i dyrektora szkoły! Ja tego za ciebie nie będę załatwiać! – krzyczę od progu.

Piotrek siedzi na tapczanie oklapły jakiś.

– Ale ciociu, to nie moja wina – szepcze.

– Wszystko jedno czyja – odpowiadam ostro. – Jeśli nie załatwisz tej sprawy, nie pójdziesz na mikołajki.

Sięgnęłam po ostateczność. Piotrek na zabawę mikołajkową szykuje się od wyjazdu rodziców. Wczoraj w szkole było losowanie – ma kupić prezent Arturowi, ale cały wieczór dyskutował z Tosią, co ma zrobić, żeby się zamienić na Agatkę.

– Ciociu, to nie była moja koszulka... – jęczy Piot-
k – to Kamil mi powiedział, że ja się na pewno nie
odważę jej włożyć, i to wszystko wina Kamila...
– Kamil cię podpuścił, tak? Bo jesteś bezwolnym
stworzeniem, tak? I śmieje się z ciebie w kułak! Piotrek! Jutro tę sprawę załatwisz... sam, bez zwalania na
Kamila.
– Przeproszę, ciociu... – szepcze Piotrek i widzę,
jaki jest jeszcze strasznie mały i dziecinny.
– I obiecaj, że już nigdy się tak głupio nie zacho-
wasz.
– Obiecuję... – szemrze, a ja wychodzę i zostawiam
go samego.

*

– Mamooo!
Tosia wchodzi do kuchni, gdzie lepię chyba setny
pieróg ruski. Nie robię tak dobrych jak Moja Mama, ale
zdecydowanie chcę mieć z głowy obiady na następne
trzy dni. A poza tym jednak gotowanie uspokaja.
– Słucham – mówię, bo cóż tu innego można powiedzieć własnemu dziecku.
– Ty nie bądź taka okrutna dla Piotrka, bo on nie
miał wyjścia.
– Słucham? – Teraz odwracam się w kierunku Tosi
i mąką posypuję podłogę. – Czy ja dobrze słyszę?
– No tak. Bo wiesz, Kamil przyniósł tę koszulkę
do szkoły. I zapytał, kto się odważy założyć. Podpuścił

195

Piotrka tylko dlatego, że rozmowie przysłuchiwały się dziewczyny z klasy.

– I co z tego?

– To, że Agatka również słyszała.

– I co z tego? – Sto drugi. Jeszcze z pięćdziesiąt i będę mogła odpocząć.

– No to Piotrek musiał.

– Tosia, zmiłuj się nade mną! Nic nie musiał.

– Bo ty nigdy nie byłaś prawie dwunastoletnim chłopcem, mamo! – mówi z pretensją Tosia i właściwie ta prawda mnie olśniewa. Nie byłam i nie będę, mogę dodać śmiało. – A Agatka się z nim na jutro umówiła po szkole.

– Jaka Agatka? – pytam, bo mi się kręci w głowie od tego wszystkiego.

– No ta, w której się Piotrek kocha, nie rozumiesz? Więc nie bądź dla niego za surowa.

Powoli dociera do mnie prawda. Mój siostrzeniec jest zakochany i wymaga specjalnej troski. Ale ja też jestem zakochana, a nie zauważyłam, żeby ktoś się z tego powodu nade mną pochylił.

Wieczorem jemy pierogi w zupełnej zgodzie. Na kolację załapała się Ula, która wykorzystała moment, że nie siedzę przy komputerze, tylko podaję pierogi jak prawdziwa ciocia. Ula zawsze wywącha pierogi.

– Ciociu – odzywa się Piotrek, który odzyskał głos – jakbyś wylosowała kogoś do dania mu prezentu i byś się chciała zamienić, to co byś zrobiła?

– Nie mówi się do dania, tylko żeby mu dać – poprawiam natychmiast i zalewa mnie fala wstydu. Biedne dziecko prosi o radę, a ja mu tu wyjeżdżam z poprawkami języka. A przecież dziecko na telewizorze się uczy, to jak ma mówić? – Zamieniłabym się.

– No bo Piotrek wylosował Artura – rzuca Tosia.

– Tosia, podaj pomidory – mówię do Tosi.

– Nie jedz pomidorka, bo był używany przez muszki – mówi Tosia. – Nie możesz się zamienić z kimś, kto ma Agatę?

– Ja chcę pomidora. Nie mogę. Bo Agatę wylosowała Lusia, a Lusia nie lubi Artura.

– To zamień się z kim innym na Artura, a potem tego innego z Lusią.

– Chciałem. Ale chłopaki się chcą wymienić tylko na Andrzeja. Jakbym miał Andrzeja, to mógłbym poprosić Tomka, żeby wziął Artura, bo Tomek ma Ewę, a Ewa przyjaźni się z Aśką. I wtedy Aśka, która wylosowała Karinę, mogłaby ewentualnie się zamienić na Ewę, a ja bym zamienił Karinę z Lucyną, bo Lucyna ma Baśkę i jej nie lubi. Jakbym miał Baśkę, to Lusia by się zamieniła na Agatę, bo się przyjaźni z Baśką.

– Jak wiesz, co masz zrobić, to czemu tego nie robisz? – zakręciło mi się w głowie od imion.

– Bo Ewa nie przyszła dziś do szkoły, jest chora. To co ja mam zrobić?

– Może będzie jutro – podpowiedziała Ula.

– A jak jej jutro nie będzie? – jęknął Piotrek.

– To kupisz prezent Arturowi. Czy to ma jakieś znaczenie? Przecież lubisz Artura.

– No tak, ale ja nie wiedziałem, że Ewy nie będzie i wczoraj zamieniłem Artura na Andrzeja. A Andrzej nie chciał, żebym ja go miał. Powiedział, żebym się walił. Nie chcę zostać z Andrzejem!

Nie powiedziałam „jak się wyrażasz". Rozumiałam go. Ja też parę razy w życiu nie chciałam zostać z jakimś nieprzyjemnym mężczyzną. Ale moje możliwości rozumienia nastoletniego chłopca były mocno nadwerężone.

– Tosia ci pomoże – powiedziałam przewrotnie i zajęłam się sprzątaniem ze stołu.

Ula dzielnie mi zaczęła sekundować. Tosia z Piotrkiem zostali w pokoju, udzielając sobie rad na temat mikołajek, a myśmy poszły do kuchni. Zrobiłam pyszną herbatę, umyłam talerze i zapaliłam małą lampkę na stole. Nareszcie poczułam się jak w domu. Z pokoju doleciał mnie głos spikera:

– Nierozgrzany Piecyk wbiega na boisko!

Gdyby był Adam... Siedzieliby sobie wszyscy troje przed jakimś meczem, a my byśmy sobie siedziały w kuchni. Zupełnie jak teraz. Tylko że Adama nie ma i wtedy to nasze siedzenie w kuchni już nie jest takie smakowite.

– Kiedy urodziny Tosi? – pyta Ula, a mnie się robi głupio, bo przecież Tosia chciała samą rodzinę i chociaż Ula jest jak rodzina, to jednak rodziną nie jest.

– Dwunastego grudnia – mówię spokojnie, biorę głęboki oddech. – Ale postanowiłyśmy zaprosić tylko rodzinę, nie gniewasz się?

– A skądże – mówi Ula – bardzo rozsądnie. – Isia zażyczyła sobie wynajęcia klubu. Chce obejść osiemnastkę hucznie, ale za to bez rodziny – wzdycha. – To już ty masz lepiej. I taniej – dodaje po chwili.

– Ciociu, a gdybym Andrzeja zamienił na Jurka, i wtedy Ola zostałaby z... – Piotrek wchodzi do kuchni, nie bacząc na to, że rozmawiam z Ulą o rzeczach ważnych.

– Piotrek, zlituj się – jęczę – zrób jak chcesz.

– Czy ty się kochasz w Agatce? – pyta Ula i widzę, że Piotrek robi się czerwony.

– Ja? – prycha jak Zaraz, nie przymierzając – ja???

– No to dlaczego chcesz koniecznie mieć wylosowaną Agatkę? – pyta trzeźwo Ula.

– Bo mam prezent dla niej – warczy Piotrek. – Bo mi Tosia dała. Tylko dlatego. Nie lubię głupich dziewczyn. I wtedy bym oszczędził na prezencie, o to tylko chodzi! A nie mam prezentu dla Andrzeja, poza tym on jest głupi!

Piotrek wychodzi i zamyka za sobą drzwi. Patrzę na Ulę, ale nie mogę mieć pretensji. Przecież ona ma córki.

– Zakochany – mówię cicho – ale nie wolno o tym głośno mówić.

– Dlaczego? – pyta Ula. – Przecież wtedy można coś doradzić, pogadać... I skąd wiesz?

Pogadać i doradzić można dziewczynce. Chłopcy mają inaczej zbudowany mózg. Jak są wściekli albo nieszczęśliwie zakochani w starszym wieku, napadają na ościenne państwa, ot co. I Ula o tym nie wie?

– Nic nie można zrobić – szepczę. – Wczoraj zużył cały mój puder, ten, który kupiła mi Agnieszka w strefie wolnocłowej i który oszczędzałam, jak się okazuje, całkiem niepotrzebnie. Wiesz po co? Żeby nie było widać trądziku! A on przecież nie ma trądziku! Dezodorantem tak jedzie w łazience, że najpierw muszę wietrzyć, a dopiero potem się kąpać. To są objawy zakochania, prawda? A ty tak prosto z mostu, trochę delikatności, Ula!

Ale Ula szybko zmienia temat:

– To prawda, że na urodzinach Tosi będzie Eksio?

– Tak – potwierdzam i czuję się w obowiązku dodać: – Tosia bardzo chciała, to przecież jej ojciec, dobrze, że nam się jako tako ułożyły stosunki i możemy już na siebie patrzeć, prawda?

– Nie pamiętasz, co on ci zrobił?

– Ech – machnęłam ręką – gdyby nie on, nigdy nie spotkałabym Adaśka, więc pewno lepiej się stało. Zresztą – dodaję konfidencjonalnie i nie bez pewnej satysfakcji – Jola się wyprowadziła. Eksio mówi, że po to się rozstali, żeby móc się przekonać, czy chcą być rzeczywiście razem. – Kręcę głową z niedowierzaniem.

– Czy naprawdę kobiety zawsze się muszą nabierać na takie dyrdymały?

– Nie masz słodzika? – Ula odsuwa od siebie cukierniczkę. – Posłodziłabym sobie... Życie mi zawsze brzydnie w listopadzie...

– Ula! – cieszę się jak dziecko, bo mam jedyną w swoim rodzaju okazję, żeby powtórzyć jej to, czego mnie uczyła. – Listopad to najlepszy miesiąc w roku, ponieważ do następnego listopada mamy całe jedenaście miesięcy! A już od Wigilii dni są dłuższe – rozmarzam się – i za chwilę wiosna!

Ula wychodzi przed jedenastą. Spać, spać, spać. Niestety, łazienkę okupuje Tosia, czekam cierpliwie, potem nalewam sobie wody do wanny i dłuższą chwilę szukam mydła. Nie ma. Myję się szamponem przeciwłupieżowym Piotrusia. Jak miło odpocząć po całym dniu bieganiny! A potem widzę, że w polu widzenia nie ma żadnego ręcznika! Wściekła owijam się w szlafrok, Tosia siedzi w kuchni i rozmawia przez telefon.

– Tośka, dlaczego mi wzięłaś ręcznik?

– Poczekaj, Kuba... – mówi Tosia do słuchawki i zakrywa ręką telefon. – Czerwony?

– Zielony! Czerwony jest Piotrka!

– Ale był tylko czerwony! Wzięłam czerwony, bo mój był żółty i nie było go! To znaczy, że Piotrek wziął twój!

– A gdzie jest jego?

Tosia wzrusza ramionami i wraca do rozmowy. Rozmowy telefoniczne o tej porze doprowadzają mnie do szału. Nie mogą sobie pogadać w dzień? Ale nie chcę się czepiać, ostatecznie Tosia jest dorosła.

Zostawiam mokre plamy na podłodze i sięgam do szafy. Codziennie jest ten sam problem. Piotrek nie jest w stanie zapamiętać, który ręcznik jest jego. Jak to dobrze, że już niedługo wracają jego rodzice, i to oni nie będą się mogli wycierać po kąpieli. Jeszcze tylko wypuścić psa, sprawdzić pocztę – nie ma listu od Adasia, wpuścić psa i spać, spać, spać.

Czar czterech kółek

Dlaczego nic nie napisał? Już trzeci dzień telekomunikacja łaskawie mnie łączy, a tu brak nowych wiadomości. W sobotę do niego zadzwonię. To właściwie dobrze, że być może jest wściekły, bo to by znaczyło, że mu bardzo zależało na naszym przyjeździe. Lepiej, żeby był wściekły dlatego, że mnie nie widzi, niż dlatego, że mnie widzi.

Jadę do redakcji, po pracy mam odebrać drukarkę z naprawy, potem wejdę na chwilę do Mojej Mamy. Piotrek będzie dzisiaj do wieczora u Arka, stamtąd go odbiorę. I znowu będę w domu dopiero w nocy. Czy ja na pewno chciałam mieszkać na wsi? Może mi się tylko wydawało?

U Mamy siedzę dwie godziny. Bardzo drży o Tosię i czy to dobrze, że Tosia zmieniła historię na biologię, bo przecież biologia jest trudna i jak ona nadrobi zaległości. Czy jeżdżę ostrożnie, bo teraz tylu wariatów na drogach? Żebym nie przekraczała sześćdziesięciu na godzinę. A jeśli wpadnie na mnie tir? Czy nie lepiej jednak, żebym jeździła kolejką. I czy uważam na nowy samochód Agnieszki i dlaczego oni są tak lekkomyślni, żeby pożyczać samochód. Nie głodujemy? Bo przecież jestem taka zapracowana, więc tu są gołąbki, bo Piotruś lubi, żeberka, bo je lubisz, chociaż chyba ostatnio przytyłaś, kochanie, dynia marynowana, bo Tosia lubi, i pomidorowa w słoiku litrowym. Żebyśmy nie umarli z głodu. Bronię się resztkami sił przed wzięciem żółtego serka oraz bardzo dobrych parówek, które Moja Mama kupiła specjalnie.

Nie wiem, skąd w rodzicach moich przekonanie, że głodzę własne i cudze dzieci, przy jednoczesnym przekonaniu, że sama jestem spasiona. Ale potem sobie przypominam, że to jest przecież sposób dbania o mnie i jestem wzruszona, zanosząc te wypchane torby plastikowe do samochodu.

Stoję w korkach, to najmniej przyjemna strona mieszkania na wsi. Pod nowym wiaduktem nie mieszczą się samochody ciężarowe i jak zwykle robią się korki. A gdyby wybudować na wszystkich drogach dojazdowych wiadukty, pod którymi nie mieściłyby się nie tylko samochody ciężarowe, ale również osobowe? Jakże przyjemnie jeździłoby się po pustym mieście... W porę sobie jednak przypominam, że jako osoba mieszkająca poza miastem nigdy bym tam nie wjechała. Odbieram od Arka naburmuszonego Piotrka, wracamy do domu. Jest ciemno i zimno.

Bramy nie można otworzyć, bo zamarzła. Zostawiam samochód przed bramą, wypakowujemy zakupy i zapasy Mojej Mamy. Piotrek na widok Tosi wypogadza się, wydaje mi się, że Tosia jest dla niego alfą i omegą w jego sprawach miłosnych oraz trądziku, którego nie ma. Pewno zajrzała do mnie do komputera. Czy samochód może zostać przed bramą? Nie mam siły dzisiaj odmrażać kłódki.

*

Nie mógł.

Rano otwieram furtkę i biednym moim oczom przedstawia się okrutny widok. Samochód Grześków, nowy i drogi, stoi na cegłach. Wszystkie cztery koła diabli wzięli, a alarm ani myślał się włączyć. Wsadzam Piotrka w kolejkę i sama dzwonię na policję. Przyjeżdżają niebawem. Spisują protokół, coś podpisuję. Co mam teraz zrobić? Zgłosić do ubezpieczyciela. Wsiadam w kolejkę, klnąc, na czym świat stoi. Dlaczego żyję w kraju, w którym nie można zostawić spokojnie samochodu, w dodatku cudzego, przed domem? Nie przestanę się temu dziwić.

W wagonie na szczęście jest miejsce. Wciskam się obok dwóch młodych mężczyzn. Są pogrążeni w rozmowie. Za oknem biało, zaczyna się zima, i tak późna w tym roku.

— On jest terminator! — słyszę, chcąc nie chcąc, fragment rozmowy.

No, przynajmniej tym razem trafiam na kulturalnych ludzi rozmawiających o filmach, choć może nie
najwyższego lotu.

– Jaki tam terminator! – Drugi mężczyzna nie ukry-
wa kpiny w głosie. – Ja sam słyszałem, jak powiedział,
że w miesiąc będzie ją miał!

– W miesiąc? – Pierwszy mężczyzna aż nachyla się
do kolegi. – W miesiąc? W miesiąc, stary, to każdy ją
może mieć. Jutro, pojutrze, to są terminy! Miesiąc!

Odwracam się do okna. Kolejka ma swoje dobre
strony, na przykład rzadziej jej kradną koła. Ma również swoje złe strony – takie, że jeździ nią jeszcze ktoś
oprócz mnie.

W mieście długo szukam ulicy, na której jest
ubezpieczyciel. W końcu trafiam. Odczekuję swoje
w kolejce. Wszystkim dzisiaj coś ukradli, mimo że jest
pogodny mroźny ranek. Jak pech, to pech.

– Chciałam zgłosić kradzież czterech kół w samochodzie.

– Jak to się stało?

– Wstałam rano i zobaczyłam, że samochód stoi
na cegłach.

– Czy pani przyjechała poszkodowanym samochodem?

Życie nie jest proste.

– Ukradli mi koła! – mówię z pretensją.

– A ja pytam, czy pani jest tu tym samochodem? –
pani w okienku jest zasadnicza.

– Nie, ponieważ ukradli mi koła.

– Przecież słyszę! – mówi pani.

Cały dzień spędzam na załatwianiu najpierw holowania, potem zdjęcia samochodu, potem zapłaty za koła, żeby było szybciej, i już. Co za szczęście, że mam tysiąc dolarów, za które miałam jechać do Niebieskiego. Wypraszam w serwisie, który zwymyślałam za brak świateł, szybką obsługę. Samochód będzie na czwartek. W środę mam jechać po rodzinę Nieletniego na lotnisko. Wracam do domu nieludzko zmęczona. Tosia patrzy na mnie i mówi:

– Nie martw się, powiedziałam tacie, że ukradli koła, a tata powiedział, że może po nich jechać albo że da ci samochód...

Wcale mnie to nie cieszy. Nie lubię być wdzięczna obcym ludziom. Tosia patrzy na mnie z radością.

– Czy tata nie jest kochany?

– Jest, oczywiście – mówię łagodnie, bo co biedne dziecko temu winne, że ukradli mi koła, i idę prosto do wanny.

Jeszcze tylko proszę Tosię, żeby dopilnowała Piotrka i weszła mi do outlooka sprawdzić, czy jest poczta.

Ale nie ma.

Wszystko jak zawsze sprzysięgło się przeciwko mnie.

Nie potrafisz nawet zabić karpia

Jednak Grzesiek i Agnieszka mimo wad rozlicznych mają dobry charakter. Grzesiek od razu zapytał, czy nie naprawić bramy, na koła machnął ręką – ubezpieczony był, zwrócą mi pieniądze, jak tylko im zwrócą pieniądze. Nieletni dostał od rodziców grę komputerową, ja dobre perfumy, obeszło się bez szczegółowego sprawozdania z tych dwóch tygodni u mnie.

– Mamy dla ciebie niespodziankę! – ogłosiła Honorata tuż po wyjeździe z lotniska.

Skóra mi cierpnie na samo słowo ,,niespodzianka". Chciałabym, żeby moje życie upływało spokojnie i miło, bez żadnych niespodzianek.

– Ciocia Hania przyjeżdża na święta, więc robisz wigilię! Zatrzyma się u ciebie, bo my nie będziemy mieć miejsca! U nas przez święta będzie babcia i prababcia i rodzina taty z Olsztyna!

Mój charakter pozostawia wiele do życzenia. Zamiast podskoczyć do góry z radości, ścierpłam na dobre od stóp do głów. Nie przeniosę się do swojego pokoju. Będę już zawsze skazana na współżycie z telewizorem. Będę już zawsze niewyspana, a mój kręgosłup będzie wył po nocach z tęsknoty za własnym łóżkiem. Moje pisanie, mimo że pisarzem nie jestem, wymaga jednak skupienia, a ja mam ciągle nowe atrakcje.

Nie, nie zgadzam się! Nie zaprasza się nikogo do cudzego domu! Jak mogliście mi to zrobić? Jak mogliście nie porozumieć się ze mną, nie zapytać nawet? To jest absolutne naruszenie moich dóbr osobistych!

Otworzyłam oczy.

– To cudownie, będą wesołe święta – powiedziałam, starając się, żeby nie zabrzmiało to rozpaczliwie.

Agnieszka jednak dobrze mnie zna, bo pochyliła się ku mnie i szepnęła:

– Nie mieliśmy wyjścia, ciocia chce przed śmiercią jeszcze raz zobaczyć ojczyznę.

*

– Jaką śmiercią? Przecież właśnie zamieniła mieszkanie na domek, żeby tam szczęśliwie żyć! Co ty mówisz moje dziecko! – Moja Mama wyraziła najpierw zdziwienie, a potem radość. – To cudownie, dawno się nie widziałyśmy.

– Ona nas jeszcze wszystkich przeżyje – powiedział filozoficznie Mój Ojciec, który właśnie nastrajał u Mojej Mamy telewizor. – Zapamiętajcie moje słowa.

– Może mieszkać u mnie, jeśli ty chcesz odpocząć.

– Moja Mama spojrzała na mnie z troską. Obawiam się,

że tylko ona rozumiała, co przeżywam przez dwa ostatnie tygodnie.

– Albo u mnie – mruknął Mój Ojciec – jeśli Judyta uważa, że dla starej ciotki w jej domu nie ma miejsca. A ona ci przywiozła trzydzieści lat temu taką ładną lalkę...

Na niedzielnym obiedzie u Mojej Mamy byłyśmy razem z Tosią. Moja Mama zaprosiła również Mojego Ojca, bo skoro już jesteśmy, to nie będziemy się tułać po całym mieście wte i wewte, bo przecież na pewno, skoro jesteśmy u niej, wpadłybyśmy do ojca, prawda? Samochód Adasia jeszcze niegotowy. Nie dość, że skrzynia biegów do wymiany, to jeszcze coś nawaliło, klocki albo co. Ma być na pewno w przyszły poniedziałek – Szymon powiedział, że przywiezie. Na razie wędrujemy kolejką.

Dom się zrobił pusty bez Piotrka, ze zdziwieniem znajduję własny ręcznik po wyjściu z wanny, mydło leży na umywalce, a nie za muszlą klozetową, resztka mojego fosforyzującego pudru nie zniknęła w tajemniczy sposób. A poza tym jest pusto. Tosia nie potrafi jednak zapewnić mi tylu atrakcji. Dzięki Bogu.

– Na pewno ciocia chce zobaczyć, jak sobie radzisz jako samotna kobieta. Zawsze była ci życzliwa. – Moja Mama beztrosko stawia na stół cykorię w sosie koperkowym.

– Ale mamusiu, ja nie jestem samotna.

– No wiesz, o co chodzi matce – wtrąca Mój Ojciec.

– Że jesteś po rozwodzie.

– Ale przed ślubem – dodaję nieśmiało.

Status kobiety samotnej w mojej rodzinie i w moim kraju wymaga specjalnego nakładu sił i środków, żeby nie poderżnąć sobie żył od razu. Ciekawe, dlaczego Moja Matka po rozwodzie nie jest kobietą samotną i nie budzi, jako taka, ciekawości cioci Hani?

– A widzieliście okładkę mamy gazety? – wtrąca Tosia, chcąc rozładować sytuację. – Nagą dziewczynę z nagim facetem?

– Mój Boże, do czego to doszło – wzdycha Moja Matka.

– Macie przy sobie? – Mój Ojciec jest wyraźnie zaciekawiony.

– Takie rzeczy! Jaka jest przyszłość tego świata? – pyta Moja Matka.

– Nie martwcie się, może świat przestanie już jutro istnieć – mówię pogodnie, bo przy stosunku moich rodziców do rzeczywistości, fakt, że świat przestanie istnieć, wydaje się wesołą nowiną.

– Świat i tak wkrótce przestanie istnieć – Mój Ojciec ożywia się. – I bez gołych bab na okładkach.

– Nie mów tak! – Moja Mama jest wstrząśnięta. – Jak można pozwalać, żeby takie rzeczy były na okładce!

– Przecież ja nie jestem właścicielem pisma – mówię. – Jestem prostym redaktorem.

– Ale tam pracujesz! – mówi z wyraźną pretensją Moja Mama.

– Dlaczego wy zawsze macie do mamy pretensję? – pyta Tosia, ale szczęśliwie nikt nie zauważa tego pytania, które, jak wynika z moich dotychczasowych doświadczeń, wywołałoby niejaką awanturę.

– Ale przecież takie zdjęcie może być zupełnie ładne – wtrąca Mój Ojciec. – Ja na przykład...

– Ty nie potrafiłeś nawet zabić karpia na wigilię!

– Moja Mama sięga po argumenty ostateczne.

W tej miłej i przyjaznej atmosferze jednak udaje nam się ustalić, co następuje:

Ciocia Hanka zatrzyma się u mnie, wigilię u mnie przygotuje Moja Mama razem z Tosią. Mój Ojciec zajmie się kupnem karpi, ale nie będzie ich zabijał, mogą być nawet mrożone, oraz kupnem białego wina. Drugi dzień świąt przygotuje Mama i zaprosi nas wszystkich na obiad, żeby mnie odciążyć. Możemy przyjechać z Borysem, żeby nie siedział cały czas w domu, biedak.

Biologia mężczyzn

Wracamy z Tosią do domu późnym wieczorem. W kolejce jest sennie i duszno, grzeją, więc stoimy. W naszej kolejce grzejniki są pod siedzeniami, jak się maszynista rozpędzi, to usiąść nie można, bo krzesełka parzą. Gapię się bezmyślnie przez okno, migają nagie drzewa i pola, i stacyjki. Jutro niedziela, więc mogę długo spać. I zadzwonię dzisiaj do Adaśka, niech tam. Ostatecznie mogę sobie raz na jakiś czas do niego zadzwonić, nawet jeśli on tego nie robi. Jestem przecież równouprawniona.

*

– *Adam is out*! – powiadamia mnie jakaś pani o miłym głosie. – *I am sorry. Call me soon.*

Soon to ja będę spać. Już i tak ledwo trzymam się na nogach. Ale przynajmniej skrobnę mu parę słów.

213

Kochany Mój,
dlaczego, kiedy do Ciebie dzwonię, Ciebie akurat nie ma? Czy robisz to złośliwie, czy tylko tak sobie? Jeśli tak sobie, jesteś usprawiedliwiony, ale złośliwości Ci nie wybaczę. U nas wszystko w porządku, oprócz tego, że ukradli mi koła od samochodu Grześków; Twój ciągle w naprawie. Tosia się w ogóle nie uczy, a ja padam ze zmęczenia na pysio. Borys Ci macha ogonem, jako i ja czynię, tęsknię, całuję, Judyta.

Wysyłam ze skrzynki mojej córki Tosi, bo z moją coś nie w porządku.

*

– My jesteśmy w lepszej sytuacji. – Tosia podskubuje naleśniki.
– Weź talerzyk – mówię i zabieram się do zmywania kocich miseczek.
– Przecież nie jem – mówi Tosia i dalej skubie.
– W lepszej sytuacji niż kto? Wypaprzesz się.
– Nie wypaprzę. Niż mężczyźni – Tosia jednak ubabrała się naleśnikiem z serkiem. Teraz serek leży na piersiach Tosi.
Nie komentuję.
– Oni nie wiedzą, co czują, zanim im nie wytłumaczysz – mówi poważnie Tosia i rozciera serek na piersiach.
– Co ty za bzdury gadasz, dziecko? – Miseczki były za długo niemyte, stanowczo powinnam je najpierw zamoczyć na godzinę.

– Mówię ci. Biologia mężczyzn jest przestarzała. Oni nie są monogamiczni. Oni myślą, że monogamia to jest gatunek muzyczny. Ale wkrótce po zaspokojeniu popędu wraca im myślenie i wtedy właśnie można im wytłumaczyć parę rzeczy. I wtedy rozumieją.

– Ale co rozumieją?

– Jak to co? – Tosia w dalszym ciągu rozmazuje serek na swetrze, ale postanowiłam nie reagować i nie reaguję. – Wszystko. Jeśli trzysta milionów lat temu ryby sobie wyszły na ląd i nauczyły się chodzić, to najwyższy czas, żeby mężczyźni też coś rozumieli w procesie ewolucji.

– Mówisz o Jakubie? – pytam spokojnie, bo nie jestem przygotowana na wywody Tosi o procesie ewolucji.

– Nie. Mówię ogólnie – mówi Tosia i szykuje się do wyjścia z kuchni. – A my i tak mamy lepiej. Mamy jedną możliwość wyboru więcej. Codziennie. Założyć stanik czy nie? – podsumowuje Tosia i już jej nie ma.

Droga Redakcjo,
jaki pożytek człowiek ma z seksu? Czy to prawda, że seks dobrze wpływa na zdrowie? Czy są na to jakieś dowody? Bo ja w to nie wierzę. Bogna z Plusicy Dolnej.

Rozumiem Cię, Bogno. Ja też w to nie wierzyłam.

A jeśli Bogna jest dorosła, bo właśnie skończyła piętnaście lat?

Droga Bogno,
jeśli jesteś dorosła i masz partnera, którego kochasz,
seks jest ukoronowaniem waszego związku...

Nie. Bzdury. Może Bogna jest w wieku Tosi?

Droga Bogno,
zajmij się jakimiś zdrowymi sportami, zamiast sek-
sem. Jest stanowczo przereklamowany. Jeśli jesteś przed
maturą, będzie dla Ciebie i Twojej rodziny dużo pożytecz-
niejsze, jeśli zajmiesz się nauką, a nie takimi pytaniami,
na które masz jeszcze dużo czasu. Jeśli teraz nie podej-
miesz tego trudu, czeka Cię bardzo niepewna przyszłość.
Wykształcenie jest najważniejsze – a z oblanym egzami-
nem maturalnym nie dostaniesz się na wymarzone studia.

Ale czy wszyscy muszą kończyć studia?

Droga Bogno,
tuż przed orgazmem wydzielany jest dehydroepian-
drosteron, który poprawia postrzeganie, wzmacnia układ
odpornościowy, hamuje rozwój guzów i odbudowuje koś-
ci. U kobiet jest wydzielana oksytocyna...
W czasie stosunku seksualnego rośnie poziom estro-
genu, co ma pozytywny wpływ na układ krążenia. Jednym
słowem, im więcej seksu – tym żyjemy dłużej i radośniej.
W imieniu redakcji

Mój układ krążenia obumiera.

*

Do wczoraj ani słowa od Adama. Dzisiaj podjęłam męską decyzję i zadzwoniłam do Szymona. Po prostu zapytałam go, co słychać u ojca, bo nie mam od niego żadnych wiadomości.

– Przecież ojciec jest chwilowo w Nowym Jorku – powiedział po chwili milczenia Szymon.

Udawałam, że nic mnie to nie obeszło, ale zrobiło mi się przykro. Dlaczego mi nic nie napisał? Nawet słowem nie wspomniał? Co się dzieje? Nie chcę wpadać w panikę ani robić awantur przez ocean, ale ręce mi drżą, kiedy siadam do komputera.

Szanowny Adasiu,
mam nadzieję, że się świetnie bawisz w Nowym Jorku. Na pewno są tam wysokie wieżowce, mili ludzie ze wszystkich stron świata i na pewno wkrótce mnie o tym powiadomisz. Pozdrawiam serdecznie w imieniu redakcji,

stęskniona Judyta

A mały duszek szepcze mi w ucho: Nie bądź podejrzliwa! Brak zaufania niszczy najlepszy związek! Nie śledź, nie pytaj, nie szukaj informacji.

Przeganiam tę natrętną istotę, ale nie daje się tak łatwo zbyć. ,,Nie szukaj informacji. Wynajmij detektywa – szepcze moje drugie ja. – Na pewno poznał fantastyczną Murzynkę albo samotną Polkę, od których roi się na obczyźnie, i już do ciebie nie wróci".

A może wróżka Uli miała rację.

Jestem przekonana, że mój stan wynika z nagłego obniżenia się oksytocyny. Gdyby byli mądrzy ludzie na tej planecie, szybciutko by podawali to w tabletkach i nie musiałabym się zamartwiać swoją beznadziejną samotnością oraz tym, że nie wiem, gdzie jest mój ukochany. I dlaczego nie wspomniał nawet słówkiem najmniejszym, że gdzieś będzie wyjeżdżał.

*

Umówiliśmy się, że wezmę wieżę od ojca Tosi wcześniej, bo na urodziny wpadnie, ale przyjedzie prosto z Łodzi, w której ma jakieś interesy, które mnie zupełnie nie obchodzą. I teraz mam problem. Tosia jest cwaniutka, wywęszy wszystko, co schowam w domu. Zawsze tak było. Już jako maleńkie dziecko zamykała się dokładnie w tym tapczanie, w którym były ukryte prezenty pod choinkę. Albo wchodziła dokładnie do tej szafy, gdzie były prezenty urodzinowe. Kiedyś, jak miała chyba osiem lat, posunęliśmy się do tego, że schowaliśmy prezent do piekarnika. Ale wtedy przyszła Moja Mama i Tosia, którą tym razem nos zawiódł, uprosiła ją, żeby zrobiła zapiekankę. I dobra babcia zrobiła wnusi tę zapiekankę, w piekarniku. Lala Barbie się również sfajczyła i śmierdziało w całym mieszkaniu nie do wytrzymania. W życiu nie myślałam, że Barbie potrafi tak zasmrodzić dom.

Ale koleżanka Agnieszki w Afryce usmażyła na pizzy szczura, który mieszkał w piekarniku, więc co tam Barbie.

Eksio przyjechał po mnie do redakcji, odwiózł mnie pod dom, żebym po nocy nie jechała kolejką, w dodatku z pudłem drogocennym. Kiedy podjechaliśmy, nie wiedziałam, co powiedzieć. Zaprosić na herbatę? Nie zapraszać? Każdego bym zaprosiła, ale jego? Podziękowałam wylewnie, a potem wbrew sobie zapytałam zdawkowo:

– Może wejdziesz na chwilę?

Eksio się rozpromienił. Otworzyłam bramę. Jeszcze mi tego brakuje, żeby mu koła odkręcili. Zostałby na zawsze. Tosia wybiegła naprzeciwko nam jak na skrzydłach. Ucałowała i mnie, i jego.

– Ja wam zrobię coś pysznego! – krzyknęła. – Wejdźcie do pokoju.

Myślałam, że raczej Tosia sobie posiedzi z ojcem, a ja ewentualnie im zrobię coś pysznego.

– Znakomicie sobie poradziłaś – powiedział Eksio i rozsiadł się w fotelu Adaśka. Było mu w nim całkiem nie do twarzy. – Tosia szczęśliwa... Tak... Na pewno nie było ci łatwo...

Już już miałam na końcu języka jakąś ciętą ripostę, ale sobie pomyślałam – nie czepiaj się kobieto przeszłości, jest martwa. Uśmiechnęłam się.

– Tosia nam się udała.

Tosia wmaszerowała do pokoju z trzema herbatami, ciasteczkami maślanymi i czekoladą orzechową. Postawiła to wszystko na stole i odebrała telefon, bo właśnie zadzwonił. Borys, który spał w kącie za kominkiem kamiennym snem, podniósł się na dźwięk telefonu i warknął na Eksia, kochany pies.

– Borys, to pan. – Eksio wysunął rękę, a Borys, zdrajca, pomachał ogonem.

– Ula do ciebie. – Tosia podała mi słuchawkę.

– Nie mogę teraz rozmawiać. Jest ojciec Tosi, później oddzwonię – powiedziałam do telefonu. – Albo wręcz jutro, bo muszę jeszcze dzisiaj popracować. – Popatrzyłam na Eksia wymownie i odłożyłam słuchawkę.

– To tatusiu, możesz iść do mnie na górę. – Tosia spojrzała na mnie błagalnie. – Tylko wypijemy razem herbatę, dobrze?

– Oczywiście. – Uśmiechnęłam się.

Pomyśleć, że nie wyobrażałam sobie bez niego życia. A teraz siedzi naprzeciwko mnie zupełnie obcy mężczyzna i zajmuje fotel mojego ukochanego. Ale Tosia jest rozpromieniona, i to się liczy. Dla niej na pewno jest lepiej tak, niż gdyby rodzice darli ze sobą koty.

– Macie dla mnie prezent? – Tosia zachowuje się jak Nieletni.

– Na pewno nie wywęszysz.

– A mogę zgadnąć, co to jest?

– Ani się waż! – krzyknęłam. – Żadnego zgadywania. Ćwicz cierpliwość.

– Mama ma rację – powiedział Eksio, a ja myślałam, że spadnę z fotela.

Nigdy w życiu nie przyznał mi racji. Nigdy. To by jednak świadczyło o słuszności Tosinych wywodów.

W procesie ewolucji mężczyźni mogą zacząć (choć nie muszą) rozumieć, o co w życiu chodzi. Ale skoro trzysta milionów lat rybom zajęła nauka chodzenia po lądzie, to co może mężczyzna po raptem dwóch? Sprzątnęłam w kuchni i poszłam do siebie. Włączyłam telewizor i komputer. Siedziałam na tapczanie i zastanawiałam się, w co włożyć ręce. Na razie włożyłam w nie pilota. A nuż trafię na coś ciekawego? Na przykład na obyczaje godowe ptaków w lasach deszczowych Afryki? Pstrykam pilotem, to kojarzy mi się z Adaśkiem, ale żadnych ptaków afrykańskich. Na ekranie silikonowe cycuszki, blondwamp tarza się na łóżku, patrzy w kamerę ,,zadzwoń do mnie, czekam na ciebie, marzę o tobie". Zupełnie jak ja o Niebieskim, pstryk, dźga i dźga, ale kto dźga nie wiadomo, bo z ciemności nóż wypada, pstryk, śliczne cielsko nurkuje w basenie, przewraca się na plecy, piersi sztywno patrzą w niebo, ani drgną, przybite do klatki piersiowej, pstryk, dziennik, wyłączam.

Jeśli on nie pisze i nie zmartwił się zbytnio, że nie przyjeżdżamy, to może powinnam zacząć się niepokoić?

A z drugiej strony zaufanie to podstawa związku. Może nie miał dojścia do komputera.

Z drugiej strony w Ameryce może wielu rzeczy nie być, ale komputer jest na pewno nawet na pustyni jakiś. Tak samo jak telefon.

Czyli tak bardzo wsiąkł w atrakcyjną zagranicę, że być może ma lepsze towarzystwo. Zmartwiłby się parę tygodni wcześniej, a teraz zapomniał o mnie. Na pewno nie pisał, że jedzie do Nowego Jorku. Może pisał, ale do kogo innego. Do kogo? Gdyby mnie kochał, to może byłoby mu przykro. Byłby rozżalony, powoływałby się na naszą umowę i wyrażałby żal, że tych świąt nie spędzimy razem. Ale nie wygląda na to, że mu przykro. Ot, po prostu, ,,rób tak, jak dla ciebie będzie dobrze" – czyli nie ma sprawy – czyli w najlepszym wypadku jest mu to obojętne. Czyli ja mu jestem obojętna.

Ale z drugiej strony, jaki mężczyzna przywiązuje wagę do pisania? Kobieta tęskni i czeka, bo ma inaczej zbudowany mózg i dlatego przekręca mapę do góry nogami. A mężczyzna znakomicie orientuje się przestrzennie i nie musi bez przerwy szukać kontaktu, nawet z ukochaną osobą.

Istnieje jeszcze taka możliwość, że zrozumiał i nie ma pretensji, bo mnie kocha i wie, że poleciałabym na skrzydłach i że musiało się coś ważnego stać, skoro nie lecę. Ale prawdę powiedziawszy, jest to możliwość, którą trudno mi w tym stanie ducha wziąć pod uwagę. W każdym zresztą.

Bo taki list, jak ten ostatni, obiektywnie rzecz biorąc, taki list jest raczej obojętny.

Jak Adam.

Ale z drugiej strony może włącza się moja lekka paranoja i znane poczucie odrzucenia, które nie ma nic wspólnego ze stanem faktycznym. Może dorabiam sobie ideologię i za bardzo zajmuję się interpretacją zdarzeń, zamiast pracować, zająć się Tosią, spotkać się z Ulą i tak dalej. Może wszystkie kłopoty kobiet biorą się ze zbędnego rozważania, co by było gdyby?

*

W weekend siądę do komputera i napiszę do niego. O wszystkim. Właściwie wymieniamy tylko krótkie uwagi, i w dodatku biorę w tej zabawie czynny udział. Do licha z takim porozumiewaniem się. I na dodatek zupełnie nie wiem, co przygotować na urodziny Tosi. Zapiekankę? Czy elegancką kolację? Wykwintnego dania ze szpinaku nie będą chciały jeść dzieci. Mój Ojciec ma wrzody, w każdym razie mówi, że ma. Mama woli makarony niż mięsa. Agnieszka lubi kurczaka, a-le kurczak jest taki banalny! Nie mam pojęcia, co zro-bić! Grzesiek będzie chciał pić piwo. Eksio pewno nie będzie pił, bo przyjedzie samochodem. Musi być szam-pan, koniecznie. I soki dla dzieci. I może jeszcze jakiś alkohol. Jak ja sobie poradzę? Czy będzie Jakub, czy coś się zmieni do urodzin Tosi, na przykład przestanie ją kochać? Dlaczego Tosia nie chce, żebym zaprosiła Szymona? Przecież Szymon to rodzina, choć trochę przyszywana.

Wyłączam komputer i telewizor i postanawiam zająć się gotowaniem pomidorowej.

Jest po dziesiątej, kiedy Eksio wyjeżdża spod do-mu.

– Pomóc ci, mamo? – Tosia staje za mną, widzę jej odbicie w szybie w kuchni.

– Niekoniecznie. Zawołaj koty, mróz.

Tosia posłusznie otwiera drzwi do ogrodu i woła na cały głos:

– Zaraz! Potem! – I wraca do kuchni. – Nie ma ich.

– No właśnie – mówię dość ponuro. – Nawet koty nie wracają na wołanie.

*

– Miałaś zadzwonić – mówi Ula, oddając prodiż – ale rozumiem, rozumiem...

– Rozumiesz co? – stawiam prodiż na półce.

– Ojciec Tosi – uśmiecha się Ula.

– Co ojciec Tosi?

Nie mam ochoty domyślać się, o co chodzi Uli. Już drugi dzień czekam na odpowiedź od Niebieskiego na mój długi list o wszystkim. Ale pewno nie miał czasu. Nie powinnam się denerwować. Najgorsza jest wyobraźnia puszczona luzem.

– No był... W nocy wyjechał.

– Był, mówiłam ci.

– Ja zawsze uważałam, że małżeństwo to rzecz święta – mówi Ula i idzie do siebie, uśmiechając się pod nosem.

Jej może tak, mojemu do świętości brakowało co nieco.

Nie rozumiem, jak można nie znaleźć trzech minut i nie odpisać, choćby najbardziej zdawkowo – jestem zajęty, pa, napiszę później.

– Mamo? Masz chandrę? – pyta czujnie moja córka, która pojawia się cichutko za mną.

– Nie, chandrę nie – kłamię w żywe oczy. – Ot, po prostu zastanawiam się, skąd się wzięliśmy, dokąd zmierzamy... takie tam...

– Jeśli zaczynają cię dręczyć pytania: skąd się wzięliśmy, jakie mamy cele w życiu, jak długo to wszystko potrwa, nie martw się! Tylko więźniowie znają dobrze cele, wiedzą, skąd się tam wzięli i znają termin wyroku – Tosia klepie mnie w ramię.

– Tosia, a może byś się pouczyła, zamiast pluć takimi mądrościami? – Biorę do ręki ścierkę i zaczynam po kolei wycierać naczynia z suszarki, co robię wyłącznie wtedy, kiedy ogarnia mnie depresja.

– Nie martw się, mamo, wszystko będzie dobrze – mówi Tosia, tak jakbym to ja miała maturę przed sobą, a nie ona.

Wiem.

Zawsze wszystko jest dobrze, nawet jeśli nam się wydaje, że jest niedobrze. Nienawidzę grudnia. Nienawidzę zimy. Chcę mieszkać w jakimś przyjemnym ciepłym kraju i nie zastanawiać się nad niczym. Na przykład, dlaczego Adam nie pisze. Oraz nie dzwoni.

*

Wczoraj rano jechałam z Ulą kolejką do Warszawy.

– Jesteś jedyną osobą, która potrafi się przyjaźnić z byłym mężem – zagaja przyjaźnie Ula. – To jest w tobie niesamowite. Wiesz, co jest ważne.

225

Nie chce mi się rozmawiać na temat Eksia, w tej sprawie akurat Ula nic nie wie i mam nadzieję, że nie będzie nigdy wiedziała, co to znaczy były mąż. A ważne jest to, że Adam nie pisze.

Nie będę spać z telewizorem

Ciocia Kombatantka Hania przyjeżdża nie tylko na święta. Zadzwoniła właśnie wczoraj, że przyleci wcześniej, bo przed samymi świętami zabrakło miejsc w samolocie. Tosia nie omieszkała powiedzieć, jak to wspaniale, że ciocia będzie na jej osiemnastych urodzinach. Obawiam się, że Tosia liczy na jakiś angielski prezent z tej okazji, nie znając zupełnie tamtejszych realiów – w Anglii prezent za pięć funtów jest przedmiotem specjalnej troski. Ledwo pozbyłam się Nieletniego i zaczęłam rozkoszować się swoim własnym pokojem, wygodnym łóżkiem i rozstaniem z telewizorem, czeka mnie znowu małe przemeblowanie. Ale tym razem przygotuję się jak należy. Po pierwsze, telewizor wędruje do pokoju cioci, w sam róg, między szafę a okno, i wygląda na to, że mu tam bardzo dobrze. Fotel i mały stoliczek na miejsce komódki i biurka, biurko i komputer do dużego pokoju, na miejsce telewizora. Komódka do przedpokoju, trudno, kosz Borysa z przedpokoju pod stół w kuchni. I tak Borys go nie używa. W ten oto prosty sposób ja mam pokój dla siebie, ciocia ma pokój dla siebie, Tosia niezmiennie ma pokój dla siebie.

Tosia, przeciągając komodę do przedpokoju, jęknęła.

– Będzie tu przeszkadzać mamusiu! Dlaczego oddałaś cioci telewizor, przecież telewizor mogłam wziąć do siebie!

Przypomniałam Tosi, że ma maturę, a telewizor jako rzecz odmóżdżająca (z wyjątkiem meczów, oczywiście) nie pójdzie za nią na egzamin.

– Ale ja bym oglądała BBC – jęczała Tosia.

– Nigdy nie oglądałaś – powiedziałam jadowicie.

– Ale ty myślisz, że ja tylko oglądam głupie rzeczy. A na National Geographic i Animal Planet oglądałyśmy tyle dobrych kawałków o zwierzętach... i nie zapominaj, że ja zdaję z biologii. To jest moje narzędzie pracy!

– Ciocia na pewno zaprosi cię na oglądanie kawałków o zwierzątkach. – Oczyma duszy widziałam steraną życiem ciocię kombatantkę z ciepłą cienką herbatką z mlekiem, która śledzi na ekranie życie mrówek oraz historię koników morskich, w czasie kiedy ja mogę spokojnie posiedzieć przy komputerze.

– Ale w święta będą na pewno dobre filmy – jęczała Tosia.

– No właśnie. – Uśmiechnęłabym się pod wąsem, gdybym miała wąs, oczywiście.

Tym razem szykują mi się święta bez mechanicznej piły w Teksasie, bez morderców seryjnych w Wigilię po dwudziestej drugiej, bez najgorszych kryminałów, które dostajemy za darmo jako ubogie państwo w pakiecie z *Szansą na życie* lub *Modą na pieniądze*, lub jakimkolwiek innym wstrząsającym tasiemcem, który w trzech tysiącach ośmiuset dziewięćdziesięciu odcinkach ma opowiedzieć krótką historię miłości matki do dziecka, które okazało się adoptowanym mężem dyrektora córki, urodzonym przez przypadek przez ojca nienarodzonego bliźniaka, który stracił wszystkie pieniądze w kasynie, wpadł w alkoholizm, ale pod koniec okazuje się, że to nie on, tylko sobowtór księżniczki odnalezionej w Saragossie. I wszyscy żyli długo i szczęśliwie.

– Jesteś bardzo niesprawiedliwa mamo – Tosia jest obrażona – nie pamiętasz, jak oglądałyśmy film o lwach? Był bardzo pouczający...

Wiem, dlaczego Tosia mi przypomniała wczorajszy wieczór. Rzeczywiście, wczoraj dowiedziałam się z przyrodniczego filmu, jakie niebezpieczeństwa czyhają na biedną lwicę, która ma dwa maleńkie lwiątka, jeśli jej mąż zginie lub inny lew postanowi przejąć stado. Otóż ta biedna wdowa musi natychmiast uciekać razem z małymi, ponieważ nowy władca chętnie z nią pofigluje, ale nie może sobie pozwolić, żeby geny rywala przetrwały. Przez godzinę biedna głodna lwica, której pomagała ciocia lwica, uciekała z małymi kociaczkami po całej sawannie, kryjąc się w skałach, nie jedząc i nie pijąc. Przez godzinę w telewizji, a po Afryce trzy tygodnie tułała się od skały do skały, chroniąc maleństwa przed śledzącym je wszystkie lwem. Aż któregoś dnia jej ciotka upolowała antylopę i nasza lwica poszła na antylopinę, bo padała z głodu. I wtedy ten wredny facet zabił jej dzieci i zostawił na skale. I ona płakała nad płowymi ciałkami przez całą noc, a rano wyruszyła z powrotem do zabójcy, żeby być jego żoną i rodzić mu jego dzieci. Popłakałyśmy się z Tosią, każda osobno.

– To właśnie jest ojczym! – powiedziała moja córka i poszła do siebie na górę dzwonić do Jakuba.

– Ale nie ludzki, tylko lwi! – krzyknęłam za nią.

– Właśnie nieludzki! – odkrzyknęła Tosia.

Jakie to szczęście, że mężczyźni nie biegają za nie swoimi genami, cały świat byłby pełen pędzących gdzieś facetów i ukrywających się kobiet z dziećmi. Podobno co dziesiąty ojciec dziecka nie jest biologicznym ojcem dziecka i nawet o tym nie wie. Tosi jest.

Niepewne jest tylko to, czy Eksio ma dobry wpływ na Tosię.

*

Ciocia Kombatantka przylatuje w piątek, przed przyjęciem urodzinowym. Agnieszka obiecała zrobić sałatkę z kurczaka, ananasa i brzoskwiń, ja zamówiłam tort, Moja Mama zrobi befsztyki (bo to sobie zamówiła Tosia), przyjadą razem z ojcem po południu w sobotę, Nieletni i Honorata obiecali przystroić mieszkanie, żeby było tak jak na amerykańskich filmach koniecznie, prawie jak przyjęcie-niespodzianka. Tosia zaprosiła Jakuba jako reprezentanta gości spoza rodziny, chciałam jej delikatnie napomknąć o Szymonie, ale powiedziała, że na pewno nie będzie się dobrze czuł z obcą rodziną. Szymon zresztą pojawił się we wtorek z kapustą w dłoni, ozdobną i małą paczuszką od Niebieskiego dla Tosi i małą paczuszką dla mnie na gwiazdkę, bo jakiś znajomy Adama właśnie wrócił ze Stanów.

Dlaczego Adam do mnie o tym nie napisał? Czy mam być zazdrosna, że to jego syn załatwia takie sprawy? Szymon zostawił paczuszki, samochód i wrócił kolejką.

Nie. Nie mogę być zazdrosna o dorosłego syna!

Więc nie jestem.

Postanawiam się cieszyć, że o nas pamiętał.

*

– Od dzisiaj nie masz już dziecka w domu, tylko dorosłego człowieka – powiedziała Tosia rano, kiedy już ją wyściskałam i nie ukrywam, byłam bardzo wzruszona.

Ostatecznie nie codziennie ma się w domu stricte osiemnastoletnią córkę. Potem przyjechał Jakub, ma się zająć Tosią do wieczora, a ja zajęłam się przygotowaniami do przyjęcia. Ciocia spała w najlepsze, wsiadłam w samochód i pojechałam po zakupy. Czego potrzebuje Ciocia Kombatantka, która ma osiemdziesiąt lat? Na pewno herbaty, dobrej, angielskiej. Lipton? Życie na okrągło? Nie. Kupuję trzy puszki wykwintnej herbaty pachnącej, dużo małych kartoników mleczka, jakieś ciasteczka w puszce, maślane, bo przecież oni jeszcze ciasteczka wcinają do tej herbaty. I oczywiście czajniczek, bo ciocia będzie chciała na pewno porządnie parzoną. Wołowinę, bo tam się jada steki. A poza tym nie mam pojęcia o kuchni angielskiej. Gin piją, ale ciocia na pewno nie pije. Gin się przyda dla gości, po toaście. Prawdziwy szampan, a niech tam, skoro i tak oszczędzam, nie wyprawiając Tosinych urodzin w knajpie. Sery. Deska serów przed tortem, bardzo proszę. Zgarniam z półek jak leci, i tak nie mam pojęcia, jak to smakuje. Do serów wina i winogrona, a niech tam. Przy kasie omdlewam. Wsiadam w samochód i przypominam sobie, że ciocia na pewno będzie chciała grzanki z dżemem pomarańczowym angielskim, a tostera w domu nie ma. Jak również konfitur z pomarańczy. Toster kupuję po paru chwilach wahania. Czy tej mojej ciotce nie należy się toster? W końcu ma osiemdziesiąt lat i trzydzieści lat temu przywiozła mi bardzo ładną lalkę. Ona wyjedzie, a toster zostanie.

Kiedy wracam do domu, ciocia już jest na nogach.

– Dlaczego wy nie macie jeszcze choinki?

– Ciociu, przecież do świąt są jeszcze ponad dwa tygodnie!

– W innych domach widzę!

– Bo w innych domach święta trwają cały rok. W takich domach choinkę się likwiduje tuż przed świętami wielkanocnymi, a stawia w październiku.

– A gdyby tak na choince powiesić zajączki i jajeczka? – podchwytuje Tosia ze schodów.

– A pod choinką postawić znicz – dodaję – to mielibyśmy kompleksowe obchodzenie wszystkich najważniejszych świąt, włącznie ze Świętem Zmarłych.

– No właśnie – mówi Tosia i znika, a ciocia kręci głową.

– U nas już dawno wszyscy wyjęli choinki i świętują. No, ale tu... Dżudi, darling, musisz wiedzieć, że na pewno nie będę wam przeszkadzać, mną się w ogóle nie przejmuj – informuje mnie ciocia i wyciąga ze swojej luksusowej walizki olbrzymie pudełko podłużne. – To dla Tosi, schowaj gdzieś.

– Co to? – pytam nieostrożnie i niegrzecznie właściwie, bo to nie dla mnie.

– Zobaczysz – uśmiecha się ciocia, wyjmuje drugie pudełko, znacznie mniejsze, i podaje mi. – A to dla ciebie!

Coś podobnego, toster! Najprawdziwszy angielski toster!

– Na pewno nie masz, Dżudi, a ja, muszę ci się przyznać, bardzo lubię grzaneczki.

Stoję z niepewną miną i zastanawiam się, czy jeśli natychmiast pobiegnę do sklepu, przyjmą z powrotem mój toster.

– I czajniczek! – uśmiecha się rubasznie Ciocia Kombatantka. – Wy tu przecież w ogóle nie umiecie parzyć herbaty!

Bardzo się cieszę. Toster będzie na gwiazdkę dla Mamy albo dla Ojca, jeszcze nie wiem. Czajniczek, który kupiłam przed chwilą, dla Uli, na pewno się ucieszy. Jak to dobrze, że mam już niektóre prezenty na gwiazdkę!

Urodziny u rodziny

Nie spodziewałam się, że urodziny Tosi będą tak udane. Tosia kwiknęła z radości na widok wieży, Agnieszka z Grześkiem przytargali jej gramofon – prawdziwy stary, kupili na Portobello i targali aż z Anglii – już myślałam, że przebije wieżę, bo Tosia uwielbia starocie. Moja Mama zdjęła uroczyście pierścionek z granatami i wręczyła Tosi, a Mój Ojciec wsunął jej po cichu kopertę – żeby sobie kupiła co chce. A ciocia Hanka patrzyła z wyższością na nas, kiedy Tosia rozpakowała paczkę od niej. Trąbka!

– Bejbi – powiedziała ciocia Hanka z namaszczeniem – ta trąbka, po twoim świętej pamięci wuju, była w Kraju Nowosybirskim. I wróciła do ojczyzny – oczy cioci się zaszkliły, a Tosia ucałowała ciocię z niepewną miną.

Nieletni przywitał się ze mną wylewnie, w całym tym zamieszaniu pocałował mnie w policzek, co mu się nie zdarza, a Honorata zapytała, czy Tosia już teraz może sypiać z mężczyznami. Na szczęście Agnieszka na nią syknęła, więc ani Moja Mama, ani Mój Tata nie usłyszeli, co Tosia teraz może z mężczyznami.

Siedliśmy wszyscy do stołu i chociaż obawiałam się, że będzie sztywno ze względu na Eksia, okazało się, że sztywno wcale nie jest. Eksio z Grześkiem poszli do kuchni, na jednego i zaczęli wspominać dawne czasy. Studiowali przecież razem, o czym nie raczę pamiętać, albowiem mechanizm wypierania jest rzeczą bardzo pożyteczną. Nie wiem, jak Eksio będzie prowadził, ale nie jestem jego żoną i nie muszę się tym przejmować. Adam nigdy nie pił, jeśli jechał.

Szampan bluznął z hukiem, wznieśliśmy toast, Eksio wyciągnął z przedpokoju bukiet róż:

– Dla matki mojej córki, z okazji tak doniosłej rocznicy – i pocałował mnie w rękę i w policzek. Zrobiło mi się wcale przyjemnie.

Nie muszę dodawać, że nigdy przedtem nie dostałam od niego kwiatów, na żadne urodziny Tosi ani moje własne. No ale cóż, w procesie ewolucji wszyscy się zmieniamy. Nieźle go Jola podszkoliła. Mnie się nie udało. Weszłam do kuchni i wszystkie róże metodycznie zaczęłam przycinać.

Droga Czytelniczko,
żeby róże dłużej stały, końce obcinamy, a potem tłu-
czemy na miazgę. W niektórych starych poradach do-
mowych jest jeszcze i taka, żeby wsadzić kwiaty od razu
do wrzątku, ale przyznam się, że nie miałam odwagi

236

spróbować. Najbezpieczniejszym sposobem wydaje mi się
kupno w kwiaciarni specjalnego preparatu do róż.

– W dalszym ciągu odpowiada na listy – doszły mnie z pokoju słowa Mojego Ojca. – Wiesz, odpowiedzi z cyklu: „Nie, nie miałaś racji, żołnierze piechoty morskiej nie chodzą po morzu".
Mój Ojciec zagłębił się w rozkosznej rozmowie ze swoim byłym zięciem. I wyśmiewają się ze mnie. No i dobrze. Rozdzielam kwiaty, nie zmieszczą mi się do wazonu. Dostałam osiemnaście róż, jak Tosia, to bardzo miłe. Nie słyszę nawet, kiedy dzwoni telefon. Dopiero uporczywy siódmy albo ósmy brzęczyk odrywa mnie od kwiatów:
– Tosia, odbierz! – krzyczę w stronę pokoju.
Za chwilę ze słuchawką podchodzi do mnie Tosia.
– To Adam.
Nie posiadam się z radości. Dwa kieliszki szampana znakomicie mi zrobiły i na dodatek dzwoni ukochany, któremu nie trzeba było przypominać, że są urodziny Tosi, i który chce ze mną rozmawiać.
– Jutka?
– Adaśku, jak ja za tobą tęsknię! – Szampan rozluźnił mnie na tyle, że nie chce mi się kłamać. – Napisz do mnie długi list! Tak strasznie rzadko piszesz – skarżę się – bardzo już bym chciała, żebyś wrócił!
– Ja też za tobą tęsknię, przecież piszę – słyszę z daleka i brzmi to jak muzyka. – Fajne przyjęcie?
– Tosia sobie zażyczyła samej rodziny.

– Jest jej ojciec?

Waham się przez moment.

– Tak. Ale... – Chcę mu wytłumaczyć, że to przecież normalne, że ojcowie rozwiedzeni są na urodzinach swoich dzieci, a szczególnie tak uroczystych.

– Jutka, to wspaniale! – mówi Adam, którego uwielbiam. – Bałem się, że może nie przyjść, Tosi byłoby przykro... Będę dzwonił i pisz koniecznie, pisz. Bardzo tęsknię. Borysa za uchem podrap. To już niedługo. Kocham cię – mówi Mężczyzna Mojego Życia i kończymy rozmowę.

Kocham go całym sercem, ogarnia mnie taka radość, że zadzwonił, i w takim ważnym dla mnie dniu był ze mną! Wchodzę do pokoju jak odnowiona. Jaki cudny wieczór! Tosia jest ze swoimi najbliższymi, do mnie zadzwonił ukochany, moja córka wkracza w dorosłość, podczas kiedy ja pozostaję młoda, Tosia puszcza muzykę, Eksio podnosi się i ze śmieszną sztywnością zaprasza mnie do tańca. Podnoszę się i ja, i myślę sobie, że spotkało mnie wiele dobrego w życiu – na przykład kiedyś Eksio, mimo wszystko, bo gdyby nie on, nie byłoby Tosi, a brak Tosi byłby nie do przeżycia.

A potem siedzimy wszyscy przy stole i zajadamy befsztyki Mojej Mamy i różne inne specjały.

– Mój świętej pamięci – zaczyna ciocia, a ja czekam na dalszy ciąg, który, o ile dobrze pamiętam, brzmi jakoś tak: mój świętej pamięci mąż generał major Jakiśtam – mój świętej pamięci Genio, bohater dwóch wojen, mawiał, że dzieci rosną szybko, tylko rozum wolno, ale ty, bejbi, wdałaś się w moją matkę – ciocia wznosi kieliszek złotawego płynu – a moja matka była osobą niepospolitą.

– Tosia, serwetki – szepczę do Tosi, bo oczywiście dopiero teraz się zorientowałam, że czegoś na stole jednak brakuje. Ciocia patrzy na mnie wzrokiem pełnym pretensji. Usłyszała.

– Dżudi, darling, moja matka, kiedy ją zapytałam, do czego służą serwetki, a było to...

– Dwa wieki temu – szepcze Nieletni, piorunuję go wzrokiem, ale ciocia na szczęście jest zajęta wspomnieniami.

Przeliczyłam się, bo ciocia patrzy na mnie bardzo groźnie.

– Dżudi, darling, ja byłam wychowywana w czasach, kiedy starszym się nie przerywało. Więc kiedy zapytałam moją matkę, do czego służą serwetki, odpowiedziała – ciocia zawiesiła głos – kobiecie do niczego. Pozwól więc, że najpierw skończę, a ty potem zajmiesz się przyziemnymi sprawami...

Czuję się, jakbym miała z piętnaście lat. Dawno mnie nikt nie strofował.

– ...za zdrowie mojej matki, której ty, Dżudi, darling, nie możesz pamiętać, a szkoda.

Niestety, zupełnie nie żałuję, że mam dopiero trzydzieści lat z hakiem, potężnym, a nie dwieście, ale posłusznie wznoszę swój kieliszek, mimo że to urodziny Tosi, a nie matki cioci. Sięgam po butelkę wina i podaję Grześkowi, który pełni rolę podczaszego, ale Ten od

Joli szarmancko się podrywa i wyjmuje mi butelkę, a w moją stronę rzuca:

– Pozwolisz Judyto, prawda?

Nie, nie pozwolę, siedź na tyłku, bo jesteś tutaj tylko gościem, a nie panem domu! Nie próbuj wchodzić w nie swoją rolę! Poradzę sobie! Kiedyś była to jedyna rzecz, która cię obowiązywała, a i tak nie ruszałeś małym palcem, tylko ja musiałam wszystkich obskakiwać, to się teraz nie popisuj!

Otwieram oczy.

– Ależ oczywiście, że pozwoli – ciocia Hanka uśmiecha się i nadstawia swój kieliszek.

– Bardzo proszę – mówię spokojnie.

Adasiu, dlaczego ciebie tu nie ma?

Grzesiek wali widelcem w kieliszek. Tosia jest zachwycona.

– Ja jako ojciec chrzestny chcę powiedzieć, że dokładnie pamiętam ten dzień, kiedy się urodziła Tosia. Judyta zmusiła mnie i Agnieszkę do kupna pieluch tetrowych...

– Co to są pieluchy tetrowe? Potrójne? – pyta inteligentna Nieletnia Jeszcze Siostrzenica.

Moja Mama, Mój Ojciec oraz my dorośli wybuchamy śmiechem.

– A tych pieluch nie było!

– To dlaczego nie kupiłeś pampersów? Tylko chciałeś jakieś specjalne? – wtrąca Nieletni, obstrzelany reklamami zawartości, która się albo wchłania z szybkością błyskawicy, albo kulkuje, albo w porę nieusunięta spod pupy nie pozwala prawidłowo rozwijać się oseskom, które już w życiu nie uśmiechną się radośnie i nie zaklaszczą w rączki, tak jak to robią na widok dużej paczki świeżych sztucznych pieluch...

– Dziecko drogie – mówi Moja Mama wcale nie do mnie – tetra to taki delikatny materiał.

– Z materiału? – krzywi się Nieletnia. – To przecież strasznie drogo wychodziło, codziennie nowe...

– Prało się – wspominam z rozrzewnieniem, a Tosia się wykrzywia.

– Mamo, nie przy jedzeniu.

– Dacie mi skończyć czy nie? – Grzesiek góruje nad stołem. – Więc jak już zamieniłem kartki na mydło z trzech miesięcy...

– ...moje też – dodaje Agnieszka – ja ci swoje też dałam!

– ...na jedną dodatkową kartkę na benzynę, a benzynę na trzy kartki na wódkę i to zamieniłem na pieluchy tetrowe razem z miejscem w kolejce do pralek, to tu obecny ojciec Tosi – Grzesiek spojrzał na Eksia – mogę to już teraz chyba zdradzić – powiedział, że wolałby w prezencie kartki na wódkę, bo pieluchy kupił okazyjnie w Radomiu...

– W Kielcach – rzucił ojciec Tosi i uśmiechnął się do mnie.

– Czy w Kielcach. I ja, korzystając z okazji, chcę, żebyś mi teraz tę wódkę zwrócił, bo takiego poświęcenia, do jakiego byliśmy zdolni wtedy, nigdy już nie byłem zdolny i nie będę.

Uśmiechnęłam się i ja do Eksia, bo pamiętam, że tych pieluch zrobiło się sto dwadzieścia, i nie wiedzieliśmy, co z tym zrobić. Z części uszyłam kapitalną spódnicę, farbowaną na czarno, resztą obdzielaliśmy młodych rodziców, a pozostałe zajmowały miejsce na pawlaczu.

– Jakie kartki? – zainteresowała się Tosia. – Wtedy była wódka i benzyna za darmo? Na kartki? A wy narzekaliście na socjalizm?

– Pozwól sobie powiedzieć, bejbi – ciocia wyprostowała plecy i wzniosła do góry swój kieliszek, który wydawał mi się pełniejszy niż przedtem – że w Anglii jeszcze siedem lat po wojnie były kartki i Anglia jakoś szybciej stanęła na nogi niż Polska. Przydział na jedną parę butów rocznie trzeba było wykupić i więcej nie było, a mimo to Anglia jest potęgą światową.

– Kartki to były maleńkie dokumenciki z którymi szłaś do sklepu i kupowałaś to, co ci przydzielono, a przydzielano niewiele.

– A pamiętasz – wtrąciła Moja Matka i spojrzała na Mojego Ojca – jak staliśmy w sklepie po mięso trzy godziny?

– Ja cię tylko zmieniałem – mruknął Mój Ojciec.

– Ale jak dochodziłam do lady, to znowu byłeś – ciągnęła Moja Matka pogodnie – i ekspedientka dała nam jakiś okropny kawałek wołowiny...

– I ty powiedziałaś, czy mogłaby pani mi dać mniej zielony?

242

– A ona powiedziała: jakby pani wisiała tak na haku od rana, to by też pani była zielona!

Mój Ojciec i Moja Matka uśmiechnęli się do siebie, a ciocia Hanka trąciła mnie pod stołem.

– Dżudi – szepnęła – z tej mąki będzie jeszcze chleb... – I łyknęła zawartość kieliszka.

– Przecież mogłaś nie kupować, ciociu – powiedziała Nieletnia. – A ekspedientka byłaby zwolniona, gdybyś zachowała się bardziej asertywnie.

– I mogłaś iść do konkurencji – dodał Nieletni.

*

Po jedenastej Grzesiek odwiózł do domu swoje Nieletnie. Wracając, ma wstąpić na stację benzynową po piwo. Moja Mama i Mój Ojciec wrócili do domu ostatnią kolejką, Ojciec ofiarował się odprowadzić Mamę, bo sama boi się chodzić po nocy. Tosia wzięła wieżę na górę. Eksio jej to próbuje podłączyć. Siedzę z Agnieszką w kuchni, szybko pozmywałyśmy, otworzyłam butelkę wina, ciocia przemknęła się z łazienki do pokoju, a Agnieszka spojrzała na mnie i powiedziała:

– A pamiętasz?

Uśmiechnęłam się, słowo „pamiętasz" wyciąga z zakamarków mózgu miliony rzeczy, które na co dzień są całkiem nieprzydatne, a jeśli zaczynasz o nich mówić, nabierają barw, ożywają, mienią się i pachną. Nagle kuchnia zaludniła się osobami, które pamiętałyśmy, i zdarzeniami sprzed lat. Naszymi wspólnymi wyjazdami, kiedy jeszcze Ten od Joli, był Tym ode Mnie, naszymi małymi dziećmi, malutką Tosią, potem Nieletnią, potem Piotrusiem. Agnieszka jest świadkiem mojego życia, nie tylko teraźniejszego, ale również przeszłego.

– Pamiętasz, jak wysiadł nam samochód tej cholernej zimy? – powiedziała Agnieszka i uśmiechała się do mnie ciepło.

I wróciłam na Krakowskie Przedmieście, styczeń, piętnaście lat temu... Cała Warszawa skuta mrozem, śnieg, biało i czyściutko, ich stary jugo wysiadł na amen, wydzwonili nas w nocy z jakiejś budki telefonicznej, wsiedliśmy w samochód, zostawiając Tosię pod opieką moich rodziców. Ulice puste, druga w nocy, śnieg jak z Disneya, wycieraczki nie nadążały zbierać z zamarzniętych szyb. Chłopcy mocowali się z hakiem dość długo, było tak zimno, że siedziałyśmy z Agnieszką w samochodzie i śmieszyło nas to do łez. Jak się uporali z doczepieniem linki holowniczej, oba samochody wyglądały jak japońskie rzeźby ze śniegu.

Ja z Tym od Joli weszliśmy do samochodu i wolno ruszyliśmy, samochód Grześków potoczył się za nami z nieprzyjemnym stukaniem.

– Jakim stukaniem? – Ten od Joli stał już od dłuższego czasu w drzwiach, nawet nie zauważyłam. Obejmował ramieniem Tosię. – To nie było stukanie, to był łomot...

– Który po paru chwilach zresztą umilkł – dodałam.

– No jasne! – Grzesiek postawił na stole piwa
i otrzepał buty ze śniegu oczywiście na środku kuchni.
– Najpierw każe nam oczyścić szyby, a potem po prostu
rusza! Waliłem ci łapą w dach, żebyś się zatrzymał!

Wybuchamy wszyscy śmiechem, Tosia patrzy na
nas zupełnie nieświadoma tego, co nas tak rozbawiło.

– Nie wsiedliście do samochodu! – Ten od Joli
śmieje się głośno, ciocia na pewno nie zaśnie. – Ciągną-
łem, cholera, pusty samochód!

– Jak zahamowałeś na światłach, to cię wyprzedzili,
pamiętasz?

– Dobrze, że nikogo nie było, obróciło nas w po-
przek, pamiętasz?

– A ty wyszedłeś wściekły, pobiegłeś do nich,
otwierasz samochód...

– A samochód pusty!!!

Grzesiek klepie się rękami po bokach, ja parskam,
bo mina Tego od Joli utkwiła mi w pamięci na zawsze.
W życiu nie widziałam kogoś tak zdumionego.

– A myśmy cały czas biegli za wami. – Agnieszka
zakrywa dłonią usta, żeby nie obudzić cioci. – A tego,
co Grzesiek o tobie – patrzy na Tego od Joli – mówił, to
ci nigdy nie powtórzę!

– Najwyższy czas, żebyś się w końcu dowiedział.
– Grzesiek otwiera piwo i podaje Temu od Joli.

Siedzimy w kuchni do czwartej rano. Tosi przymy-
kają się ze zmęczenia oczy, ale nie chce iść na górę.
Wspominamy bridża, w czasie którego nasza trójka ma-
lutkich dzieci wyciągnęła z materacy całą trawę morską

przez minimalną dziurkę, a myśmy byli zachwyceni, że pociechy takie grzeczne. Przypominamy sobie, jak Tosia, wówczas dziewięcioletnia, wyprowadziła na Mazurach Piotrusia i Honoratę do lasu, żeby im przybliżyć bajkę o Jasiu i Małgosi, i nie zapamiętała, gdzie ich zostawiła, i jak szukaliśmy ich, odchodząc od zmysłów, a dzieci dawno grzecznie wróciły do domku kempingowego i cichutko się bawiły i dopiero jak przyjechała policja, wezwana przez Agnieszkę, to wyjrzały – a policjanci nas strasznie opieprzyli za żartowanie z władzy i tak dalej, i tak dalej.

Kiedy żegnaliśmy się, Ten od Joli objął mnie, a ja po raz pierwszy od lat mogłam się przytulić do niego jak do dobrego wspomnienia, a nie do mężczyzny, który mnie porzucił. Agnieszka i Grzesiek uścisnęli mnie serdecznie, a Tosia była zachwycona, że tylu rzeczy dowiedziała się o sobie, no i o nas.

– To wyście też nieźle rozrabiali – objęła ojca.
– Fajne miałam urodziny, lepsze niż Anka, dziękuję mamusiu.

Kiedy tak stała między nami, pomyślałam sobie: jaka szkoda, że Ten od Joli nie jest taki jak Adaś. Wszystko mogłoby wyglądać inaczej.

Wielki świat w małym bucie

– Czy pani wie, pani Judyto, że na przykład dziki szczur łączy się seksualnie z partnerką czterysta razy w ciągu dziesięciu godzin? – zaczepia mnie na korytarzu Naczelny.

– To musi być męczące.

– No cóż, szczurzyca musi to znieść, taki jest nieokiełznany świat przyrody.

– Miałam raczej na myśli, że to dla niego może być męczące – dodaję z uśmiechem.

– Dla niego??? – Naczelny jest zdziwiony jak rzadko kiedy i natychmiast zmienia temat. – Ma pani tekst?

– Jeszcze nie.

– Pani Judyto, zaufałem pani!

– Sam pan mówił, że pójdzie w lutowym numerze.

Ciocia pojechała na dwa dni do Mojej Mamy, „dam ci odetchnąć, Dżudi". Od Adama dostałam krótki liścik na adres Tosi skrzynki, że być może na święta pojedzie do znajomych. I że ściska. Natychmiast mu odpisałam, że też go ściskam, napiszę dłużej, jak będę miała chwilę czasu.

Zaiste, kiedy się poznaliśmy, korespondencja wyglądała inaczej.

Tosia dostała pieniądze od ojca i nie omieszkała powiedzieć, że teraz w końcu i nareszcie chciałaby, żebym ją wzięła do jednego supersklepu, który ma powierzchnię mieszkaniową większą niż nasza wieś, na zakupy, bo ona nigdy nie miała się w co ubrać i nie narzekała, wiedząc, że jesteśmy w trudnej sytuacji, ale jej koleżanka Hania oraz Agata, oraz Isia właśnie tam się ubierają i tam są cudowne rzeczy z przeceny, za to markowe i ona im wszystkim pokaże, a ja nareszcie muszę być prawdziwą matką, co kupuje czasami rzeczy w prawdziwych sklepach, a nie tylko w szmateksach, bo to wstyd. I tam jest bardzo tanio i w ogóle. A poza tym idą święta i kupimy mnóstwo prezentów.

Prezenty to ja mam prawie dla wszystkich, ale uległam Tosi. Kiedy Tosia zbiegła na dół, ubrana i umalowana (po co?), właśnie wyciągałam przez szczebelki skrzynki moją pęsetką do brwi – awizo. Awizo jest rzeczą nieprzyjemną, chociaż maleńką. Awizo znaczy, że jakiś ważny list czeka na poczcie i trzeba po niego pojechać. Ważny list awizowany – jak wynika z moich doświadczeń – to natychmiastowe powiadomienie o jakichś płatnościach, zawiadomienie o wyłączeniu, upomnienie, zastraszenie, przywołanie, za awizem zawsze czai się jakiś krogulczy palec, który grozi.

– Tosia, weź awizo i wsiadaj do samochodu – krzyknęłam na swoje dziecko.

Tosia otworzyła bramę i ruszyłyśmy. Najpierw na pocztę, a potem do raju. Przed pocztą okazało się, że Tosia nie może znaleźć awiza i że nie jest pewna, czy ja go nie wzięłam. Niestety, ja byłam pewna. Wyjęłam dowód, stanęłam przed okienkiem i powiedziałam przyjaźnie:

– Dzień dobry.

– Słucham – z okienka powiało mrozem.

– Przyszedł do mnie list polecony i...

– Awizo poproszę!

– Właśnie zginęło i dlatego...

– Bez awiza nie wydam.

– Mam dowód, gdyby pani była tak uprzejma, na kopercie jest moje nazwisko – tłumaczyłam jak dziecku.

– To poproszę awizo.

– Nie mam.

– To poczeka pani na następne.

Tu się zdenerwowałam. Nie będę czekać na żadne następne.

– Proszę pani! Tu jest moje nazwisko, przecież może pani sprawdzić, moja ulica ma pięć domów!

– Na awizie był numer – z okienka powiało wiedzą.

– To co z tego? – nie wytrzymałam.

– Jak to, co z tego? Porządek musi być!

Zrobiło mi się niedobrze. Żebym choć wiedziała, skąd ten list...

– A czy byłaby pani tak uprzejma i sprawdziła, skąd jest ten list? – wykrzesałam z siebie tyle dobrej woli, na ile mnie było stać.

– Czy pani zwariowała? Przecież obowiązuje tajemnica korespondencji! Ja listy nie do mnie mam sprawdzać?

I wtedy zdecydowałam się na krok ostateczny. Zbliżała się szósta, przed sobą miałam przynajmniej czterdzieści minut jazdy do miasta i szlag był o krok od trafienia mnie. Przecież musi być jakiś sposób, żeby tej urzędniczce wytłumaczyć, że ja, jako klient, jakieś prawa mam.

– Czy mogłabym poprosić kierownika?

– Ja jestem kierownikiem. Słucham!

Odwróciłam się na pięcie i wyszłam. Tosia pomachała do mnie ręką i zawołała z pretensją:

– No, mamo, dlaczego ty zawsze musisz wszystko tak długo załatwiać?

Jak słyszę zawsze i wszystko, to mi się wszystkiego odechciewa, ale ostatecznie nie po to jadę z Tosią do miasta, żeby nie mieć przyjemności.

Tosia przez całą drogę przekonywała mnie, że w nowych ciuchach będzie się od razu lepiej uczyć i że ja również powinnam sobie kupić przynajmniej buty, bo to wstyd, żebym chodziła w takich, jakie mam na nogach. Na moim stanowisku, oczywiście, do niedawna wypadało.

Do Pewnej Galerii podjeżdża się w Warszawie w korku. Korek ten zaczyna się dwa kilometry przed

Galerią, a kończy na Galerii, ponieważ wszyscy ludzie właśnie tam jadą. Jak my. Przez dwadzieścia minut szukałam miejsca na parkingu podziemnym, którego nienawidzę serdecznie i z całego serca. Żeby to jeszcze było jakoś ponumerowane! Po ludzku, jeden, dwa, trzy! Ale nie, ktoś wymyślił, że jestem zinfantylizowaną idiotką, i musiałam zapamiętać, że parkuję na poziomie pieska, a nie parasolki, za to nad poziomem misia. Poziom pieska, poziom pieska, powtarzałam w myślach, zamykając samochód, który już nawet nie pachniał Niebieskim. Rzuciłam okiem za siebie i osłabłam. Setki samochodów, identycznych jak Adama. No, może się różniły marką i kolorem, ale w końcu co to za różnice? Osłabłam na samą myśl, co to będzie wieczorem, kiedy będziemy wychodzić.

Tosia ciągnęła mnie za rękę:

– Nie przejmuj się, będę pamiętać, mam dobrą pamięć wzrokową, chodź, za chwilę będziemy na miejscu, naprawdę poczujesz się jak Europejczyk!

Nie czułam się jak Europejczyk, wchodząc za Tosią do mnóstwa jakichś sklepów, w które Tosia nurkowała ze znawstwem przedmiotu, a ja smętnie stałam przy kasie, żeby się nie zgubić. Wszystkie numery i tak kończyły się na czterdziestce, więc nie miałam nawet co oglądać.

Ale rzeczywiście, kiedy nogi wlazły mi w ramiona (bo w nogach już po godzinie miałam jakieś sześć kilometrów), a Tosia wesoluchno machała torbą, w której były dwie pary spodni, trzy bluzki (a niech tam), jeden stanik oraz prześliczna sukienka na studniówkę, przed moimi zmęczonymi oczami ukazał się sklep jak z filmu amerykańskiego, choć z butami włoskimi. Jasne oszczędne wnętrze, klimatyzacja, błyszcząca podłoga, na specjalnych kamiennych, wyciosanych z dużym smakiem kolumienkach, rozprzestrzeniały się buty.

Ceny były ukryte i słusznie, jak się okazało.

– To są buty na lata, mamo! – szeptała Tosia, która wierzy w trwałość tego, co modne. – Kiedy sobie kupisz, jak nie teraz?

– Na jakim poziomie zaparkowałyśmy? Parasolki?

– Nie wiem, przecież ty parkowałaś! – syknęła Tosia. – Zobacz, wyglądają jak marzenie!

Spojrzałam na wystawę. Rzeczywiście, pośród butów, których nie lubię, bo mają czuby, wychyliła się jedna jedyna para wymarzona dla mnie! Cieniutka skórka, paseczki, lekki obcasik (poziom pieska? może poziom misia? czy to był poziom misia, za poziomem pieska, a nad poziomem parasolki?) i weszłyśmy do środka.

Młode cudowne dziewczę, wyglądające jak reklama kobiety na wybiegu, podniosło wzrok, a makijaż nad wzrokiem był nienaganny.

– Dzień dobry – powiedziałam uprzejmie.

– Słucham panią.

Spojrzałam na swoje buty sprzed dwóch lat, ale za to wygodne, i uśmiechnęłam się łagodnie.

– Z prawej strony na wystawie stoją buty, takie z pase...

– Której wystawy? – przerwało mi zjawisko.

Kątem oka zauważyłam marsową minę Tosi.

– Tutaj – pokazałam palcem za siebie, czego się przecież nie robi (poziom pieska, chyba poziom pieska, albo parasolki, misia chyba nie).

– Aaaa – powiedziało dziewczę i dalej stało nieruchomo. – Te...

Czekałam cierpliwie, ale na nic się nie doczekałam, z wyjątkiem uścisku Tosi, która wpiła mi paznokcie w prawą rękę. Podjęłam więc ponownie próbę porozumienia się ze zjawiskiem.

– Czy jest numer...

Zjawisko spojrzało na mnie, potem na moje buty, spojrzeniem ominęło Tosię i zagłębiło się w kosmosie, wróciło oczami pomalowanymi do sklepu, omiotło wnętrze, a potem znowu popatrzyło na mnie... tak jakoś dziwnie. Zerknęłam niepewnie na swoje stopy – numer jak numer, ani za duży, ani za mały, co jest nie tak? Może zjawisko umie liczyć tylko do trzydziestu ośmiu, a numer mojego buta trzydzieści dziewięć? Jakiś nietakt? Swoje dane osobowe w głupim sklepie przestaję chronić i nic? Może pod jakiś paragraf podpadłam? Poprzez przyjemną muzyczkę (czy płacą, u licha, tantiemy twórcom te wszystkie cholerne sklepy???) wreszcie usłyszałam odpowiedź:

– Przecież i tak pani nie stać – i zjawisko powędrowało spojrzeniem do góry.

Wrosłam w podłogę. Zobaczyłam oczyma duszy Julię Roberts, która wchodzi z kartami płatniczymi swojego kochanka do eksluzywnego sklepu na Piątej Alei, w którym to sklepie ją traktują jak psa, a potem idzie do innego sklepu i tam wydaje fortunę, i wzrok sprzedawczyni, która za nią spogląda, i widziałam siebie ze złotą (już wkrótce) kartą, jeśli nie stracę posady, bo wszystko możliwe na tym świecie, jak przychodzę do tego sklepu, wybieram trzydzieści osiem par, wyjmuję tę swoją złotą kartę, a potem nagle patrzę jej głęboko w oczy i mówię – czy to nie pani potraktowała mnie nie najlepiej, kiedy byłam tutaj we wrześniu? Przepraszam, pomyliłam się, i zostawiam ją z tymi trzydziestoma ośmioma wybranymi parami butów, i zabieram swoją złotą kartę, i aż przymknęłam oczy z zadowolenia.

– Mamo – usłyszałam rozpaczliwy szept Tosi.

Uśmiechnęłam się do pięknej panny i wyszłam. Za mną, sycząc ze złości, podążyła Tosia.

– Jak ty możesz? Dlaczego jej czegoś nie powiedziałaś? Dlaczego się dałaś tak potraktować? Przecież mogłaś poprosić kierownika. – Tosia patrzyła na mnie wzrokiem ratlerka, który spadł z fotela.

– Poziom pieska! – przypomniałam sobie radośnie.

– Na pewno poziom pieska!

Nie tłumaczyłam Tosi, że ta sprzedawczyni mogła okazać się kierowniczką albo właścicielką, albo czymkolwiek. Nie mogę tracić cennego życia na denerwowanie się jakimiś zjawiskami, które nie należą do mojego świata. Weszłyśmy do przytulnie wyglądającego sklepu z drobiazgami i kupiłyśmy Cioci Kombatantce dużego anioła ze słomy. Będzie mogła chować swoją piersióweczkę w fałdach jego szerokiej szaty.

Wróciłyśmy do domu wieczorem i natychmiast poszłam do Uli, żeby jej o wszystkim opowiedzieć. Zresztą Tosia musiała Isi pokazać bluzki, które nawet nie zakrywają jej nerek, które na pewno przeziębi, i sukienkę na studniówkę. Ula zrobiła herbatę i wyjęła z blachy ciasto ze śliwkami.

– Nie jestem Europejczykiem – westchnęłam i ugryzłam jeszcze ciepły kawałek. – Nienawidzę tych nowoczesnych, eleganckich bezdusznych sklepów.

– Oczywiście że nie – przytaknęła mi Ula. – Jesteśmy Europejkami – i po chwili z westchnieniem ulgi dodała – przynajmniej tutaj...

Zbłąkany wędrowiec i cholera!

Nie wiem, czy lubię poranek wigilijny. Szczególnie wtedy, kiedy trzeba jeszcze posprzątać, przygotować, pochować, zapakować i potem z uśmiechem przyjmować prawie dziesięć osób, a czas mija nieubłaganie. I kiedy nie ma Adama. I kiedy muszę odbierać telefony od znajomych, którzy sobie przypomnieli, że trzeba złożyć życzenia. Wigilia powinna odbywać się w spokoju i skupieniu, a tu nie ma mowy ani o jednym, ani o drugim. Co prawda karp jest zamrożony w kawałkach, tylko wrzucić na patelnię przed samą kolacją, ale czerwona kapusta jeszcze w główce, obrusa białego nie mogę znaleźć, Ciocia Kombatantka dyskutuje z Tosią o bitwie pod Monte Cassino, a Tosia przydałaby mi się w kuchni. Kiedy w ostatniej chwili odstawiłam barszcz, bo byłby się wygotował, telefon.

– Kochanie, powinnaś mieć jedno nakrycie więcej – uprzedziła mnie Moja Mama.

– Wiem, mamusiu – powiedziałam słodko, bo jaka Wigilia, taki cały rok.

– Nie zapomnij, kochanie. Czy nie zapomniałaś o niczym? My przywieziemy karpia w galarecie, ale boję się, że przypalisz smażonego...

– Nie przypalę – powiedziałam słodko i uświadomiłam sobie, że na stole zostawiłam wiele smakowitych rzeczy, do których nie powinny się dostać koty. – Pamiętaj, że Wigilia jest dniem pojednania – powiedziała Moja Mama. – Pamiętasz?

– Tak, mamusiu – powiedziałam słodko i przypomniałam sobie, że obrus miała przynieść Agnieszka. Oraz sztućce, bo ja mam resztki paru kompletów.

– To do zobaczenia, kochanie. Kupiłam ojcu sweter, jak myślisz, ucieszy się? Czy coś sobie pomyśli?

– Na pewno się ucieszy – powiedziałam słodko.

– To do zobaczenia.

Tosia wyszła z pokoju cioci i pomknęła do siebie, trzymając za plecami plastikowe wypchane torby. Ja też chcę być dzieckiem! – pomyślałam sobie. Ona pakuje prezenty, a ja skwierczę w tej kuchni i na pewno z niczym nie zdążę. Kiedy tylko odpędziłam koty od sernika i poprosiłam ożywionego Borysa, żeby nie zrywał z choinki pierniczków, zadzwonił telefon.

– Czy matka ci mówiła, że na wigilię musisz mieć dodatkowe nakrycie? – spytał Mój Ojciec.

– Tato! – jęknęłam.

– To bardzo dobrze, bardzo... Kupiłem matce perfumy, ale nie wiem, wypada taki prezent dawać? Jeszcze sobie co pomyśli...

– Ale co?

– Nic, przecież nic nie mówię. – Lubię Mojego Ojca, momentami zachowuje się zupełnie jak Adaśko.

– No, to do zobaczenia.

Otworzyłam szeroko okno, para skraplała się na szybach od strony wewnętrznej, koty czmychnęły przez blat, między zmielonymi grzybami i kapustą do poszatkowania, do ogrodu, zostawiając ślady łapek na śniegu. Cudownie, że jest biało, tak rzadko pada śnieg na Boże Narodzenie. I tak ładnie pachnie, kapustą i grzybami, i barszczem, i uszkami, i drugi sernik się piecze w pokoju, i choinka jest ubrana, jeszcze tylko Tosia odkurzy i właściwie można zacząć świętować, to znaczy skończyć z robotą w kuchni, przygotować talerze, wykąpać się, ślicznie ubrać i czekać na gości. Ula obiecała, że pożyczy dwa krzesła, Agnieszka przyjedzie po drugiej z obrusem – a ja właściwie bardzo lubię poranek wigilijny.

– Dżudi, darling, czy ty pamiętasz o dodatkowym nakryciu? – Ciocia weszła do kuchni i sięgnęła po szklankę. Ciocia naprawdę w Wigilię pości. Nie zjadła nawet suchej kromki chleba. A przecież wiem, że dwa, trzy razy przed obiadem i późnym wieczorem sięga po swoją piersióweczkę z whisky. Kiedy ją na tym pierwszy raz przyłapałam, wydawała się speszona, ale potem tonem damy powiedziała: – Mówiłam ci, że nie pijam alkoholu, to tylko whisky. Dla zdrowia.

– Tak, ciociu – powiedziałam słodko i zabrałam się do krojenia kapusty.

– Tosia jest bardzo zainteresowana historią – powiedziała ciocia. – Czy ona musi zdawać tę biologię?

*

Stół wyglądał prześlicznie, Tosia położyła na świecznikach gałązki świerkowe, w kominku paliły się polana brzozowe, rzuciłam okiem na swoją rodzinę, Tosia siedziała na kanapie koło Nieletniego jak trusia, Agnieszka z Grześkiem przyjechali ostatni, uznałam, że możemy siadać do wigilii.

– Kochanie – powiedziała Moja Mama – wstrzymajmy się jeszcze chwilę, bo chciałam ci powiedzieć, że... tato, pomóż – zwróciła się do Ojca.

– Judytka – powiedział Ojciec i pociągnął mnie do kuchni – no cóż, musimy jeszcze chwilę poczekać, bo matka, właściwie ja też, na prośbę Tosi...

– Porozmawiamy później, siadajmy do stołu – powiedziałam wciąż słodko, albowiem dwudziesty czwarty grudnia jest dniem, kiedy z nikim się nie wolno kłócić.

– Mamo – Tosia oparła się o Mojego Ojca, który objął ją w pasie – bo przyjedzie tata, on byłby sam i myśmy z dziadkami...

Co się do cholery dzieje w tym domu! – wrzasnęłam. – Jakim prawem ktokolwiek zaprasza w moim imieniu bez porozumienia ze mną kogokolwiek! Jak mogłaś, Tosiu, mi to zrobić! Jak ty, tatusiu, mogłeś mi o tym nie powiedzieć!

Otworzyłam oczy.

– Bardzo dobrze zrobiliście, ale trzeba mnie było uprzedzić – powiedziałam trochę za słodko i dodałam:

– Tosia, weź dodatkowe nakrycie i postaw przy dodatkowym.

Albowiem Wigilia to dzień pojednania.

*

Ten od Joli przyjechał spóźniony piętnaście minut. Wsadził pod choinkę małe paczuszki, pocałował mnie w policzek, miałam ochotę zrobić to, co robi Nieletni, czyli szybko się obetrzeć, ale pamiętałam, że to przecież dzień pokoju i pojednania. Kursowałam między kuchnią a pokojem i to byłby cudowny wieczór, gdyby tylko Adam był ze mną, tak jak rok temu. Ale go nie było. Podzieliłam się z nim opłatkiem, zanim podszedł do mnie ojciec mojej córki.

– Szczęścia, Judyto!

Objął mnie w pasie i doprawdy, nie mogłam sobie przypomnieć, żeby kiedykolwiek sprawiało mi to przyjemność, ale kiedy spojrzałam na rozjaśnioną Tosię, która uśmiechała się do mnie za jego ramieniem, pomyślałam, że to właściwie najlepsze stosunki, jakie mogą być pomiędzy byłymi małżonkami. I właściwie aż mi się zrobiło żal, że Joli nie ma i że on jest sam.

– Tobie również – i pocałowałam go w policzek, a niech tam. Skoro nawet zwierzęta dzisiaj mówią!

A potem w naszym małym domku zapanował rozgardiasz. Wszyscy są bardzo spokojni, dopóki siedzimy przy stole i jest naprawdę świątecznie. Ale jak tylko wjeżdżają na stół ciasta i odśpiewamy przynajmniej dwie kolędy, dzieci mają prawo rzucić się pod choinkę. I bardzo łatwo policzyć, ile jest prezentów, skoro każdy każdemu daje chociaż małą paczuszkę...

Trochę mi się chciało zrobić przykro, że Ten od Joli nic nie dostanie, ale i Moja Mama i Tosia i Ciocia Kombatantka coś dla niego miały. Czyli nie w ostatniej chwili został zaproszony. Obawiam się, że muszę zupełnie serio porozmawiać ze swoją rodziną.

O dziewiątej Grzesiek z dziećmi i moimi rodzicami oraz ciocią, w której ręce skrzyła się szklaneczka ze złocistym płynem, poszli do ogrodu zapalić długaśne zimne ognie. Agnieszka została ze mną w kuchni, żeby szybciutko pomóc mi zmywać przed podaniem kawy i herbaty. Ten od Joli donosił naczynia, i też by chętnie pomógł, ale go wyrzuciłam do pokoju. Ostatecznie nie ma tutaj żadnych obowiązków. Ani praw, do licha!

Paczuszka od Adasia leżała nierozpakowana. Jak już zostanę sama, to się będę cieszyć. Dźwigałam w obu rękach ciężką tacę, na której stało dwanaście szklanek, dwa dzbanuszki, z mlekiem i ze śmietaną, wielka srebrna cukiernica, a Agnieszka stawiała właśnie na niej ostrożnie gorący czajnik, kiedy z pokoju doszedł mnie dźwięk telefonu. Nie mogłam podbiec, po dwóch sygnałach telefon umilkł. Agnieszka dołożyła na tacę okrągły talerz z sernikiem i kiedy weszłam z tym ciężarem do pokoju, zobaczyłam, jak Ten od Joli odkłada słuchawkę.

Trzewia się we mnie wywróciły na lewą stronę, musiałam mieć mord w oczach, bo Ten od Joli spojrzał na mnie i pokornie wyszeptał:

– Przepraszam... odebrałem odruchowo, ale to pomyłka.

Miał szczęście, że Wigilia to dzień, w którym nie robię awantur. Wielkie szczęście.

*

Święta minęły bardzo przyjemnie. Niepotrzebnie martwiłam się o ciasteczka do herbaty dla Cioci Kombatantki, ciocia z rzadka pija herbatę, głównie pociąga whisky i mówi, że to jej dobrze robi na sen. Wieczory spędzałyśmy u niej przed telewizorem, bo ciocia okazała się miłośniczką filmów grozy i zapraszała Tosię do łóżka, bo się bała sama oglądać. Wobec tego przychodziłam i ja. W ten sposób obejrzałam cały zestaw filmów kryminalnych, dwa thrillery i trzy filmy o miłości, których bym na pewno nie obejrzała. W przerwach wysłuchiwałam mądrości o małżeństwie, świętych więzach, powinnościach dobrej żony itd.

– Dżudi, darling – mówiła ciocia – pamiętaj, że małżeństwo to bycie z żoną w tych kłopotach, których by się nie miało, gdyby się człowiek nie ożenił. Ojciec Tosi na przykład...

Ukrócałam jak mogłam rozmowy o ojcu Tosi, ale nie bardzo się dało. Wydaje mi się, że ciocia przybyła z innego kraju z misją, żeby mnie koniecznie połączyć z byłym, kompletnie nie znając realiów. Z Tosią ma fantastyczny kontakt, aż szkoda, że nasza ciocia nie jest angielskojęzyczna, wtedy w ogóle nie martwiłabym się o maturę z angielskiego. Tosia znowu myśli o zmianie przedmiotu.

*

Odetchnę z ulgą, kiedy wreszcie wyjedzie – teraz mi wstyd, że tak myślałam. Odwożę ciocię na lotnisko i jest mi smutno. Dlaczego całe moje życie składa się z pożegnań na lotnisku Okęcie? Wcale nie oddycham z ulgą, tylko płaczę, kiedy Ciocia Kombatantka całuje mnie po raz ostatni.

Mogłam wyjść za Jędrusia

Nowy rok trzeba zacząć od uporządkowania wszystkiego. Nie wchodzić weń z bałaganem, z niezapłaconymi rachunkami, z niewyjaśnionymi sprawami itd. Podjęłam taką decyzję i bardzo jestem zadowolona. Siedzę właśnie pośrodku odzyskanego po cioci pokoju i z przerażeniem patrzę na to wszystko, co rozłożyłam na podłodze. Wyjęłam z szafy kartonowe pudło, które chyba jeszcze nie było rozpakowane po przeprowadzce. Ciekawe, dlaczego ja to pudło tak dobrze schowałam i co tam jest? Dreszcz emocji bardzo dobrze robi sprzątającemu.

Po co mi rachunki sprzed lat? Po nic. Posegreguję to wszystko, niepotrzebne wyrzucę. Telefon do teczki z napisem – „rachunki za telefon", gaz – do teczki z napisem „rachunki za gaz" itd. Stare listy od Tego od Joli. Wyrzucić? Czy schować na pamiątkę? Z listonoszem życie było dużo przyjemniejsze. Wiadomo było, że przychodzi przed pierwszą, człowiek siedział w oknie i myślał. Już? Jeszcze? W skrzynce bieliło się coś i na pewno nie była to Pizza Hut z dostawą do domu, nieoczekująca odpowiedzi, albo promocja kredytów w dowolnym banku, nie, to był zawsze list, ewentualnie rachunek. Niektóre listy są opieczętowane czerwoną albo niebieską pieczątką „OCENZUROWANO". Nie mogę takich listów wyrzucić, w żadnym wypadku. Listy są pamiątką historyczną, a nie emocjonalną, a historii naszego kraju nie wyrzuca się do kosza, nawet jakby była skonstruowana łapkami niewiernego męża. Prawie nie pamiętałam, że Ten od Joli listy do mnie pisał, jakie miłe... *Kochany Ciapeczku...* O proszę, czulej niż *Judyta!* *Wczoraj się rozstaliśmy, a ja piszę do Ciebie, bo już tęsknię...* Rzeczywiście, tak było... *Całuję Cię w usta nieśmiało, na razie tylko listownie, może już wkrótce odważę się...* Odważył się, odważył, niestety, a mnie, nieletnią dziewicę zwaliło z nóg... *Nie ścieliłem łóżka przez cały dzień, żeby mi przypominało, że leżałaś w tej pościeli...* Psiakrew, pamiętam, byłam przekonana, że na twarzy mam wypisaną stratę dziewictwa... *Jedyna i najukochańsza moja żono...*

A, do cholery z tym *jedyna...* Jakby był Arabem, toby mógł mieć dwie jednocześnie, a tak zawsze ma jedyną, taki los facetów w tym kraju, okrutny. Odkładam jego listy na kupkę, pod kaloryfer. Strasznie dużo się nazbierało tego badziewia.

– Mamuś, co ty robisz?

A myślałam, że mam inteligentne dziecko, przecież weszło do pokoju i zobaczyło, co robię. Porządek robię, do jasnej cholery!

– Robię porządek, kochanie.

– Porządek? W tym bałaganie?

– Żeby zrobić gruntowne porządki, czasem trzeba nabałaganić – mówię filozoficznie i zabieram się do szuflady w biblioteczce po babci.

Następna kupa listów. Po co ja zbieram listy? Od kogo ten? Ach, pamiętam, od pewnego sympatycznego mężczyzny, poznanego w Zakopanem. Pisaliśmy do siebie przed moją maturą. Jędruś był pedagogiem specjalnym, więc Moja Mama i Mój Ojciec wiązali pewne nadzieje z tym miłym człowiekiem. Nadzieje mianowicie takie, że pod jego wpływem nagle i niespodziewanie zacznę się uczyć do matury, zamiast zajmować się sprawami wyższego rzędu, takimi jak spotkania z Agnieszką i mnóstwem innych przyjaciół, których los mi szczęśliwie i w młodych latach nie szczędził. Otwieram poszarzałą ze starości kopertę:

W pierwszych słowach mojego listu pragnę Cię pozdrowić i namówić, żebyś się zapisała do klubu wysokogórskiego, bo mi kolega z liny odpadł i pustką świeci drugi koniec, na którym komponowałabyś się nieźle jako balast, przyjaciel oraz przyszła żona.

– Mogłam wyjść za tego Jędrusia – rozmarzam się głośno.

– Za jakiego Jędrusia? – Moja córka Tosia przekracza stertę papierów, kasety magnetofonowe, książki.

– Tego – mówię, wskazując na plik kopert. – Miałabyś miłego ojca, pedagoga specjalnego... I może on byłby ci wytłumaczył, że nie można przeciągać w nieskończoność planowania, kiedy określić termin, po którym trzeba zabrać się ewentualnie do nauki, bo matura tuż-tuż.

– Gdybyś wyszła za Jędrusia, urodziłabyś sobie zupełnie inne dziecko, a mnie by nie było na świecie. Niewątpliwym faktem jest powszechna jedność dzidzicznego kodu nukleotydowego, składającego się zawsze z czterech kwasów nukleinowych w rozmaitych kombinacjach. Inny zestaw genów, rozumiesz, DNA i te rzeczy – mówi trzeźwo Tosia i wyciąga rękę po listy.

– Tosia, ty to wymyśliłaś?

– Genetycy. A napisał Lem. Mogę? – pstryka palcami z niecierpliwością. W moim kierunku.

Waham się przez moment, czy ona aby dobrze robi, że znów z tej historii chce zdawać maturę? Może lepsza byłaby biologia? I co z tymi listami? Może? Nie? Ale to przecież wszystko już się przedawniło, nawet gdybym Jędrusia zabiła, tobym już wyszła, po dwudziestu latach. Więc daję jej listy. Tosia siada na podłodze, w tym bałaganie, i zaczyna czytać.

– Fajne – mówi i wkłada kartki z powrotem do koperty. – Kochałaś go?

– Nie wiem, nie pamiętam – mówię niedbale, albowiem trafiłam na swoje świadectwa ze szkoły średniej i nie mam pojęcia, jak to ukryć przed Tosią.

– Jak to, nie wiesz? – Tosia jest oburzona. – Jak nie wiesz, to znaczy, że nie kochałaś!

– Kochałam twojego ojca – mruczę, przyglądając się z sentymentem trói z fizyki i z chemii, które okupiłam ciężkim wysiłkiem umysłowym dawno, dawno temu.

– Zadawałaś się z dwoma naraz???

– Zwariowałaś! – Jakie te dzieci są niemądre. – Twojego ojca poznałam w maturalnej klasie, a Jędrusia wcześniej. Jak poznałam ojca, to już nie pisałam do Jędrusia!

– Ale ten Jędruś fajnie pisał! – Tosia odkłada listy i błyszczą jej z podniecenia oczy. – Ojej, mamo, to są twoje świadectwa?

– Nie – mówię bezczelnie – twojego wujka, zaplątały się. – Szybko składam czerwonawe kartki i pakuję do koperty. Czuję się w obowiązku poinformować Tosię, że jednak nie żałuję, że mam ją właśnie, a nie jakieś obce dziecko z obcym zupełnie mężczyzną z przeszłości. – Twój ojciec też ładnie pisał, podaj mi listy od ojca, tam leżą...

Tosia rozgląda się bezradnie po podłodze. Niby bystra, a nie zauważyła listów pod kaloryferem, za stertami starych magazynów, kupką czasopism sprzed trzech lat, zdjęciami, pudełkiem po butach, z którego wyjęłam stare rachunki, i bardzo starymi brudnopisami odpowiedzi listów, które niegdyś przyszły do redakcji, a które czekają, aż je wklepię w bazę danych. Moja córka patrzy na mnie i rozkłada ręce.

Gdzie tam?

– Pod kaloryferem.

Tosia podnosi się, przekracza stertę książek do upchania na półkach, stertę kaset, które miałam kiedyś opisać, ale nigdy tego nie zrobię, bo nawet nie pamiętam nazw zespołów, które tam nagrywałam, akt notarialny kupna ziemi, umowę z MPO, czarne pończochy z niebieskim połyskiem, które dostałam od Cioci Kombatantki z dziesięć lat temu albo i więcej, i które miałam w tysiąc dziewięćset dziewięćdziesiątym drugim przed sylwestrem, oddać do repasacji, a zapomniałam, ale szkoda wyrzucić, choć już chyba nie ma repasacji, i podnosi listy.

– Mogę sobie poczytać? Wezmę na górę...

No właśnie. Tak się kończy dobra wola, zawsze jakimś wpadunkiem. Jędrusia listy dałam, a własnego ojca nie dam dziecku przeczytać?

– Możesz, tylko potem odłóż na miejsce.

– Pod kaloryfer? – pyta moja córka w swoich spodniach od dresu i moim czerwonym swetrze, niewinnie pyta, jakby nic złego nie miała na myśli.

– Do ręki mojej oddaj – mruczę i zagłębiam się w pozew rozwodowy, który, byłam przekonana – wyrzuciłam parę lat temu.

Nasze małżeństwo od początku nosiło trwałe cechy małżeństwa nieudanego, rozbieżnego w sposobie traktowania obowiązków...

Oczywiście że rozbieżnie traktowaliśmy swoje obowiązki! On nie miał żadnych, bo przecież zarabiał na dom! A ja zarabiałam, wychowywałam dziecko, myłam okna, wynosiłam śmieci, gotowałam, piekłam szarlotkę, nie używałam czosnku, bo nie lubił itd., itd. Kretyn! *Trwałe cechy nieudanego małżeństwa* – kto mu do cholery ten pozew pisał? A listy takie przyjemne.

To ciekawe przeczytać sobie korespondencję od a do zet – od: *całuję ciebie listownie, marząc że już wkrótce*, poprzez: *dotykałem pościeli, w której wczoraj spałaś*, do: *od początku nosiło trwałe cechy nieudanego związku*...

– Pomóc ci, mamo? Trzeba to wyrzucać. Wyrzucać, nie zbierać.

– Właśnie wyrzucam.

– No to co mogę stąd wynieść? – pyta Tosia.

– Co? – ogarniam już przytomniejszym wzrokiem cały bałagan.

– Co mogę wyrzucić?

Rozglądam się. W starych gazetach są czasami ciekawe rzeczy. Skoro ich od razu nie wyrzuciłam, to znaczy, że coś tam było ciekawego, co mogło się przydać. Muszę przejrzeć raz jeszcze każdy egzemplarz osobno. Listów nie będę wyrzucać, bo to kawałek mojego życia, co komu przeszkadza, że sobie leżą spokojnie w pudełku po butach. Niech zostaną dla potomności na dowód, że ktoś mnie kochał, a nie tylko na ekranie trzy zdania sklecał, jak Adaśko. Rachunki muszę sprawdzić, do pięciu lat, tak jak PIT-y, trzeba trzymać.

– Jeszcze nic.

– Jak to nic, mamo... – Tosia wpada w jęczenie. – Ty nigdy nic nie wyrzucasz, ty tylko przekładasz z miejsca na miejsce.

– Teraz wyrzucę. Słowo – mówię zupełnie serio do swojej córki, która powinna iść na górę uczyć się, a nie przeszkadzać mi w robieniu porządków.

– Zrób porządek z szufladzie ze starymi dokumentami. Niepotrzebne wyrzuć. Przedtem oczywiście zrób kserokopie, na wszelki wypadek – mówi Tosia kąśliwie głosem sztywnym spikerskim, przez nos i znakomicie udając szczękościsk, zupełnie jakby pracowała w Całodobowym Dzienniku, robiąc akcent nie na tych sylabach, co trzeba, i wysuwa się cicho z pokoju, z listami Tego od Joli w ręku, przekraczając po raz kolejny kupę niepotrzebnych rzeczy, z którymi tak trudno mi się rozstać.

Swoją drogą, ciekawa jestem, czy tych z telewizji specjalnie oduczają porządnego mówienia? Biorą na jakieś bezpłatne kursy i biedakom wyrywają język ojczysty z korzeniami?

Wzdycham ciężko i ogarniam spojrzeniem swój pokój. Porządkując w takim tempie, już koło poniedziałku będę przy tapczanie. Bohatersko podejmuję próbę nieczytania starych czasopism – trudno, wyrzucam. Po południu w pokoju się nieco przejaśnia, nawet Borys z zainteresowaniem położył się na progu. Jestem w dużo lepszym humorze, mimo że nie mogę znaleźć aktu rozwodu. Czy ja go w ogóle brałam z sądu? A właściwie po co mi akt rozwodu właśnie teraz, dzisiaj, w pogodną wolną sobotę, którą mogę sobie spędzić na zasłużonym odpoczynku?

Droga Redakcjo

Droga Judyto,
pobyt tutaj skłania mnie do pewnych przemyśleń na temat naszego związku. I właściwie chciałem Ci zaproponować – może byśmy wykorzystali ten czas na przemyślenie i zastanowienie się nad naszym życiem? Podjęliśmy decyzje raczej ad hoc, trochę nie uwzględniając różnych okoliczności. Jednym słowem, warunków, w jakich się spotkaliśmy, osób, które są zamieszane w nasze życie. Uświadomiłem sobie, że spotkaliśmy się w takim czasie, kiedy Ty byłaś jeszcze we wstrząsie porozwodowym lub ledwo z niego wychodziłaś i śmieszne to może w ustach dojrzałego mężczyzny, za którego się uważam – Twoje serce z wdzięcznością przyjęło moją miłość, na którą oprócz zauroczenia złożył się podziw dla Twojej dzielności i determinacji. Teraz zrozumiałem, że przecież, kiedy mnie tak nieodwołalnie opuściła żona, długo zbierałem się do życia.

Mam wrażenie, że będziemy lepiej wiedzieli, o co nam chodzi, jeśli przestaniemy się ze sobą kontaktować i każde

z nas, z osobna, zastanowi się, co jest dla niego ważne.
Nie chciałbym, żebyś potraktowała ten mój list jako nie-
przemyślany – długo zastanawiałem się, czy mogę Cię o to
prosić.

Wracam na początku kwietnia. Trzy miesiące to nie
wieczność, ale rozstanie sprzyja bliższemu oglądowi sytu-
acji. Taka jest moja propozycja, co Ty na to? Pozdrawiam.

Adam

Nie rozumiem, o co chodzi. Kompletnie nie rozumiem, o co chodzi. Czy on zrywa ze mną? Kończy
naszą znajomość w taki głupawy niedojrzały sposób?
Co się dzieje? Przyglądam się po raz kolejny drobnym
literkom, bez polskich znaków – naszego związku,
przemyslenie...

Co ja mam zrobić? Co to znaczy? Nie, spokojnie,
jeszcze raz, jeszcze raz muszę przeczytać, wtedy zrozumiem, o co chodzi.

Nie chce mieć ze mną nic wspólnego? Nad czym ja
mam się zastanowić? Ja wiem, o co mi chodzi...

Ale przecież pisze o miłości...

Ula puka do drzwi balkonowych po dziesiątej.
Tosia u ojca. Ciocia wyjechała tydzień temu, obiecując,
że zaprosi Tosię do Anglii na wakacje. Jestem znowu
sama jak palec. Sadzam Ulę przed komputerem.

– Czytaj – mówię.

Ula przesuwa kursor po ekranie. A potem odwraca
się do mnie i mówi:

– Widzisz, a nie wierzyłaś wróżce...

– Nie mów mi o wróżce, Ula! – Jestem zrozpaczona. – Tylko powiedz szczerze, co to znaczy?

Ula bierze mnie za rękę i głaszcze po dłoni. Milczy, a po chwili mówi:

– Judyta, przestań się oszukiwać... Przecież odpisujesz na takie listy... Odpisz sobie, czas spojrzeć prawdzie w oczy...

Odpisałam Adamowi krótko: *Dobrze. Pozdrawiam J.*

*

Nie odpisał.

*

Tym razem postąpię jak osoba dorosła, a nie jak nieszczęśliwa nastolatka. Miał prawo mnie prosić o wszystko, ja mogę odmówić lub się zgodzić. Jeśli uważa, że potrzebuje czasu, nie przyspieszę deszczu, dmuchając na chmury. Nic mi nie da wpadanie w rozpacz, histerię albo zasypywanie go pytaniami w rodzaju „dlaczego mi to robisz". Nic. Tak bym odpowiedziała. Odpowiedziałabym Judycie właśnie tak:

Kochana Judyto,
może w Twoim związku nie wszystko układało się tak jak myślałaś? Może są sprawy, o których nie wiesz? Twój partner w dorosły sposób prosi Cię o czas, który dla niego wydaje się ważny. Uszanuj to, nie histeryzuj, nie pytaj,

nie dręcz go swoją niepewnością. Trzy miesiące to nie wieczność. Jeśli traktujesz go jak osobę dorosłą – bądź cierpliwa.

Z poważaniem Judyta

Ula jest mądrą osobą, ale tendencyjnie zinterpretowała list od Niebieskiego. A ja wezmę się za siebie. Mam mnóstwo pracy i dziecko przed maturą. Mogę ten czas wykorzystać. Najlepiej dużo pracować, jak się dużo pracuje, jest mniej czasu na myślenie. A jak ja zaczynam myśleć, nie zawsze dochodzę do właściwych wniosków.

Dlaczego nie pisałam do niego częściej, tylko czekałam na listy? Może właśnie dlatego coś się stało, ale co? Nawet nie zdążyłam mu napisać, że jednak nie wyjechałam na Wigilię. Teraz już za późno. Właśnie dlatego nie lubię kłamać. Byle co urasta potem z niewiadomych powodów do monstrualnych rozmiarów. I co mam teraz zrobić? Może zadzwonię do niego?

Zadzwonić?

Nie, przecież prosił.

Dlaczego jesteś tak bardzo daleko i nie mogę Ci wszystkiego wytłumaczyć, Adasiu Niebieski?

*

Poszłam do Tosi zanieść jej mandarynki. Tosia leży zwinięta na tapczanie i się uczy! Wcale nie piłuje paznokci, więc naprawdę jestem zaniepokojona. Bałagan w pokoju ma taki, jak ja w czasie porządków.

275

Ciekawe, dlaczego mnie tak pilnuje. Listy Tego od Joli na podłodze.

– Obiecałaś oddać – podnoszę listy, Tosia łaskawie wyciąga rękę po mandarynki.

– Uczę się przecież. – Tosia uważa, że to wszystko tłumaczy.

– OK – mówię.

Tosia patrzy na mnie, a potem mówi:

– Wiesz, że tata mi powiedział, że dawno nie spędziliście tak miłego dnia na rozmowie, jak wtedy, kiedy kupowaliście mi prezent.

– Jaki prezent? – nie bardzo wiem, o czym Tosia mówi.

– No, na urodziny! – Tosia patrzy na mnie z wyrzutem.

– Tosia, zlituj się, to było dwa miesiące temu – odwracam się, łapię po drodze dwie brudne szklanki.

– Tata powiedział, że wspaniale się znasz na przenoszeniu basów i falach dźwiękowych, możliwościach sprzętu, obwodach oraz pasmach! – krzyczy za mną Tosia.

Ciekawe, czemu Ten od Joli robi dziecku wodę z mózgu? Nie rozwiewałam jej złudzeń, ale wyciągnęłam wniosek – rozmowa dla mężczyzny wtedy jest udana, kiedy kobieta nie słucha, a przytakuje. Wolałabym, żeby za dużo o mnie nie rozmawiali.

Jeśli tego nie rozumie, po maturze czeka nas chyba poważna rozmowa. Teraz nie będę jedynego urodzonego w bólach dziecka denerwować.

Co jadłam dwadzieścia lat temu???

– Jeżeli chodzi o biżuterię, nie jestem wymagająca – Renka pokazuje pierścionek, który kupił jej mąż, oglądam z podziwem, ładny, naprawdę ładny. – Nie jestem zachłanna. Brylanty nie są ani kolorowe, ani krzykliwe, ani duże, a naprawdę sprawiają frajdę.

Siedzimy u Renki w kuchni, Ula, Renka i ja, pierwszy raz od niepamiętnych czasów. Rano padał śnieg, teraz temperatura spada z minuty na minutę. Renka bardzo przytyła, bardzo wyraźnie widać, że jest w ciąży, siedzi z założonymi na brzuchu rękami. Zauważyłam, że wszystkie kobiety w ciąży tak siedzą, jakby chciały ochronić swoje dziecko.

– A tobie Adam dał pierścionek?

Jednak mam intuicję, wcale nie chciałam dzisiaj wychodzić z domu, jest mróz, jest mi źle, ale Renka prosiła, żebyśmy wpadły, bo jest sama, a Ula, która ma dobre serce z natury, nie potrafiła odmówić Rence, ale sama też nie chciała iść, a ja nie potrafiłam odmówić Uli.

– Nie – mówię i dodaję po chwili zupełnie niepotrzebnie: – Jeszcze nie.

– No co ty, Renka – Ula czuje, że jest mi przykro i stara się jak zwykle załagodzić sytuację – a po co Jutce pierścionek?

– No to oświadczył się czy nie? – pyta Renka. – Jak się oświadczył, to powinien ci dać pierścionek.

– To przesąd – mówię. – Wcale nie chciałam pierścionka. Nie mamy forsy.

– A mój mąż... – mówi Renka i mam ochotę się wyłączyć, właściwie wyłączam się, znam to wszystko na pamięć.

Jej mąż o nią dba, jej mąż jej kupuje wszystko, na co ma ochotę, jej mąż jest wspaniały, jej mąż wybudował duży dom z jacuzzi, jej mąż... A Adam będzie się zastanawiał, czego chce.

– ...i dlatego uważam, że mężczyzna powinien obdarowywać kobietę – kończy Renka, ale nie słuchałam, więc mnie nie zdenerwowała.

– Twój mąż miesięcznie zarabia tyle co Krzysiek i Adam razem przez pół roku – mówi Ula. – O tym pomyśl.

– O rany, dziewczynki, nie chciałam was urazić, chciałam tylko powiedzieć, że naprawdę jeśli się nie da pierścionka, nawet byle jakiego, to nie wróży szczęścia... – Renka pochyla się do przodu, jest zmartwiona. – Tylko dlatego uważam, że Adaś powinien Judycie dać pierścionek. Judyta, powiedz, czy ja wam dobrze nie życzę? – Renka ma łzy w oczach. – Przecież ja wam naprawdę dobrze życzę...

Jestem zmęczona, jestem zgnębiona i zmęczona codziennymi dojazdami kolejką do pracy, jestem zmęczona zimą, jestem zmęczona tęsknieniem za Adaśkiem, samochód się zepsuł na amen, muszę go naprawić przed kwietniem, jestem zmęczona nieuctwem Tosi, która znowu głównie zajmuje się Jakubem, i już nie stara się imponować mu swoją wiedzą, tylko aż strach pomyśleć czym, i najchętniej zakopałabym się w swoją pościel, włączyła telewizor, zjadła jakąś pyszną kanapeczkę i zasnęła na resztę zimy.

Azor wchodzi do kuchni, a ja natychmiast sięgam po sok. Bo Renka od czasu, kiedy jest w ciąży, częstuje nas tylko sokiem. A ja bym tak chętnie się napiła dzisiaj! Przyzwyczaiłam się do Azora, tak samo jak do tekstów Renki, ale za każdym razem, kiedy do mnie podchodzi, cierpnie mi skóra. Niechby tak sobie raz podszedł do Uli, która się go w ogóle nie boi! Ale nie, ten cholerny rottweiler uważa, że ja się z nim zaprzyjaźnię. Po moim trupie!

Azor kładzie mi łeb na kolanie, nie ruszam się, a potem delikatnie opuszczam dłoń na ten łeb. Może mnie jeszcze dzisiaj nie zeżre?

– Dlaczego wy dla mnie takie jesteście? – Renka ma łzy w oczach. – Przecież ja chcę dobrze...

Ula patrzy na mnie porozumiewawczo, wzdycham, wiemy, wiemy, kobieta w ciąży wrażliwą kobietą jest jak cholera. I rozdrażnioną kobietą jest też.

– Wiem – dotykam ramienia Renki – przecież wiem...

Wchodzi mąż Renki, obrzuca nas niechętnym spojrzeniem i rzuca się całować żonę.

– Jak się czujesz, kochanie? Jesteś zdenerwowana? – patrzy na nas z wyraźną pretensją.

– Cześć misiaczku – mówi Renka. – Wszystko dobrze, zobacz – kładzie sobie jego rękę na brzuchu, a jego twarz się rozjaśnia.

Właściwie bardzo ładnie razem wyglądają, twarz Renki robi się świetlista, a mąż Renki łagodnieje w oczach.

Ula daje mi znak, podnoszę się, Azor warczy, siadam karnie i natychmiast.

– Dobry piesek – uśmiecha się mąż Renki. – Nigdzie nie idźcie, napijemy się, pogadamy, drinka?

Nigdzie nie idę. Drink? Oczywiście!

– Musimy już iść. – Ula patrzy na mnie znacząco.

– Nigdzie nie musimy, pomożecie nam wybrać imię dla dziecka... dobrze misiaczku?

– Jasne! – Renka składa ręce na brzuchu i uśmiecha się jak Madonna na świętym obrazie. – No, chyba teraz nie pójdziecie.

Ja się nigdzie nie ruszę. Mąż Renki wyjmuje nowe szklanki mimo protestów Uli i nalewa jakiegoś bliżej nieznanego mi alkoholu, tłucze lód na drobniutkie kawałeczki, zalewa jakimś syropem, dodaje soku pomarańczowego i plasterek cytryny, pyszne!

Właściwie to i Uli aż tak się nie spieszy...

– Bo myśmy myśleli o Marii... – Mąż Renki siada przy stole, odchyla się na krześle i zakłada ręce na kark.

– Marii Magdalenie – wtrąca Renka.

– Samej Marii – prostuje on.

– Ale Maryśka, Mańka... to banalne. – Renka się krzywi.

– Właśnie... – dodaje on.

– A mnie Maria się podoba – wtrąca Ula. – Może Maria Antonina...

– Była taka królowa?

– Ula mówi o waszej córce... – wtrącam się nieśmiało.

– Skąd wiecie, że będzie córka? – pyta mąż Renki.

– My nie wiemy. Nie chcemy wiedzieć.

– Antoni to piękne imię dla chłopca – wtrącam się. Choć oczywiście jedyne piękne imię męskie to Adam.

– Może być – zgadza się uprzejmie mąż Renki i podnosi szklankę swoją, żebyśmy się z nim stuknęły. Stukamy się karnie, drink jest przepyszny.

– Żadne „może być!" – Renka się oburza. – To nie jest kwestia może być, tylko chodzi o to, że ma być tak, jak chcemy!

– Tak jest. – Ula upija drinka i widzę, że jej smakuje tak samo jak mnie.

– Ja chcę Antoniego – mówi mąż Renki, a ja widzę, jak Renka się kuli i w jej oczach pojawiają się łzy.

Mąż Renki w sekundzie ją obejmuje i przytula. A mnie aż ciarki przechodzą po plecach, Adasiu, przytulisz mnie jeszcze kiedyś?

– Co się stało, kochanie? Boli?

– Nie boli, ale mówiłeś, że ci wszystko jedno, co urodzę, a teraz chcesz chłopca...

– Nie chcę chłopca! – mówi mąż Renki i głaszcze Renkę po ramieniu, wymieniamy z Ulą spojrzenia i wypijamy drinka.

– Dlaczego nie chcesz chłopca? A co będzie, jeśli będzie chłopiec? Dlaczego wolisz dziewczynkę... – chlipie Renka.

Ula i ja podnosimy się. Mąż Renki się zrywa.

– Nigdzie nie idźcie, przecież widzicie, że to misiaczka denerwuje, siadajcie, naleję. – Bierze nasze szklanki i znowu nalewa mnóstwo alkoholu, a ja czuję się, jakbym była na karuzeli, ale po raz pierwszy od wiadomego listu jest mi lekko.

– Ja ci kochanie mówiłem, że będę szczęśliwy, jeśli dziecko będzie zdrowe... i jest mi naprawdę wszystko jedno, czy to będzie chłopiec czy dziewczynka...

– To może Basia? – Renka się uśmiecha, wypijam haustem jednym całą szklankę i życie wydaje mi się prostsze. To tylko parę tygodni. Czas tak szybko płynie. Za chwilę będzie kwiecień.

– Basia jest waleczna – potakuje Ula – jak Basia Wołodyjowska.

– Z tym, że przed ślubem inaczej się nazywała – dodaję. – Nie Wołodyjowska tylko Jeziorkowska.

– Ale imię przecież miała to samo. – Ula patrzy na mnie szyderczo.

– Imię tak, ale nazwisko nie.

– Ale nie wybieramy nazwiska – ciepło wyjaśnia Ula.

– A skąd wiesz, że będzie dziewczynka? Dziewczyny, jak wyście się czuły w czasie ciąży? – Mąż Renki patrzy na nas badawczo. – Co jadłyście? Bardziej na ostro czy bardziej na słodko?

Nie mam zielonego pojęcia, co jadłam prawie dwadzieścia lat temu. Śledzie chyba, ale za to na słodko. Więc czy to jest na ostro, czy na słodko? Ula też ma same córki, zupełnie jak ja; ja też mam same córki, tylko w liczbie pojedynczej, a Ula podwójnej. Drink jest zachwycająco dobry, mąż Uli przygląda nam się z wielką uwagą.

– No?

– Ja to chyba jadłam smalec, najbardziej lubiłam smalec z cebulką, ale z dodatkiem słodkich jabłek... – mówi z wysiłkiem Ula. – I ogórki jadłam kiszone... ale tylko na początku. Ale sernik też mi bardzo dobrze robił...

– I urodziłaś córki... – szepcze mąż Renki. A do Renki: – Ty też lubisz ciasteczka... to na córkę... Ale Basia? Może coś oryginalnego? Blanka? Klaudyna? Martyna? A ty co jadłaś? – To do mnie.

– Śledzie – mówię i chichoczę – dużo śledzi, ale za to na słodko...

– To chłopiec jak śledzie! – krzyczy radośnie mąż Renki i znowu zgarnia nasze szklanki. – To znaczy, że będzie chłopiec, bo Renia ma ciągle ochotę na chińszczyznę!

Nie mam ochoty przypominać, że mam córkę po tych śledziach, tak są radośni oboje. Znowu się stukamy. Mąż Renki przynosi kalendarz.

– To będzie niezwykłe dziecko, niezwykłe, i powinno mieć niezwykłe imię – cieszy się. – Macie rację! Nic takiego nie mówiłyśmy, ale zgodnie kiwamy głowami. Pies Renki zmniejszył się bardzo i już w ogóle nie wygląda groźnie.

– Marek – mówię. – Ładne imię.

Nie powiem im, że najładniejsze imię to Adam. Niech nie będzie za dużo Adamów.

– Ale ja znałam jednego Marka i on wcale nie był sympatyczny. Rzucił żonę. Wiesz, o kim mówię? – Ula patrzy na mnie, a ja nie mam pojęcia, o kim mówi, ale nietrudno mi sobie wyobrazić, że jakiś Marek kiedyś rzucił jakąś żonę.

– Marcus, Marcus – powtarza Renka.

– Marek – powtarzam – powiedziałam Marek, nie Marcus, Marek.

– Aureliusz – rzuca nieopatrznie Ula. Ma lekko zamglony wzrok.

– Cudownie! – krzyczy mąż Renki. – Aureliusz to niezwykłe imię! A dla dziewczynki...

– Aureola – trochę mi się plącze język i zaczynam chichotać.

– Aureola nie, ale blisko, ten trop, ten trop... no?

Renka wpatruje się w nas z napięciem.

– Aleksandra? – pyta niepewnie Ula.

– Jakubowska! – cieszę się.

– Eeee – mąż Renki macha lekceważąco ręką. – Dalej, dalej – zaczyna przerzucać strony kalendarza – tak się cieszę, że wybieramy z wami te imiona, bo z misiaczkiem to się już parę razy pokłóciliśmy, a teraz, zdaje się, znajdziemy dzięki wam konsensus...

– Muszę już iść – postanawiam wprowadzić w czyn dość śmiały projekt, widzę, że Ula jest za.

– No to rozchodniaczka! – woła mąż Renki. – Będzie nam się lepiej myślało!

Ula wyciąga nad stołem rękę, obawiam się, że jutro dosięgnie mnie gigantyczny kac, ale też wyciągam rękę ze szklanką, bo życie jest takie piękne, kiedy wybiera się imię dla dziecka, a do szklanki leje się znowu alkohol.

– Anna, Marta, Katarzyna, Józefina... – Ula delektuje się drinkiem.

– Marta kiedyś uwiodła męża Kingi, pamiętasz, suka jedna – przypominam sobie nagle ból Kingi i już nie lubię imienia Marta.

– Ale przecież przyjaźnisz się z Martą... no... tą ze szkoły średniej. – Ula jest moją zewnętrzną pamięcią i za to jestem jej wdzięczna.

– Marta! Oczywiście! Zapomniałam! Ale to jest inna Marta! Marta to świetna dziewczyna! – prostuję natychmiast. – Ale może też być Bożena, Jadwiga – wpadam jej w słowa.

– Bożena nie. Bożena kiedyś nas nacięła na nadstawkę do kredensu. – Ula robi się groźna. – Powiedziała, że tam nie ma korników i myśmy z Krzysiem na piechotę tachali tę nadstawkę ze trzy kilometry, a potem się okazało, że jest cała zakorniczona.

– A Jadwiga? – pytam z zaciekawieniem.

– Jadwiga umarła młodo i leży na Wawelu. To lepiej nie brać takich imion, które młodo umarły – poważnieje Ula.

Renka i jej mąż patrzą na nas z wyrzutem.

– Nie wygłupiajcie się, naprawdę nie znacie oryginalnych imion?

– Co wy, chcecie mieć w domu jakąś Penelopę – pytam nieopatrznie i widzę najpierw zdziwione, a potem rozjaśnione oblicza właścicieli najmniejszego i najbardziej przyjaznego rottweilera na świecie. Mąż Renki całuje mnie w czubek głowy, a Renka głaszcze po ręce.

– Judyta jesteś cudowna! Penelopa! Nigdy bym na to nie wpadła! Penelopa!!! Cudownie! Poppy, Popy, Po. Lopy. Lo. Ileż możliwości!

Podnoszę się po raz dziesiąty tego wieczoru i kiwam na Ulę. Nogi mam jak z waty. Ula całuje Renkę, ja całuję Renkę, mąż Renki całuje Renkę i mnie, i Ulę, Renka całuje męża, potem mnie, potem Ulę, potem męża, przez chwilę zastanawiam się, czy nie pocałować rottweilera, to jedyna okazja w życiu, ale Ula całuje mnie z rozpędu i odprowadzają nas do bramy.

– Aureliusz i Penelopa! Jesteście wspaniałymi przyjaciółkami! – ściskają nas jeszcze raz oboje i ruszamy z Ulą ciemną drogą do naszych domów.

Ogarnia nas cisza, księżyc wysuwa się zza chmur, jest absolutnie, kosmicznie pięknie, mimo że widzę białą potrójną drogę.

– Będzie pełnia – szepcze Ula. – Zobacz.

Podnoszę głowę i widzę niekompletny księżyc, pamiętam, czego mnie nauczyła, gdy zaczęłam tu mieszkać – jak księżyc bardziej przypomina literkę C, to znaczy cienieje, czyli idzie na nów, jak literkę D, to znaczy, że grubieje – czyli zbliża się do pełni. Teraz wisi nad nami spasione D, idziemy spokojnie, rzucając sobie cień.

– Cień od księżyca widzieć: szczęście – mówię pewnym głosem do Uli, chociaż język chce mi się splątać na amen.

– Skąd wiesz? – pyta dociekliwie Ula i też jej się plącze.

– Bo wiem – stwierdzam, i to nas rozśmiesza. Śmiejemy się, powietrze świeże wchodzi nam głęboko, aż po drinki, oddycham pełną piersią.

– Jutka?

– Co? – pytam, czkając.

– To ja wymyśliłam Aureliusza?

– No! – cieszę się. – Sama słyszałam!

– Ale ty Penelopę! Jesteś lepsza... tylko wiesz co?

– Co?

– Ale nie mów nikomu, dobra? Nikomu nie mówmy, że to nasz pomysł...

Obiecujemy sobie solennie, że nikomu nie powiemy. Oczywiście oprócz Krzysia. I Adama, do którego natychmiast napiszę o wszystkim. I o tym, że nie byłam u brata na wigilii, tylko go oszukałam, bo go bardzo, najbardziej na świecie kocham i napiszę mu, żeby już wracał, już i nad niczym się nie zastanawiał, bo jest piękna zima i bez niego marznę, ja oraz pies mój Borys. I że Borys jest już starutki i że nie można go na tak długo zostawiać, nawet jak się jedzie do Ameryki, tak właśnie napiszę, i że na karuzeli jest mi bardzo dobrze. Ale poza tym nigdy nikomu się nie przyznamy. Tak sobie obiecujemy, a ja się strasznie cieszę, że jest taka piękna noc, że już nie pada i całe szczęście, że moja intuicja jednak kazała mi ten wieczór spędzić z Ulą i Renką, że nie byłam sama. Kobiety czasami powinny spędzać czas ze sobą. Wtedy nawet obecność mężczyzny im nie przeszkadza.

A i tak ze wszystkich imion męskich na świecie najbardziej cudownym imieniem jest Adam.

Strzelić skruchę

Wyjeżdżam służbowo do Kalinic, mam stamtąd przywieźć świetny tekst na temat życia kobiet po zamknięciu miejscowych zakładów bawełnianych. Tekst ma być pełen optymizmu – powiedział Naczelny. Jak nowa rzeczywistość wpłynęła na kobiety, jak biorą swoje życie w swoje ręce, niezależne, z podniesioną głową, pomysłami itd.

– Pani Judyto, pani to zrobi świetnie. – Naczelny był chyba w depresji. – Takie jest zamówienie społeczne – dodał, widząc moją niewyraźną minę. – Jest tam pani umówiona z... – podał mi adres, nazwisko – i wszystko pani rzetelnie opisze.

Pociąg do Kalinic był jeden, choć jeszcze trzy lata temu były dwa, bo to jednak spore miasto. Przyjechałam po południu, trzy godziny przed spotkaniem z panią Tabłowską. Przeszłam się po centrum, ceny wydały mi się po stolicy śmiesznie niskie, czas upływał nieubłaganie wolno. Minęłam zakład fryzjerski i coś mnie podkusiło, żeby tam wejść.

Fryzjer, człowiek niemłody, zgrabnie operujący nożyczkami, najpierw wypytał mnie, kto ostatnio grzebał przy moich włosach, potem zwierzył się ze swojego pożycia małżeńskiego, następnie wypytał mnie, co robię.

– Piszę – powiedziałam.

– No cóż, każdy orze jak może – westchnął głęboko, a westchnąwszy, powiedział filozoficznie, patrząc na siebie w lustrze: – Zawód jest ważny. Bardzo ważny.

Wykazałam odpowiednie do wagi chwili zainteresowanie, wydając z siebie chrząknięcie pełne zrozumienia, ale fryzjer dodał natychmiast:

– Zawód jest ważny w małżeństwie.

Moim zdaniem jedyne zawody ważne w małżeństwie to zawody miłosne – co uparcie powtarzam, ale nie o to chodziło fryzjerowi.

– E tam – machnął ręką – trzeba wiedzieć, z kim się żenić.

To zdanie wydało mi się prawie tak samo ważne, jak zdanie „trzeba wiedzieć, za kogo wychodzić za mąż" i ochoczo skinęłam potakująco głową.

– Pani się nie rusza. Pewno się pani ruszała poprzednim razem. – Fryzjer chwycił moją głowę i przytrzymał. – I to są efekty.

Zamarłam.

– Chodzi mi o to, że jak człowiek ma dobry zawód, to wie pani, nie jest źle.

Wiedziałam o tym od dawna.

– A taki taksówkarz, to nie ma lekko.

– Nie ma – zgodziłam się, nie kiwając głową.

Dowiadywałam się, że taksówkarz ma nielekko, a to z prasy, a to z telewizji, ale postanowiłam bardziej słuchać, a mniej mówić.

– Szczególnie, jeśli żonaty.

Związku specjalnego między ryzykownym przecież i ciężkim zawodem taksówkarza żonatego i nieżonatego nie widziałam, ale zgodziłam się na wszelki wypadek.

Nożyczki zamarły w powietrzu.

– A, to pani wie?

– Ale o czym?

– Jak to o czym? – zdziwił się. – Pani nie stąd?

– Nie.

– Aaaa, to pani nic nie wie.

Tak mnie zaciekawił, że zaczęłam zadawać dociekliwe pytania, chcąc się dowiedzieć, jakie to niebezpieczeństwa wiążą się z prowadzeniem taksówki z obrączką na serdecznym palcu. Opowiedział mi następującą, wielce pouczającą historię.

Jego szwagier jest taksówkarzem. Ma ładnego nowego seata, zielonego, i pracuje w korporacji X. Otóż ów szwagier zadzwonił do żony, że ma ostatni kurs, będzie w domu po jedenastej, i słuch po nim zaginął. Żona zaginionego o dwunastej w nocy wydzwoniła panie z korporacji X, zawiadamiając, że męża nie ma.

Panie przy telefonach natychmiast rozesłały wiadomość do wszystkich taksówek w mieście i okolicy, że zaginął kierowca wraz z seatem.

Zrobił się tłok w eterze, a taksówkarze zaczęli śledzić zielone seaty, których znowu w Kalinicach nie ma tak dużo. O wpół do drugiej w nocy koledzy namierzyli zielonego seata przed motelem na skraju miasta. Powiadomili policję i siebie nawzajem, wpadli do motelu i zastali kolegę wraz ze świeżo poznaną panią, która wcale, ale to wcale nie miała zamiaru napadać na taksówkarza, tylko wprost przeciwnie.

Żona, a siostra mojego fryzjera, zjawiła się tuż za nimi, pobierając męża wraz z samochodem do domu.

– I widzi pani, do czego to podobne?

– Jest nieźle – powiedziałam, patrząc na swoją fryzurę.

– Ja nie o tym – zdenerwował się fryzjer. – Ja o siostrze. I niech pani sobie wyobrazi, ona jeszcze chce, żeby on strzelił skruchę!

Milczałam, bo strzelenie skruchy w tym wypadku wydawało mi się rzeczą ze wszech miar właściwą.

– A przecież, gdyby miał inny zawód, w życiu by go nie namierzyli. Tak, tak, lekarz czy jakiś inny ma dużo lepiej w życiu. Takiego mu obciachu narobiła i jeszcze każe się przepraszać... To już chyba nawet ja mam lepiej.

Wyszłam od fryzjera i udałam się prosto na spotkanie z panią Tabłowską, która miała mi opowiedzieć, jak to wszystko się zmieniło na lepsze. Opowiedziała mi, owszem. I dodała, że wyjeżdża do Szczecina, bo tu nie ma perspektyw.

Wieczornego pociągu do stolicy również nie było, musiałam przenocować w miejscowym hotelu. Wracając rano do domu, zastanawiałam się nad niebezpieczeństwami, jakie grożą taksówkarzom. I doszłam do wniosku, że gdybym była mężczyzną, to nie chciałabym być taksówkarzem. A gdybym była taksówkarzem, tobym jednak strzeliła skruchę...

*

No coś podobnego!

U Mojej Mamy w łazience woda po goleniu Mojego Ojca. Jak weszłam drugi raz, już jej nie było. Nie skomentowałam, ale coś wisi w powietrzu. Rozumiem teraz, że nie chodziło im wszystkim o mnie i o Eksia, tylko o moich rodziców. Pobyt cioci jednak odcisnął niezatarte piętno na naszej rodzinie! Odwaliła kawał dobrej roboty. Ale numer! A jednak są na świecie rzeczy, o których się filozofom nie śniło!

I rzeczywiście, przeczucie mnie nie myliło. W przeddzień Nowego Roku zadzwoniła Moja Mama.

– Chciałam cię uprzedzić, moje dziecko – powiedziała – bo tak jakoś reagujesz ostatnio dziwnie, że być może ojciec spędzi u mnie parę dni, bo chce odnowić mieszkanie. Żebyś nie była zdziwiona, jak odbierze u mnie telefon albo jak wpadniesz. Pa.

Następnie zadzwonił do mnie Mój Ojciec.

– Córeczko, chciałem ci powiedzieć, jakbyś dzwoniła, że będę parę dni u twojej matki, bo u mnie wieje od okien i trudno wytrzymać.

Zadzwoniłam do Mojej Mamy i powiedziałam, że podobno u ojca wieje, a nie że będzie odnawiał...

– Właśnie dlatego będzie – powiedziała Moja Mama obrażonym tonem. – Chyba nie posądzasz mnie o kłamstwo, prawda? Może się u mnie zatrzymać, nie muszę ci się z tego tłumaczyć, prawda?

Roześmiałam się w duchu i szybko zadzwoniłam do Mojego Ojca.

– Mama mówi, że jednak będziesz odnawiał...
– Z przyjemnością słuchałam ciszy po drugiej stronie słuchawki.

– No wiesz... tak mówi? Właściwie nawet myślałem o tym... – plątał się Mój Ojciec.

– Tatusiu, o co chodzi?

– Ale nie mów matce, że ci powiedziałem – jęknął ojciec. – Wiesz, jaka ona jest. Właściwie utrzymanie dwóch mieszkań drogo wychodzi i tak myślimy... – Mój Ojciec jąkał się jak nigdy w życiu.

– Na twoim miejscu – powiedziałam poważnie i z satysfakcją – zastanowiłabym się, czy nie zamieszkać z matką na stałe, nie tylko dlatego, że będziesz malował!

– Ależ ja nie zamierzam wcale malować! – wyrwało się Mojemu Ojcu.

– Ale, oczywiście, zrobisz, jak uważasz... – dokończyłam z jeszcze większą satysfakcją i odłożyłam słuchawkę.

No, no, no. Co to się na tym świecie wyrabia! W te
pędy pobiegłam do Uli i podzieliłam się z nią tą dobrą
nowiną. Ula mnie uściskała i również się ucieszyła.
– Jak to dobrze, że można do siebie wrócić, prawda?
– pocałowała mnie w policzek.
– No jasne! – krzyknęłam radośnie.
Nic lepszego nie mogło mi się przytrafić!
Adasiu, mam rodziców!

Okazało się, że w czasie mojego pobytu w Kalinicach przenocował u mnie Eksio, ponieważ Tosia nie
mogła do niego pojechać, a on z kolei nie chciał tak
jeździć i jeździć, i chyba mi to nie przeszkadza...
Dostałam szału. Krzyczałam w telefon jak za dawnych dobrych lat, Eksio próbował mi coś powiedzieć,
ale darłam się na niego, żeby nie śmiał, że to mój dom,
że ja go nie zapraszałam itd., itd.
– Nic się nie zmieniłaś – powiedział na końcu rozmowy i trzasnął słuchawką.
Mam nadzieję!

Niestety, czekała mnie również przykra rozmowa
z Tosią. Usłyszałam, że nie liczę się z jej uczuciami, że
obrażam jej ojca, że nigdy jej nie kochałam, że zawsze
wszystko było ważniejsze niż ona oraz że chce umrzeć.
Nie wiem, jak mądra matka nie poddaje się manipulacjom dziecka. Nie wiem, jak one to robią, bo mnie było
przykro, a jednocześnie żal mi ściskał serce. Wyszłam

od niej z pokoju wściekła i smutna zarazem. Ale przecież to ja jestem dorosła, nie ona.

Wolałabym, żeby było odwrotnie.

Tosia płakała, słyszałam, ale nie powinna bez uprzedzenia zapraszać Eksia. Wigilia wystarczyła. Może wtedy nie dość mocno wyraziłam swoje zdanie? I oto skutki. Tym razem muszę zadbać o siebie. Jest biedna, owszem, lepiej mieć dobrą rodzinę niż być dzieckiem rozwiedzionych rodziców, bez wątpienia. Ale chyba lepiej być dzieckiem rozwiedzionych rodziców niż żyć w fatalnej rodzinie? Poza tym przecież nie było nawet takiej możliwości! On zdecydował, a ja teraz ponoszę konsekwencje!

Kobieta ma zawsze gorzej.

*

– Mężczyźni tacy są – powiedziała Moja Matka – a rolą kobiety jest przymykać oczy na różne rzeczy.

– Mężczyźni są różni – powiedział Mój Ojciec, który zabrał Matce słuchawkę – więc nie słuchaj matki.

– Tosia potrzebuje ojca – rozczuliła się Moja Matka.

– Ja też! – krzyknęłam.

– Jestem – powiedział Mój Ojciec.

– Czy ja Tosi utrudniam kontakty z ojcem? – spytałam retorycznie.

– Wiesz, że nie o to chodzi – powiedziała Moja Matka.

Od czasu, kiedy mieszkają razem, dużo trudniej rozmawia mi się z nimi przez telefon. Nie wiem, kto jest po drugiej stronie słuchawki i do kogo mówię, a kto nadstawia ucha.

Kochasz? Nie!

Wpadłam do redakcji. Kama ściska mnie znacząco za łokieć, kiedy staję przy jej biurku i przeglądam pocztę.

– Chodź na papierosa – mówi cicho.

Od czasu, kiedy Naczelny rzucił palenie, nie można palić normalnie, tak jak kiedyś, tylko palacze ukrywają się w schowku pod schodami. Czasem nawet z Naczelnym, który zapomina, że rzucił palenie. Kama nerwowo przypala papierosa, a ja myślę sobie, że właściwie mogę spokojnie zapalić, choć rzuciłam palenie dzięki Adasiowi. Wprawdzie był to sprzyjający rzuceniu okres w moim życiu. Nie zapaliłabym, gdybym miała narzeczonego na miejscu, a nie w Ameryce. Najchętniej piszącego narzeczonego. Stop. Miałam o tym nie myśleć...

– Szykują się zmiany – szepcze Kama, rozglądając się dookoła, choć schowek pod schodami składa się tylko z mopa i nas.

– Jakie zmiany? – zniżam również głos.

– No wiesz, na górze – mówi Kama.

Podnoszę wzrok, jakby spod tych schodów spaść miały zmiany.

– Tam? – Pokazuję oczami, ale na szczęście żadna z nas nie jest mężczyzną, więc rozumiemy się bez zbędnych wyjaśnień.

– Tak. Dyrektor wydawniczy wprowadza nowego dyrektora do zmian programowych. Kochasz?

– Kocham – potwierdzam bezmyślnie, bo przecież o Adasiu myślę.

– Nie kocham, tylko Kochasz!

– No jasne. Bardzo. Od kiedy wyjechał, nic nie jest tak, jak było... Nawet Borys jest smutny...

– Judyta! Mówię o nowym dyrektorze programowym! Arturze Kochaszu!

– Aaaa – przytomnieję – tak, pamiętam.

– Jeszcze go nie poznałaś – szepcze Kama – ale Anka, z działu urody, już go poznała...

– Ja nie jestem w dziale urody. – Niestety, myślę sobie. Anka ma dwadzieścia trzy lata, studiuje, pracuje, wynajmuje mieszkanie i jest urodziwa nade wszystko.

– Ance już zwalił rubrykę! Uważaj na niego! Naczelny jest na zwolnieniu, to też dobrze nie wróży!

– Na jakim zwolnieniu – przerażam się na chwilę.

– To nie widział tekstu? Przecież już jest po łamaniu!

– Złamany bez Naczelnego. – Kama zaciska zęby i gasi papierosa. – Właśnie to ci chciałam powiedzieć.

– Już jest na kolumnach? – upewniam się.

– Niestety jest – mówi Kama i patrzy na mnie współczująco.

Wiem, o co jej chodzi, jest zazdrosna, ot co. Będzie siedziała tylko w dziale listów do końca życia, a mój fantastyczny tekst po prostu ją drażni i tyle.

– Mogę zobaczyć?

– Powinnaś.

Kiedy biorę do ręki szpalty, nie tylko nie wierzę żadnemu mężczyźnie, ale również własnym oczom.

Chwytam szpalty i biegnę do p.o. Kochasza. P.o. Kochasz na mój widok przywdziewa uśmiech.

– Nieźle, pani Judyto, nieźle...

– Proszę pana! Co to za tekst? To nie jest mój tekst!

– Proszę pani – w jego wykonaniu brzmi to „prooo-osze paaaani". Rozkłada gestem bezbronności ręce i zaprasza mnie, żebym usiadła. – Porozmawiajmy spokojnie...

Kładę na biurko tekst, zakładam nogę na nogę, potem spuszczam, potem zakładam znowu. Jestem odprężona, jestem odprężona – powtarzam w duchu – wszystko jest w porządku, a ja jestem odprężona.

– Kto jak kto, ale ja panią rozumiem – Kochasz nachyla się nad tekstem i puka swoim wypielęgnowanym paznokciem w szpalty – ale zanim pani będzie miała do mnie pretensję, zanim – urywa teatralnie – proszę mi spojrzeć prosto w oczy i powiedzieć z całą pewnością, że nie miałem racji! Bo ja wyjątkowo pani wytłumaczę...

– Proszę bardzo – mówię statecznie i jednak siadam normalnie.

– Gdy pani wysiadła na dworcu w Kalinicach, to jaka była pogoda?

– Pod psem, proszę pana, tak jak napisałam, wilgotno, mroźno, mglisto!

– A gdyby pani jechała trzy dni wcześniej? Co tam trzy dni? Dwa miesiące? Albo trzy? Złota polska jesień by panią przywitała, czyż nie? Słońce! Łagodny wiatr, pieszczący dachy domów! Lazur nieba! Prawda? Więc jakie to ma znaczenie, że był mglisty poranek? Dla pani ma! Zgadzam się! To prawda faktu! Dla mnie ma! Tak jest! Ale dla czytelniczki? Ona siedzi w domu, ona się nudzi, ona ciężko pracuje, ona wygląda przez okno i jak jest?

Trochę kręci mi się w głowie.

– Co to ma do rzeczy, jak jest?

– No właśnie! Jest ciężko i beznadziejnie! Więc po co ona sięga po nasze pismo? – Wali ręką w biurko, aż podskakuję. – Żeby oderwać się od tego! Oderwać! Poczuć optymizm, choćby na tę chwilę, a nie współczuć pani, dziennikarce, że tłukła się pociągiem jedynym, bo inne zlikwidowano! Po co pisać o likwidacji? O rzeczach przykrych? Gubi pani sens, gubią się pani intencje, ja panią rozumiem, ja tak! Ale one? One chcą się cieszyć, że komuś się powiodło! A co tu pani im dała? Taniego fryzjera, oszustwo bankowe!

– I po tym wszystkim ta kobieta nie straciła nadziei, wyjechała szukać szczęścia gdzie indziej, zacząć wszystko od nowa, i to jest ważne!

– Pani Judyto... ja miałem wrażenie, że mam do czynienia z osobą inteligientną. – Nie przesłyszałam się, tak powiedział. Bierze do ręki mój właściwy tekst i sięga po obce szpalty. – Skoro mógł być pogodny poranek, to zrobiliśmy pogodny, prawda? Niech mnie pani poprawi, jeśli się mylę... „w wilgotny smutny ranek zimowy" – a ja proponuję: „w pogodny i mroźny ranek zimowy dotarłam na miejsce". „Senne miasto, do niedawna tętniące życiem" – po co? Po co? „Małe, tętniące życiem miasto" – czy to nie brzmi lepiej? „Zamknięta kawiarnia" – no i dobrze, mniej chleją! Pani Judyto...

Ty cholerny manipulancie! – wyję, a on odskakuje pod ścianę. – Nie masz prawa ruszać mojego tekstu!!! Mogłeś go nie drukować! To podpisz sam swoim nazwiskiem te brednie! Nie pozwolę sobie na to, ani przez moment, możesz mnie zwolnić, ale nie będę marionetką w twoich brudnych łapach!

Otworzyłam oczy i dotknęłam szpalt ręką.

– To nie jest mój tekst – powiedziałam i zrobiło mi się słabo z przerażenia. – Rozumiem pana, ale to nie jest mój tekst. – Adam byłby ze mnie dumny.

– Droga pani. – Kochasz uśmiechnął się, jakby był psychiatrą, a ja najstarszym rezydentem jego oddziału. – Droga pani, przecież pani mnie rozumie, prawda? Umówmy się tak, dam pani temat dowolny, tak. – Podniósł dłoń, jak na wiecu, jakby chciał mnie powstrzymać od komentarza, i udało mu się. – Następny temat jest dowolny, a tu spuszczamy zasłonę! To przeszłość! Pani zapomina o tym tekście, ja płacę za ten tekst więcej, moja strata, a pani przynosi mi do numeru marcowego dowolny duży, na osiem szpalt tekst! Tak samo dobry! Poruszający! Do którego ja się nie wtrącam! Który pani podyktuje serce, OK? A do tego nie wracajmy.

Otwieram i zamykam natychmiast usta. No dobrze... Mogła być przecież pogoda... Warto o jeden tekst kruszyć kopie? Może teraz jednak nie warto? A gdzie są granice? Gdzie moja świeżej daty dziennikarska uczciwość? A z drugiej strony dostanę więcej pieniędzy. Czy to takie ważne, że kawiarnia jest nieczynna? Dom kultury? Przecież wiadomo, że na nic nie ma pieniędzy... A z drugiej strony – to nieprawda! Wszystko! Wszystko takie samo, tylko inne! Nie moje! A z drugiej strony, jeśli teraz on czuje się winny, bo twardo stanęłam po swojej stronie – to przyjmie mi tekst naprawdę ważny, którego by nie przyjął, gdyby nie ta fatalna sytuacja. Postąpić zgodnie z własnym sumieniem czy rozsądnie? Czy mieć na uwadze przeszłość, czy przyszłość?

– Nie wracajmy więc do tego – mówię.

Kochasz rozpromienia się, wyciąga do mnie rękę w pożegnalnym geście, a ja czuję się jak Judaszka. Wychodzę od niego i wiem, że mam gorące policzki. Co byś zrobił na moim miejscu, Adasiu?

– No i jak?

Kama patrzy na mnie uważnie, ale szczęśliwie w tej chwili dzwoni Tosia, żebym kupiła puszki dla kotów, bo się skończyły. Więc tylko daję znak Kamie, że mu pokazałam, że jest OK, a sama słucham wywodów Tosi, która oprócz puszek dla kotów ma jeszcze chęć na ananasy w puszce oraz jakiś napój light, bo się nie zmieści w tę sukienkę, która byłaby świetna na studniówkę, ale ostatnio, niestety, przytyła, więc pożyczyła inną i koniecznie musi mi ją pokazać.

*

Jest piękny słoneczny dzień. Lubię, jak jest mroźno i świeci słońce. Tosia pogodziła się z faktem, że tata nie będzie bywał tak często u nas, ale za to ona bywa bardzo często u niego.

*

Tosia wyjeżdża z ojcem na narty, po studniówce, którą ma pojutrze. Pokazała mi się w sukience, prawdziwie eleganckiej, i przypomniałam sobie własną – czarna albo granatowa spódnica i biała bluzka – tak musiałyśmy być wszystkie ubrane. Właściwie wspominam to z łezką w oku – to ostatnia zabawa szkolna, więc te spódniczki i bluzeczki to nie był taki głupi pomysł. Tosia ma czarną, wyciętą na plecach sukienkę i czarny, prawie przezroczysty szal. Wygląda, jakby była zupełnie dorosła.

Cieszę się, że wyjeżdża na ferie, potem czeka ją trudny okres. Cieszę się, że będę sama. Z Eksiem stosunki chłodne, ale poprawne. Jakie mam prawo osądzać Tosię, skoro sama się ucieszyłam, że moi rodzice nareszcie są razem? Cuda się zdarzają. Jeszcze siedemdziesiąt dni do przyjazdu Adama. Jestem dwadzieścia lat starsza od Tosi i we mnie jest tęsknota za dobrą macierzystą rodziną.

Kochana Judyto,
dzielić się swoimi uczuciami możesz z przyjaciółmi, jemu daj czas na zastanowienie się – ewidentnie coś go dręczy. Dwa miesiące to nie wieczność. Jeśli go kochasz, poczekasz, aż sytuacja się wyjaśni.
Z poważaniem Judyta

Byliśmy we trójkę na obiedzie, następnego dnia po studniówce. Ula mnie namówiła, bo wcale nie chciałam iść, ale nie żałuję. Agnieszka z Grześkiem i Nieletnimi jadą do Austrii, Krzyś z Ulą i dziewczynkami do Zakopanego. Zostanę sama na wsi z Renką w ciąży, która zajmuje się od miesiąca urządzaniem pokoju dla maleństwa – to znaczy czyta wszystkie pisma o urządzaniu wnętrz – i panem Czesiem, który nie pije, bo mu UFO powiedziało, że może tylko raz na miesiąc.

Oraz z psem Borysem moim i kotami.

*

Adasiu, jak ci jest z dala ode mnie?
Nie zapytam, skoro tego nie chcesz.

*

Jak tym razem nie popadać w skrajności, nie wyobrażać sobie niepotrzebnie różnych rzeczy, nie rozpuszczać wyobraźni, nie być infantylną osiemnastolatką marzącą o białej sukni i księciu na białym koniu?

Jak mam siebie traktować dorośle, skoro to takie trudne?

Jak nie idealizować Adama, tylko przyjrzeć się sobie?

Czy umiem być dorosłą samotną kobietą?

Znowu dziecko?

Jak pech, to pech. Nieletni Mój Siostrzeniec skręcił nogę na desce w parku Szczęśliwickim, gdzie ćwiczył przed wyjazdem. Na trzy tygodnie został umieszczony w eleganckim lekkim gipsie. Agnieszka wpadła w popłoch, wyjazd do Austrii opłacony.

– Piotruś to takie kochane dziecko – jęczała Agnieszka. – Wyobraź sobie, że on nie chce nam zniszczyć urlopu.

– Przecież mogę zostać z ciocią! – zajęczał podobno Agnieszce.

Z ciocią, to znaczy ze mną. Agnieszka dość delikatnie zapytała mnie, czy jednak chociaż na tydzień i że nie będzie robił kłopotu, bo ruszać się nie może.

No co miałam powiedzieć?

Nieletniego umieściłam w dużym pokoju przed telewizorem, po schodach przecież nie może biegać, choć w tym gipsie całkiem zgrabnie porusza się po domu.

Mam pewne podejrzenia dotyczące Nieletniego. Po pierwsze: jak na chłopaka, który marzył o desce i Austrii, jest dość radosny, wisi głównie na telefonie i gada z Arkiem i Agatką, na zmianę. Całymi dniami siedzi sam (???) w domu i nie narzeka.

Ula widziała dziewczynkę, która wychodziła ode mnie z domu.

Nieletni, kuśtykając, bez przerwy coś porządkuje, wczoraj nie mogłam znaleźć ryzy papieru, którą zostawiłam na podłodze przy komputerze. Odkurzacz był używany.

Parę dni minęło dość spokojnie. Już już zaczęłam się przyzwyczajać do tego, że chłopiec nie bardzo różni się w obsłudze domowej od dziewczynki, tylko je trochę więcej, kiedy okazało się, że spada nam z kolumn olbrzymi tekst o pewnym ministrze, który stracił posadę właśnie wczoraj, dwa dni przed drukiem numeru. Nawet ministrowie są przeciwko mnie! Podejrzewałam jakieś kłopoty w związku z tym, choć nie ukrywam, że do żadnego ministra przywiązana nie jestem. Za wielka fluktuacja, żeby się angażować. W redakcji jakby ktoś w mrowisko kij wsadził. Nie z powodu tragedii ministra oczywiście, tylko z powodu tego nieszczęsnego tekstu, który stracił aktualność właśnie teraz, zwłaszcza że połowa była poświęcona atrakcyjnej żonie ministra.

A ja rano odwiozłam Nieletniego do Arka! I obiecałam, że przywiozę go z powrotem przed trzecią!

Wiedziałam, że w żaden sposób pojechać po Nieletniego nie mogę, bo Naczelny zwołał zebranie na czwartą – nagle. Tosia mogłaby po niego pojechać, ale jej nie ma.

Zadzwoniłam do Arka.

– Ciociu, my wrócimy kolejką! Ja dojdę do kolejki, to niedaleko, mogę trochę chodzić, proszę!

I to był początek moich kłopotów. Okazuje się, że niezależnie od wieku mężczyzny, obdarzanie go zaufaniem jest zawsze niewybaczalnym błędem.

Umówiliśmy się, że zdąży na kolejkę o 13.20 lub o 13.40, bo na drugą Arek i tak idzie do ortodonty. Czyli najpóźniej o czternastej trzydzieści powinien być w domu i natychmiast do mnie zadzwonić. O trzeciej po południu byłam nieprzytomna ze zdenerwowania, telefonu w domu nikt nie odbierał. Zadzwoniłam do Arka, nikt nie odbierał.

Zadzwoniłam do Renki, żeby podjechała pod mój dom i sprawdziła, czy jest Piotruś, Renka powiedziała, że o Chryste! I że oddzwoni. Zadzwoniłam do informacji kolejowej, żeby zapytać, czy może były jakieś przerwy w dostawie prądu lub któraś kolejka wypadła z rozkładu, ale niestety, wszystkie jechały terminowo i planowo.

Kama zapytała, czy dzwonić do informacji o wypadkach, więc strasznie się na nią wydarłam. Zadzwoniłam do rodziców Arka i bardzo delikatnie zapytałam, czy ich synek jest w domu.

– Jest z babcią – powiedzieli. – Ma wizytę u ortodonty.

Zadzwoniłam powtórnie do domu Arka. Odebrała babcia i powiedziała, że nie ma Areczka, wyszedł z kolegą w gipsie, miał go odprowadzić do kolejki, dwie godziny temu, ale ona się nie martwi, bo on się zawsze spóźnia i niech się rodzice zajmują wychowaniem dzieci oraz wizytami u lekarza, bo ona jest stara i już posiwiała. Byłam tego samego zdania co ona, ale głos mi drżał.

Potem oddzwoniła Renka i powiedziała, że jestem nienormalna, żeby koty w taką pogodę zostawiać na dworze, i że siedzą na parapecie w kuchni, i że nie mam serca, i że ludzie, którzy nie lubią zwierząt, nie powinni ich mieć, i że w domu nikogo nie ma.

Umierałam.

O czwartej trzydzieści w sali konferencyjnej atmosfera była napięta i właśnie miałam zabrać głos w sprawie ewentualnego poszerzenia rubryki z odpowiedziami na listy i komentowania tekstu przez psychologa, pod kątem socjologicznego zjawiska zagubienia i frustracji w dzisiejszym świecie i szerokiego zakresu pomocy, którą oferuje nasze pismo, kiedy weszła sekretarka Naczelnego i powiedziała, że dzwonią do mnie z policji w Pruszkowie.

Cała redakcja spojrzała na mnie, jakbym należała całe życie do mafii. Nogi ugięły się pode mną, krew mi odpłynęła z twarzy, poderwałam się jak oparzona i wybiegłam, nie zwracając uwagi na Naczelnego oraz Kochasza.

Te ćwierć minuty, które zajęła mi droga do telefonu, postarzyły mnie o dwadzieścia, a może trzydzieści lat. A potem usłyszałam w słuchawce głos mojego Nieletniego Siostrzeńca:

– Ciociu, przyjedź tu po mnie...

– Mój siostrzeniec jest aresztowany – powiedziałam tylko, wsadzając głowę z powrotem do sali konferencyjnej. – Muszę iść.

Naczelny osłupiał, a ja wybiegłam w ponure popołudnie, które właściwie było już nocą. Na policję w Pruszkowie przyjechałam po godzinie. Mój Nieletni Siostrzeniec miał bardzo niewyraźną minę, ale wyraźnie uradował się na mój widok. Razem z nim w pokoju, dość przytulnym, siedział Areczek, znany mi skądinąd, oraz dwie dziewczynki z klasy Piotrka. Wszyscy podnieśli głowę na mój widok.

– Za jazdę bez ważnego biletu następuje kara. Czy to pani dzieci?

– Broń Boże – żachnęłam się. – Żadne nie jest moje. Nawet to – pokazałam palcem na Nieletniego, który się skulił. – Jestem ciotką.

– Po zatrzymanego nieletniego winni się zgłosić rodzice, jeśli zatrzymany nie dysponuje dokumentem potwierdzającym tożsamość.

– Rodzice są w Austrii – powiedziałam pokornie – on jest pod moją opieką.

– I nawet nie wie, jak ma na imię jego matka?

– Agnieszka – powiedziałam szybko, a potem sobie przypomniałam, że Agnieszka na pierwsze imię ma

Jadwiga, i nigdy w życiu imienia Jadwiga nie używa.
– Albo Jadwiga.
– To samo im powiedziałem ciociu, ale już mi nie wierzą!

– Proszę pani – człowiek w mundurze spojrzał na mnie uważnie i poprosił mnie gestem do sąsiedniego pokoju – proszę pozwolić za mną.

Uśmiechnęłam się pocieszająco do Nieletniego i wyszłam za policjantem.

Usiedliśmy naprzeciwko siebie.

– Jechali bez biletu. Pani rzekomo jest ciotką, a nie wie pani, jak się nazywa pani siostra, tak?

– Kuzynka – sprostowałam.

– Mogę zobaczyć pani dowód osobisty?

Pogrzebałam w torebce i podałam dowód. Oglądał uważnie, a potem mi oddał. Widocznie uwierzył, że ja to ja, bo potarł dłońmi czoło i powiedział:

– Całą czwórkę przyprowadził kontroler. Jechali bez biletu. Byli bez legitymacji. Pani siostrzeniec nie mógł sobie przypomnieć, jak ma na imię jego matka. Jego kolega nie mógł sobie przypomnieć, gdzie mieszka. Ich koleżanka powiedziała, że nie wie, jak ma na nazwisko. Druga koleżanka powiedziała, że nie wie, kto jest jej ojcem. To zakrawało na kpiny. Pani siostrzeniec podał miejsce urodzenia Trypolis, Libia. Jego kolega podał miejsce urodzenia Zliten. Musiałem zatrzymać całą czwórkę i musimy wyciągać konsekwencje z takich zachowań. My tu za ciężko pracujemy, proszę pani.

– Ależ proszę pana – ucieszyłam się, że mogę być pomocna – on naprawdę urodził się w Libii. Mój szwagier był tam na kontrakcie! Z tym, że Agnieszka od razu po porodzie wróciła do Polski! To nie jest kraj dla kobiet! I Arek też urodził się w Libii, z tym że w szpitalu w Zliten! A obie rodziny poznały się w Libii, z tym że ojciec Arka był na kontrakcie prywatnym, a Piotrka z ramienia ONZ. A Agnieszka tak strasznie nie lubi swojego prawdziwego imienia, że używa drugiego, to biedne dziecko nie wiedziało, co powiedzieć! Z tym, że chłopcy mają obywatelsko polskie, na pewno polskie – dodałam na wszelki wypadek i byłam z siebie bardzo zadowolona, że wszystko wyjaśniłam.

Oparłam się o krzesło i rzuciłam okiem na maszynę do pisania. Jak to miło spotkać się w miejscu, gdzie są jeszcze maszyny do pisania, a nie bezduszne komputery.

– A dlaczego ten jego kolega nie wie, gdzie mieszka? – Policjant patrzył na mnie podejrzliwie. – My tu nie jesteśmy nastawieni na żarciki.

– Wiem! – Dziękować Bogu, wiedziałam od Agnieszki coś niecoś o rodzinie Arka. – Oni się niedawno przeprowadzili z Warszawy, od teściów. Więc mały nie wie, czy jest zameldowany już w nowym domu, czy jeszcze w Warszawie!

– A dziewczynki?

– Dziewczynek nie znam – zastrzegłam. – Ale przecież się zdarza, że ktoś nie wie, kto jest ojcem. Może ja z nimi porozmawiam?

313

– Niech pani próbuje – powiedział policjant, patrząc na mnie jak na wariatkę. Nic dziwnego, pojmowałam w lot to, co jemu się w głowie nie mieściło. Przeszliśmy z powrotem do pokoju, w którym grzecznie czekały dzieci. Ale ja już nie byłam potrzebna. Dwie kobiety przytulały do piersi dwie dziewczynki.

– Jesteście bez serca! – mówiła podniesionym tonem jedna z kobiet. – Przecież dziecko tłumaczy wszystko!

– Do dokumentów potrzebne jest imię ojca – upierał się policjant.

– Ale mówię panu, że proces adopcyjny jest w toku! Były mąż został pozbawiony praw rodzicielskich, a mój mąż właśnie adoptuje córkę! To które imię i nazwisko mam podać?

Policjant bezradnie rozłożył ręce.

– Które pani uważa. A pani córka? Dlaczego nam powiedziała, że nie wie, jak się pani nazywa?

– Gruszeńko – rasowa kobieta przytulała dziewczynkę do piersi – nie pamiętasz? Ja noszę teraz nazwisko wujka Adriana! Przecież mówiłam ci o tym. A ty nosisz nazwisko tatusia. A ja zrezygnowałam po ślubie z wujkiem z poprzedniego nazwiska, ale już nie mogłam wrócić do nazwiska tatusia, nie pamiętasz? Rozmawiałyśmy o tym.

Policjant patrzył na nas z niesmakiem. Nie zazdrościłam mu. O tempora, o mores! Zapakowałam Nieletniego do świeżo naprawionego samochodu i wolno jechałam do domu. Nieletni milczał.

– Ciociu, przepraszam... nie chciałem.

Powinien dodać „samo tak wyszło". To zupełnie jak *déjà vu*. Mała Tosia.

– Dlaczego nie miałeś biletu? Przecież dałam ci pieniądze – jęknęłam pełna poczucia winy, bo przecież po to został u mnie, żeby być zaopiekowany, a oto, jak mi odpłacił za zaufanie.

– Bo już była kolejka i nie zdążyłem. I jak chciałem kupić u tego motorniczego, to było za późno, bo kanar już nas złapał. A Arek nie miał legitymacji, ani Agatka, ani Zosia, to ja nie chciałem być gorszy... i też powiedziałem, że nie mam. Ale nie wiedziałem, że on mnie zabierze na posterunek! I było już za późno!

Milczałam. Byłam wykończona. Dochodziła siódma, w pracy miałam przechlapane, czułam, że mi słabo i muszę natychmiast albo runąć do łóżka, albo walnąć jakiegoś drinka, albo wziąć środki uspokajające i iść spać, a najlepiej wszystko razem.

– Nie gniewaj się, ciociu, co?

Milczałam. Wjechaliśmy, Piotrek, kuśtykając, otworzył bramę. Wpuściłam koty do domu, były obrażone. Siadłam w kuchni, nie zdejmując kurtki. Borys podszedł do mnie i podbił mi rękę swoją siwiejącą mordką.

– To co, ciociu, nie powiesz rodzicom?

Nieletni jak skazaniec stał na progu i patrzył na mnie jak zarzynane cielę.

– Nie powiem – jęknęłam, widząc w myślach minę Agnieszki, która dowiaduje się, jaka była moja opieka i w jaki sposób jej biedne dziecko wylądowało na policji.

*

On też nie powiedział.

Raz na wozie, raz pod wozem

Tosia z Isią prawie nie wychodzą z pokoju na górze. Poczuły, że maj będzie jednak w tym roku, a nie za cztery lata. Moja Mama robi co tydzień górę pierogów, ja donoszę soczki i owoce. Nie czepiam się niczego. Boże, spraw, żeby Tosia zdała maturę i już nigdy o nic Cię nie poproszę!

*

Kochana Judyto,
nie zachowuj się jak niedojrzała kobieta. Nie pij alkoholu, bo to nie jest żadne rozwiązanie Twoich problemów. Nie wracaj do palenia. Pracuj dla tego życia tak, jakbyś miała żyć wiecznie, i pracuj na tamto życie tak, jakbyś miała jutro umrzeć.
Bądź cierpliwa. Sześć tygodni to nie wieczność...
Pozdrawiam Cię mocno, Judyta

*

Naczelny nareszcie zgodził się, żebym napisała o gwałcie. Żadnego udawania, cała tragiczna prawda. Idzie mi ciężko, trzy kobiety odważyły się mówić, mam już wywiad z sędzią, która sądziła w takich sprawach, i rozmowę z psychologiem. Niestety, optymizmu brak.

*

Borys czuje się coraz gorzej. Zapomniałam, że to stary pies, a teraz to już widać. Była Mańka. Zajrzała mu w mordę i powiedziała, że on zżera kotom, bo prawie nie ma zębów – koty jedzą mięciutką zawartość puszek, a on suche żarełko. Co trzeci dzień gotuję mu kaszę i makaron, ale i tak woli kocie.

*

Ula mnie dzisiaj zawołała do płotu. Od paru dni jest ciepło, od strony południowej już nie ma śladu śniegu, krótka zima w tym roku. Ula pociągnęła mnie w głąb ogrodu i z dumą pokazała mi swoją forsycję – jeśli taka pogoda się utrzyma, zakwitnie lada dzień.

*

Kochana Judyto,
przypomnij sobie, jak rok temu wiedziałaś lepiej niż Adam, co on robi, gdzie bywa i dlaczego pachnie perfumami kobiecymi.

Jeśli nie uczysz się na własnych błędach – stoisz w miejscu. Nie pozwól, żeby Twoje życie zależało od innych. Jakie ono będzie, zależy tylko od Ciebie. Oczywiście, zawsze są sprawy, o których nie wiesz, ale stosunek do świata określasz Ty sama. Bądź w zgodzie z sobą. Cztery tygodnie to nie wieczność... Poczekaj, aż sytuacja się wyjaśni.

Całuję i trzymam kciuki, Judyta

Na początku marca moja kariera w redakcji skończyła się nagle i niespodziewanie, moim zdaniem zupełnie bez powodu, choć być może sama sobie jestem winna, jak zwykle. Naczelny został zwolniony w poniedziałek – ze skutkiem natychmiastowym, nawet nie zdążył się z nami pożegnać. Mnie pan Kochasz wyrzucił w środę. Dostałam odprawę za trzy miesiące.

To dobrze, nie będę się już martwić tym, co nieuchronnie miało nastąpić. Ostatni mój dzień w pracy upłynął na samych niespodziankach.

– Gratuluję, Juda – powiedziała Kama i ucałowała mnie z całego serca.

– Zobaczysz, niedługo wszyscy będziemy szukać pracy – szepnęła mi do ucha Jaga.

Kiedy pakowałam swoje rzeczy, nie było ich tak wiele, koleżanki miały łzy w oczach. Kama podała mi karteczkę z telefonem do ,,Pani i Pana".

– Zadzwoń, szukali kogoś do listów.

*

Znowu trzeba zaczynać wszystko od nowa. No cóż, takie jest życie. Piękne, mężczyźni przystojni, a straty być muszą.

Tosia się uczy.

Borys choruje.

Zaraz linieje.

U Potemka nie widać, bo ma czarne kudły.

Niewątpliwie idzie wiosna.

*

Pojechałam dzisiaj do Warszawy kolejką. Jest ładny dzień, będę wracać po południu, poczytam sobie przynajmniej. W ,,Pani i Panu" niestety już nie potrzebują redaktora. Ani nawet korektorki, ani sprzątaczki, nikogo nie potrzebują. Wpadam na chwilę do rodziców.

– Czy ty, kochanie, pilnujesz Tosi?

Nie, nie pilnuję. Tosia pilnuje się sama. Ja pilnuję, żeby się nie rozpaść.

– Tak źle wyglądasz, chyba schudłaś – mówi Moja Mama.

– Kobieta w twoim wieku – mówi Mój Ojciec – nie powinna chudnąć. Zmarszczki i te rzeczy... Ja na twoim miejscu...

Nie zadowolę ich nigdy.

Wchodzę do antykwariatu, może jakiś poradnik dla kobiet, co nie wiedzą, jak żyć? Ale przecież ja wiem.

Tylko jakoś trudno mi wiedzę dostosować do rzeczywistości.

Na rogu Marszałkowskiej i Jerozolimskich (nie mogę nie pamiętać, że tutaj kiedyś na mnie czekał Niebieski) wpadam na Naczelnego.

– Witam i zapraszam na coś, co nam na pewno zaszkodzi – mówi Naczelny i idę z nim do restauracji libańskiej, nie zważając na to, że właśnie odjeżdża moja kolejka.

– Mnie też zwolnił – mówię do Byłego Naczelnego i jestem chyba dumna.

– Za co?

– Za gwałt – pochylam głowę i przypominam sobie, jak zgodziłam się na zmiany w moim tekście pod warunkiem, że będę mogła napisać coś, na czym mi zależy. Mniejsze zło – w tym tkwi diabeł.

– To był dobry tekst – mówi Naczelny – Kochasz to wiedział.

– Tak, ale... – trochę się zacukuję, bo co mam powiedzieć mojemu właściwemu Naczelnemu, pierwszemu szowiniście na świecie?

– Śmiało, pani Judyto – mówi Naczelny – co się stało?

– Tekst by poszedł, tylko pan Kochasz wprowadził poprawki...

I przed oczami staje mi pan Kochasz, uśmiecha się i mówi:

– Bez przesady, pani Judyto, z takim zadęciem? A prowokacja ze strony kobiet? Gdyby nie te krótkie

spódnice, gdyby nie ten uwodzicielski wzrok, to przecież nie byłoby gwałtów prawda? To drugi aspekt,
którego już pani nie uwzględniła!

– Drugi aspekt? – Jeszcze nie rozumiem, co ma na
myśli. – Jaki drugi aspekt?

– No, wiadomo, że kiedy kobieta mówi „nie", to
znaczy: „być może", jak mówi „być może", to znaczy:
„tak", a jak mówi „tak", to nie kobieta... – Kochasz
śmieje się, a mnie krew zalewa oczy. – Prawda?
Nieprawda! – krzyczę. Jest pan absolutnym dur-
niem, który trwa przy głupich stereotypach, które nie
bardzo dają się przełożyć na ludzki język! Nie rozumie pan, że właśnie o to chodzi, że „nie" znaczy „nie",
a „tak" znaczy „tak", i o tym jest ten tekst!

Otworzyłam oczy i wykrzyczałam już na głos:

– Jak pan śmie! Nieprawda! Mam po uszy głupich
dowcipów! To za poważna sprawa! Nie rozumie pan,
że właśnie o to chodzi, że „nie" znaczy „nie", a „tak"
znaczy „tak"!

Pan Kochasz zniknął mi sprzed oczu i usłyszałam głos
swojego Naczelnego.

– A.to dureń. Ale to dobre! No cóż, czasem i mężczyźni są do niczego. Ale pani Judyto, cieszę się z naszego spotkania, bo i tak miałem do pani dzwonić...
Robię taki nowy projekt „Rada w radę"... Zajmie się
pani rubryką odpowiedzi na listy?

Myślałam, że go ucałuję.

Kiedy wstawaliśmy od stolika po dwuipółgodzin-
nej rozmowie, której tematem był ten dureń Kochasz

(mężczyźni są lepsi w plotach niż kobiety, jaka szkoda, że tak rzadko się do tego przyznają), Naczelny spojrzał na mnie i uśmiechnął się:

– Średni stosunek w tym kraju trwa jednak dwie minuty. Ale wy, kobiety, nie macie prawa twierdzić, że jesteśmy kiepskimi kochankami po dwóch minutach, prawda?

Nigdy nie twierdziłam, że Naczelny jest kiepskim kochankiem. Ale jak napisze do mnie w tej sprawie, chętnie odpowiem. Szowinista jeden!

Zbrodnia w kolejce

Kolejka rusza, zostawiam miasto za sobą, w mdłych światłach wagonu widzę w szybie swoje odbicie. Wyciągam książkę, ale jest za ciemno, żeby czytać, światełka w suficie mocno przerzedzone. W Regułach wsiada do mojego wagonu mężczyzna. Najpierw idzie na tył wagonu, a potem rozgląda się, szybko spuszczam głowę, ale kątem oka go obserwuję. Tym razem nie pomaga mi powtarzanie „świat jest miejscem przyjaznym i dobrym, świat jest miejscem przyjaznym i dobrym". Widzę, jak przechodzi na środek, zbliża się niebezpiecznie, siada pośrodku wagonu, ma brązowe sznurowane buty, i kiedy podnoszę wzrok, widzę, że gapi się na mnie. Wystrzegam się wprawdzie wiadomości, ale przypominają mi się wszystkie artykuły o morderstwach, napadach i rozbojach. Udaję, że czytam, ale dopada mnie drżączka. Prawda jest okropna – jestem sama w wagonie, z facetem o nieczystych zamiarach. Świat być może jest miejscem przyjaznym i dobrym, ale ten wagon nie!

Kolejka zatrzymuje się na następnej stacji. Składam powoli książkę, jak gdyby nigdy nic pakuję do torby, i serce mi martwieje. Mężczyzna wstaje i przesiada się bliżej. Z zapamiętaniem patrzę w ciemne okno i widzę jego odbicie. Siada bliżej i patrzy. Podnoszę się i jak gdyby nigdy nic przechodzę do następnego wagonu. Nie jest to mądre, ale do mojej stacji jeszcze tylko dwadzieścia minut. W środkowym wagonie jest starsza pani i jakiś śpiący mężczyzna. Starsza pani podnosi na mnie wzrok, siadam niedaleko, oddycham z ulgą, że nie jestem sama. Powinnam wsiadać do pierwszego wagonu, w razie czego można zapukać do motorniczego, ale do pierwszego wagonu nie ma już przejścia. Serce mi wali jak głupie. Kolejka zatrzymuje się, starsza pani trąca w ramię śpiącego mężczyznę, wysiadają. Kolejka rusza, a ja z przerażeniem widzę, jak drzwi rozsuwają się i wchodzi mój prześladowca. Rozgląda się po pustym wagonie i idzie w moją stronę.

Przed oczami widzę duże nekrologi:

Żegnamy Cię, Judyto, nieodżałowana i niezastąpiona nasza przyjaciółko – zespół gazety
Wyjątkowy redaktor, wyjątkowa kobieta, której nie doceniłem – redaktor naczelny Artur Kochasz
Jedyna miłość mojego życia... – bez podpisu
Moja ukochana była żono, przepraszam... – Eksio...

Mężczyzna siada naprzeciwko mnie. Sięgam ręką do plecaczka. Nie oddam swojego życia tak łatwo, o nie! Palcami wymacuję klucze i ściskam je mocno w garści. W chwili zagrożenia podobno całe życie staje przed oczami. Mnie nie staje życie, tylko mój młodszy brat. W łazience, jakieś trzydzieści lat temu. Pod nieobecność rodziców pokłóciliśmy się o coś ważnego – na przykład, kto ma wyjść z psem albo wynieść śmieci, albo o jakiś ołówek, i parę chwil praliśmy się dzielnie – ja go szarpałam za włosy i podrapałam, a on mi spuścił prawdziwe manto. Kiedy usłyszeliśmy zgrzyt klucza w zamku, rzuciliśmy się w zgodzie do łazienki, obmywając zadane sobie rany – ja krew z nosa, on ślady po moich pazurach. Mój kochany braciszek w tej łazience udzielił mi łaskawie paru rad. Powiedział mianowicie: trzymaj cokolwiek w ręce, wtedy uderzenie jest silniejsze. I nie drap, bo to nic nie daje, wal prosto w jaja.

Jestem czujna jak tygrys przed atakiem. Czuję klucze w dłoni, ściskam je tak mocno, że mam wrażenie, że dochodzą mi do kości. Niech się tylko ruszy! Jeden ruch i zobaczy, co to znaczy atakować kobietę, matkę dzieciom!

W głowie mi dudni: Nie bądź ofiarą! Krzycz! Broń się!

Nie będę krzyczeć, bo i tak nikogo oprócz nas nie ma. Skup się i nie przeocz niczego! Podnoszę głowę i patrzę mu prosto w oczy, niech wie, że go widzę. Mężczyzna to nie taki znowu mężczyzna, chłopak prawie, ale chłopcy też potrafią być źli, nie zwiedzie mnie jego sarni wzrok, w Anglii dwunastolatek zamordował. Ze mną nie pójdzie łatwo, nieco trudniej mi będzie kopnąć go w jaja, bo siedzi, ale niech się tylko ruszy, będę szybsza, wiem to. Kolejka staje, drzwi się otwierają, zamykają, nikogo. Dwie stacje do domu. Jeszcze tylko dwie stacje. Świat jest miejscem przyjaznym i dobrym, rzucam okiem na podłogę, wiem, gdzie postawię nogi, może mnie chwycić, jak będę wstawała, ukradkiem wyciągam dłoń z kluczami, jeden jest większy, trochę wystaje. Chłopak zaczyna się wiercić, drętwieję.

– Przepraszam, że tak się przysiadłem – mówi. Głos ma miły i nie więcej niż szesnaście lat. Bandyta o uwodzicielskich oczach, zielonkawoszarych, nie zwiedzie mnie jego ton głosu ani uroda! – Ale tak nieprzyjemnie o tej porze, trochę się boję, a nikogo nie ma tutaj oprócz pani, zawsze raźniej z kimś starszym... – kończy mój prześladowca.

*

Wracam do domu przez lasek. Czy to możliwe, że parę miesięcy temu czekał na mnie Niebieski?

Nie dzwoń do szkoły,
nie będziesz w ciąży

Forsycja obsypała się żółcią. Sikory dzwonią, aż koty się oblizują. Nie widać, a słychać, że mięsko latające tuż-tuż. Tylko patrzeć, jak będzie wiosna. Tosia chyba zrezygnowała z przygotowań do balu maturalnego, przyrządy do manicure nieruszane, uczy się.

*

Zakwitła tarnina.

Kochana Judyto,
tylko dzisiejszy dzień się liczy, wczoraj minęło, jutro jeszcze nie nadeszło. Rozejrzyj się wokół siebie i znajdź choć parę rzeczy, które mogą cię ucieszyć. Najdłuższa podróż zaczyna się od pierwszego kroku. Szklanka może być do połowy pusta lub do połowy pełna. Bądź cierpliwa, w czekaniu też można znaleźć przyjemność... pomiędzy przyjściem listu a zdjęciem pieczęci z pośpiechem śpi szczęście, co najwyższą rozkosz daje łonu...
Trzy tygodnie to nie wieczność, zajmij się czymś...
Jestem z Tobą, Judyta

*

Dzwonię do Szymona, czy coś wie o powrocie ojca. Głos Szymona jest suchy, obcy. Odpowiada sztywno, wszystko bez zmian. Mam nadzieję, że ojciec się do ciebie odezwie.

Mam nieodparte wrażenie, że chciał powiedzieć „pani". Ojciec się do pani odezwie.

Ale jeszcze nie będę o tym myśleć, jeszcze nie teraz. Przede mną sporo roboty, dostałam z nowej redakcji listy. To jest w tej chwili najważniejsze.

Podać Tosi obiad i zmusić ją, żeby zjadła, mimo że ma ściśnięty żołądek, mamo, nie rozumiesz? Ugotować psu, wymyć miski kotom.

*

Droga Redakcjo,
prosiłabym o radę, jak postąpić w mojej sytuacji. Ale zacznę od początku. Narzeczony pojechał do Chicago, bo tam mieszka znajomy jego kuzyna, który na rzeźni dużo zarabia, a on chce też zarobić na nasz ślub i remont sutereny u moich przyszłych teściów, gdzie chcemy zamieszkać po ślubie i gdzie będzie pomieszczenie na naszą przyszłą firmę. Ale tak się porobiło, że ja dostałam trochę pieniędzy od moich rodziców i zaczęłam robić ten remont, żeby mniej potem było do roboty, to znaczy jeden znajomy zaczął, co ma firmę malowanie remonty ekspres i mnie się spodobało, że już coś będzie zrobione.

Na moje nieszczęście się zakochałam w tym znajomym, a w dodatku zaszłam w ciążę. Teraz nie wiem, jak postąpić. Droga Redakcjo, doradź mi proszę, bo bez Ciebie moje życie będzie jedynie pasmem udręki. Narzeczony nic nie wie, ani jego rodzice, ale ja wiem i nie wiem, co zrobić.

Błagam, pomóżcie!
Ela z kieleckiego

Skoro świeci słońce, można też zgrabić zeszłoroczne resztki liści, niech trawa oddycha.

Pojechać po pizzę i coca-colę dla Tosi i Isi, bo nic innego im nie przechodzi przez gardło.

Droga Redakcjo,
mam 42 lata i szesnastoletnią córkę, to znaczy jeszcze oprócz tej córki mam dwójkę, starszy syn jest w wojsku, a młodsza córeczka idzie w tym roku do szkoły. Ale piszę w sprawie tej szesnastoletniej córki. Ona właściwie ze mną nie rozmawia. Na pytania odpowiada ogólnikowo, jak pytam, co w szkole, to mówi że dobrze, ale żadnych detali z jej życia nie znam. W szkole nie mają do niej pretensji, ale wiem, że matka powinna być przyjaciółką córki i ją rozumieć, mieć z dzieckiem kontakt. Co mam zrobić, żeby zaczęła ze mną rozmawiać poważnie, dzielić się swoimi sprawami, bo ja do niej dotrzeć nie potrafię. Ciągle słyszę tylko, że wszystko OK i że nic się nie dzieje, to o co mi chodzi? A mnie chodzi o to, żebyśmy mogły porozmawiać, żeby czasem zapytała mnie o radę, by nie była taka opryskliwa, bo przecież nie ma drugiej osoby na świecie niż matka.

Tosia ze swojego pokoju, ja przed komputerem.

– Mamo?

– Co kochanie?

– Czy ty wiesz, że homoseksualiści mają gen odpowiedzialny za ich skłonności?

– Czy ty się uczysz do matury?

– Hamer z National Cancer Institute w USA porównał kwas dezoksyrybonukleinowy czterdziestu par braci homoseksualnych i odkrył, że trzydzieści trzy pary miały te same znaczniki genetyczne w rejonie X928 chromosomu X!

– Tosia! Daj spokój homoseksualistom!

– O właśnie, wszystkich drażni ten temat! Jesteś nietolerancyjna!

– Tośka, czy masz nadzieję, że takie będą pytania na maturze? Ja pracuję!

– Mamo, z tobą w ogóle nie da się poważnie rozmawiać, nigdy nie masz dla mnie czasu!

Droga Redakcjo,
ulokowałam pieniądze w funduszu inwestycyjnym, ale teraz mam zagwozdkę i mam nadzieję, że mi pomożecie. Na przestrzeni ostatnich pięciu miesięcy jednostka spadła o prawie 0,22%, co stanowi jednak poważną kwotę, chociaż nie chciałabym pisać, ile pieniędzy ulokowałam, bo to zawsze bardziej bezpieczne. Kiedy kupowałam jednostki, kosztowały one 157 złotych i dwadzieścia groszy. Potem z dnia na dzień niemalże pomalutku cena za jednostkę rosła. Już następne jednostki kupowałam po 158,72 zł, czyli były one droższe. Minęło parę tygodni, zanim zdecy-

dowałam się przenieść wszystkie pieniądze do tego funduszu, ale wtedy cena jednostek już wynosiła 164 złote z groszami, a konkretnie, 164 złote i 83 grosze. Nie zrobiłam głupio, bo cały czas te jednostki rosły. Aż zaczęły spadać. I teraz moje pytanie brzmi – jak to będzie wyglądało? Czy ten fundusz gwarantowany przez państwo ma jakąś szansę podnieść się? Czy nasze państwo upadnie, jak wejdziemy do Unii? Bo prognozy, które śledzę, są bardzo różne, a telewizji nie wierzę. Jeśli nasz rząd upadnie, to cena wzrośnie czy spadnie? Czy mam już teraz odkupić ze stratą swoje pieniądze, czy wprost przeciwnie, poczekać, aż znowu cena jednostki pójdzie w górę? Czy jak wejdziemy do Unii, to ten fundusz będzie dalej istniał, czy nie? Dzwoniłam na infolinię, ale oni takie wiadomości zachowują dla siebie, wiadomo z jakich powodów. Więc droga Redakcjo, proszę się dowiedzieć, na pewno macie własne sposoby i napisać mi, czy jeśli zainwestowałam 50 tysięcy złotych w jednostki za 164 złote i 83 grosze, oraz wcześniej, za tę niższą cenę 35 tysięcy, oraz jeszcze wcześniej prawie osiemnaście, to jak będzie wyglądał mój zarobek, gdybym jednak wstrzymała się z wykupieniem do maja? Czy zarobię dużo pieniędzy? Macie przecież tam biegłych księgowych i zawsze mogłam na was liczyć, nie zawiedźcie mnie.

Z poważaniem

PS Wszystkie moje dane i dane finansowe są objęte tajemnicą, pamiętajcie o tym!

Rachunki zapłacić, telefon, elektryczność może poczekać, ale jak wyłączą telefon to będzie kłopot. Ile jednostek funduszu mam zapłacić za telefon, jeśli rachunek telefoniczny wynosi 129,60 zł?

Droga Redakcjo,
podjęłam dojrzałą decyzję o współżyciu seksualnym.
Długo się zastanawiałam razem ze swoim chłopcem
i w końcu do tego doszło. Zabezpieczyliśmy się odpowied-
nio, tak jak pisaliście o tym w numerze czerwcowym. Ale
dwa tygodnie później zauważyłam niewielkie zgrubienie
pod prawym kolanem. Czy może to być ciąża pozamacicz-
na? Czy te środki działają również na niepożądane ciąże
pozamaciczne? Nie mogę zapytać o to mamy, bo ona by
nie zrozumiała moich problemów. Ciągle uważa mnie za
dziecko, choć w styczniu skończę piętnaście lat.
Pozostaję z szacunkiem, Aneta

O, droga Aneto, na ten list już odpisywałam w poprzedniej redakcji. Mam wrażenie, że bawi cię zawra-
canie głowy różnym redakcjom. Nie znasz przepływu
pracowników, po prostu pracujemy we wszystkich re-
dakcjach naraz. Nie śpij z nikim, smarkulo! Poczekaj
z dziesięć, dwadzieścia lat!

*

Nie mogę spać.

Kochana Judyto,
jeśli masz psa, weź go na długi spacer przed położe-
niem się spać. Nie jedz nic od 18, obciążony żołądek
nie sprzyja zaśnięciu. Przed snem pomyśl o czymś przy-
jemnym, dziesięć dni to nie wieczność.

*

– Mamo, ale mi smutno, że już nie będę chodzić do szkoły. Już nigdy. To tak tragicznie brzmi. Kończy się jakiś okres w moim życiu, a ja w ogóle nie jestem do tego przygotowana. Nie zgadzam się. Będę płakać na zakończeniu roku. Przyjdź, ale nie podchodź do mnie, stań gdzieś z tyłu.

*

– Nie, nie przychodź, przecież jestem dorosła.

*

– Przyjdź, bo mama Ani też będzie. I Ula, no dobra. I ojciec obiecał, że przyjdzie.

*

– Lepiej, żeby żadnych rodziców nie było. Ale i tak będą. A ojciec tego wymoczkowatego Michała na pewno będzie kręcił wideo. Jakbyśmy byli w przedszkolu.

*

– Ojciec Michała obiecał, że każdemu przegra film. Będziemy mieli fajną pamiątkę.

*

– Na pewno na maturę dostanę okres. I co mam wtedy zrobić? Będzie mnie bolał brzuch i się na niczym nie skupię. Dlaczego ty mnie nie słuchasz? Czy mogę mieć przesunięty termin zdawania, jak lekarz powie, że nie jestem zdolna do pójścia do szkoły?

*

Droga Redakcjo,
korzystam z okazji, żeby was zapytać, czy słusznie zostałem zawieszony w prawach ucznia. Zadzwoniliśmy z kolegą Jędrkiem Haufą do szkoły, że tam jest bomba, bo razem z kolegą nie byliśmy przygotowani do lekcji z matematyki, ale przyznaliśmy się od razu, a oni i tak nas zawiesili. To wychodzi na to, że nie ma sprawiedliwości i że niepotrzebnie się przyznaliśmy, bo tak, to oni by nie wiedzieli, kto dzwonił. A tak zostaliśmy ukarani i mnie rodzice nie pozwalają się kontaktować z kolegami. To jest niesprawiedliwe i dlatego tą drogą proszę was o interwencję i kolega Jędrek Haufa też.

*

– Jutka, ciebie w ogóle nie ma! Nie przesadzaj z tą pracą! Zobacz, jak jest ślicznie na świecie! Jedziemy z Krzysiem do ,,Ogrodów" – kupujemy śliwę amerykańską, ma takie ciemne liście, kupić ci też? A może byś z nami pojechała?

*

Droga Redakcjo,
nie lubię ani was, ani żadnych innych gazet, bo tylko kłamiecie i kłamiecie i nic nie robicie, żeby się ludziom lepiej żyło, tylko chwalicie ten rząd, jak telewizja toż samo, pisałem nawet do prezydenta, ale on ma w poważaniu takiego człowieka jak ja szarego i pisałem do Brukseli, że u nas prawa są łamane, ale kogo to obchodzi, nikogo nie obchodzi. Nie ma żadnego praworządu u nas, kiedyś się lepiej żyło, ale kogo to obchodzi, tylko mnie. Tylko kościoły budujecie, a człowiek się nie liczy, a telewizja jak kłamała tak kłamie i nic się nie zmieniło i na Kościół tylko napadacie, bo już wiary w ludziach nie ma. Chyba że wydrukujecie ten list to będę wiedział, że komuś też zależy, żeby nasza Polska była naszą ojczyzną, a nie cudzym parobkiem na pasku.

Z poważaniem
Henryk Sapieski
PS Proszę o szybki odpis.

No cóż. Sama byłam za tym, żeby na każdy list odpisywać. A może by tak globalnie? Jednym listem załatwić te problemy? Na przykład:

Droga Aneto, Bruksela ani prezydent nic wiedzą o twoim problemie z kolanem na pasku. Na drugi raz nie dzwoń do szkoły, to nie będziesz na pewno w ciąży...

*

Szanowna Redakcjo,
mój mąż nie wraca do domu, przychodzi nad ranem.
Nie wierzę, że pracuje tak dzień w dzień. Droga Redakcjo,
co mam robić?

Nie rób awantury. Wytrzymaj – to kwestia paru tygodni, kiedy się wyprowadzi do tamtej pani.

*

Droga Redakcjo,
kłócimy się o wszystko, czasem mam ochotę go zabić.
Co mam robić?

Nie wrzucaj pochopnie suszarki do wanny, kiedy on się kąpie. Naprawdę, najpierw spróbuj z nim porozmawiać. Może dojdziecie do porozumienia. Ale chyba nie, jak znam życie.

*

Droga Redakcjo,
zgubiłam klucze, co mam robić? Jestem niespokojna...

Jeśli zgubiłaś klucze, nie zmieniaj zamków. Wykorzystaj okazję, zmień mieszkanie.

Droga Redakcjo,
chciałem na wiosnę odnowić mieszkanie, kupiłem far-
bę firmy JUKON, bo się ładnie reprezentowała na półce,
a sprzedawca powiedział, że mogę pomalować mieszkanie

337

raz i wystarczy. I maluję już szósty raz, a ona nie pokrywa. Co mam robić?

Kupić farbę o określonym kolorze, a nie przezroczystą, to proste.

*

Kochana Judyto,
parę godzin to nie wieczność, wytrzymasz. Zajmij się czymś, to czas Ci szybciej upłynie. W każdym domu jest coś do zrobienia. Nie zawracaj mi głowy.

Z poważaniem Judyta

O mnie zapomniałeś

Głos Adama w słuchawce zabrzmiał obco, a mimo to nogi się pode mną ugięły.

– Dzień dobry, tu Adam. Judyta?

– To ja – wyszeptałam w słuchawkę i serce usiadło mi na ramieniu jak oswojona papuga Mańki.

Więc nie wszystko stracone. Wrócił wczoraj, tak jak był zabukowany, i zadzwonił, od razu zadzwonił, może to wszystko, co go tam przez te miesiące spotkało i skłoniło do tego okrutnego listu, jest nieważne tutaj? Czy jestem gotowa wybaczyć? Przecież nie dzwoniłby ot tak sobie, po nic. Teraz już nie muszę milczeć, porozmawiamy, wyjaśnimy sobie wszystko.

– Więc od razu dzwonię – jak przez mgłę usłyszałam tylko koniec zdania.

Bardzo się cieszę, że już jesteś, tak bardzo za tobą tęskniłam, Adam, to nieważne, co się stało, spotkajmy się, porozmawiajmy jak dorośli ludzie, przecież nie ma rzeczy nieodwracalnych, jeśli się kochamy, wszystko

można wybaczyć, zrozumieć, tak się cieszę, że jesteś...
– chcę powiedzieć jak w serialu amerykańskim i otwieram oczy.

Słuchawka przy uchu tak przyciśnięta, że mało jej sobie nie wsadzę w resztki zdrowego rozsądku. Biorę głęboki oddech.

– Cieszę się, że już jesteś – mówię.

– Pytałem, czy mógłbym ewentualnie jutro po tę wiertarkę i komputer przyjechać – w środę idę do pracy i...

Po komputer i wiertarkę. Aha.

– Oczywiście, dobrze, kiedy ci wygodnie.

– Jutro, jeśli pozwolisz. O której wracasz z pracy?

Nie pracuję w pracy, wyrzucili mnie, pracuję w domu. Bądź o której chcesz, chcę cię zobaczyć jak najwcześniej, bądź o szóstej rano, będę czekała z zaparzoną kawą dla ciebie i herbatą dla mnie – chcę powiedzieć.

– Jak ci będzie wygodnie, jestem cały czas w domu – mówię do słuchawki.

– To, jeśli pozwolisz, będę koło szesnastej.

– Dobrze – mówię i robi mi się niedobrze.

– To w porządku – mówi mój ukochany, już nie mój, Niebieski głosem szklistym i bezkolorowym, wyzutym z wszelkich uczuć. – To do widzenia.

– Do widzenia – mówię.

Odkładam słuchawkę i chcę nie pamiętać tego tonu. Jeśli pozwolisz, mógłbym – grzecznościowe formułki jak w ćwiczeniach z kultury języka polskiego.

*

Borys leży u moich stóp. Ciężko oddycha. Wczoraj znowu wynosiłam go do ogrodu, tylne nogi ma prawie sparaliżowane, ciągnie je za sobą. Dzisiaj nie mógł się podnieść. Mańka mówi, że już czas na niego. Czuję, że się męczy.

Klękam przy nim na dywanie, kładę dłoń na jego posiwiałym łbie, głaszczę go i przytulam mocno jego kudłaty łeb. Borys otwiera oczy i patrzy na mnie, czarne guziczki są tak pełne ciepła i miłości, i czegoś jeszcze, czego, nie chcę widzieć. Jeszcze nie, Borysku, trzymaj się, tak bardzo cię kocham, głaszczę go i głaszczę, aż koty podchodzą do nas i zazdrosny Zaraz pakuje mi pod rękę swój srebrny łeb.

Za chwilę zostanę sama, wiem, jutro albo pojutrze, albo za trzy dni muszę podjąć decyzję. Pochylam się nad Borysem, odsuwa pysk, nigdy nie lubił, jak mu dmuchałam w nos, i całuję go w ucho. Ucho zaczyna podrygiwać, strzepuje ten mój pocałunek. Niech ta moja pani się tak nie zachowuje, dmucha na mnie i łaskocze, niech da mi spokój, jestem starym chorym psem.

Podnoszę się, Zaraz wyciąga łapę. Och, ta Tosia, mam jedynego kota na świecie, który podaje łapę jak chce jeść, Tosia go tak nauczyła. Idę więc do kuchni, wyciągam puszkę kocią i wkładam do miseczek po trzy duże łychy. Borys słyszy stukanie, ale nie podrywa się, nie staje w drzwiach kuchni, nie próbuje udawać, że nie wie, która miska jest jego, a która kotów. Stukam specjalnie głośno łyżką o puszkę, ale drzwi zostają puste.

A potem płaczę sobie, ile wlezie. Płaczę nad sobą i nad moim Borysem, płaczę, bo nie tak miało wyglądać nasze powitanie, moje i Adama, płaczę, bo nie chciał, żebym na niego czekała na lotnisku, płaczę, bo znowu będę musiała Borysa wynosić na spacer, skoro nie przyszedł na dźwięk puszki, płaczę, bo życie jest dla mnie za trudne i za ciężkie, bo zawsze w najtrudniejszych momentach jestem sama, i jedyna istota, która mnie kochała bez względu na to, czy byłam wredna, czy wspaniała, czy wyglądałam cudnie, czy okropnie, leży na dywanie w pokoju i nie ma siły się ruszyć, i to ja jestem odpowiedzialna za decyzję: życie lub śmierć.

A potem wynoszę Borysa do ogrodu. Jest zimno i ciemno, Borys ciągnie za sobą tylne nogi i odchodzi aż za sumaki. Czekam na niego na tarasie, zimno mi, ale pies też czasami musi być sam. Jest skrępowany, kiedy za nim chodzę, jakby wstydził się swojego chwiejnego kroku. Borys wraca pomalutku, zaczepia kudłami o krzewy róż, odskakuje, przewraca się na bok, nieudolnie wstaje i wlecze się w moją stronę, a moje serce zamiera.

Jutro przyjedzie Adam. Po namyśle doszłam do wniosku, że duma nie jest najlepszym doradcą. Poproszę go, żeby wszedł, wtedy nawet jeśli nie będzie zachwycony, nie będzie mi mógł odmówić rozmowy. A ja będę ślicznie wyglądać. Nałożyłam kremu pod oczy, który złośliwie dostałam na gwiazdkę od Agnieszki. Zrobiłam okład z fusów od herbaty na oczy, bo są spuchnięte i czerwone, a że nie mam herbaty w torebkach, fusy trochę leżą na powiekach, a trochę tu i ówdzie. Będę ślicznie wyglądać, tak, żeby pomyślał, bez względu na to, co go ode mnie odepchnęło, że wyglądam tak ślicznie dla niego. Włożę spódnicę, którą on lubił, i starannie się wymaluję. Bo to jest święto. Wrócił.

Już nie jestem dzieckiem. Jestem dojrzałą kobietą i zniosę wszystko. Ale muszę z nim porozmawiać. Muszę wiedzieć, co się stało, dlaczego się wszystko zmieniło trzy miesiące temu.

*

Od rana jestem podminowana. Mieszkanie sprzątnięte, próbuję pracować, ale nie jestem w stanie patrzeć na ekran monitora, litery mi biegają przed oczyma. Nic rozsądnego nie napiszę dzisiaj, do nikogo. Potem gram w jakąś idiotyczną grę, potem włączam radio, potem włączam Eltona Johna, potem siedzę w kuchni, a potem dzwonię do Mańki, która mówi, że przyjedzie w każdej chwili, jak podejmę decyzję. Potem kładę Borysa na łóżku, niech sobie leży tam, gdzie lubi, potem wypalam papierosa – ohyda! – a potem dzwonię do Mojej Mamy.

– Co słychać, córuchno? – pyta Moja Mama, a ja nie mam odwagi powiedzieć, że wrócił Adam.

– Wszystko w porządku, mamo – mówię.

– Idziemy z ojcem w niedzielę do teatru, masz ochotę pójść z nami?

– Bardzo chętnie – mówię, choć wcale nie mam ochoty iść do żadnego teatru, w żadną niedzielę, chcę, żeby Adamowi wrócił rozum, żeby pamiętał, że mnie kochał.

– To dam ci ojca – mówi Moja Mama.

– Tato?

– Co się stało? – pyta Mój Ojciec, który z wiekiem robi się dużo czujniejszy niż Moja Mama.

– Nic – mówię.

– Przecież słyszę – Mój Ojciec nie daje za wygraną.

– Nic, tato, z Borysem jest coraz gorzej – mówię i głos mi się łamie.

– Nie męcz tego psa. Ja na twoim miejscu – mówi Mój Ojciec, a ja mam znowu ochotę płakać, więc szybko kończę rozmowę.

*

Jest południe. Do czwartej jeszcze trzy godziny. Co ja mam robić przez trzy godziny? Przez trzy godziny można urodzić dziecko, zbawić świat, przeczytać, napisać, upiec trzy kilo cielęciny albo trzykilowego indyka. Nie chcę ani zbawiać świata, ani nic piec. Chcę, żeby już była czwarta. Tosia wraca dzisiaj o drugiej. Wyjmuję z zamrażalnika gołąbki, stawiam na małym ogniu.

Oczy mam zmęczone, ale włosy podkręciłam na szczotce Tosi, wyglądam nieźle. I schudłam. Wcale mi na tym nie zależy. Jak by wyglądał świat bez mężczyzn? Byłby pełen szczęśliwych grubych kobiet.

Nie chcę być szczęśliwa, chcę być z Adamem.

Dzwonek od domofonu stawia mnie na nogi. Za wcześnie! Od furtki idzie pani Stasia, stawia rower koło szopy. Jakie to szczęście, że nie jestem sama w tej chwili. Otwieram z radością drzwi, pani Stasia podaje mi w progu jajka. Mleka już nie ma, ostatnia krowa padła.

– Niech pani wejdzie, pani Stasiu, zrobię herbaty.

Pani Stasia uśmiecha się najłagodniejszym uśmiechem na ziemi i przysiada na brzegu krzesła w kuchni.

– Herbaty to nie... Ale zapaliłabym, pani Judyto...

O mały włos nie siadam z wrażenia.

– Przecież pani nie pali?

– Nie, ale dzisiaj tak mnie krzyże bolą... Od rana chyłkiem skopałam za domem, a to już nie na moje lata...

Podaję popielniczkę i papierosy. Chyłkiem – to znaczy schylona. Jak ja lubię słuchać pani Stasi. Jej język jest pełen życia. Nikt już nie pamięta, skąd się wzięły takie słowa jak chyłkiem, a przecież to jasne – chyłkiem pochodzi od schylania się, a język pani Stasi jest najbardziej prawdziwy w tym świecie pełnym bełkotu.

– Jakieś święto dzisiaj dla pani? – Uśmiecha się pani Stasia i orientuję się, że dobrze wyglądam.

– Mam nadzieję – mówię i wierzę w to z całego serca.

Tosia wbiega do domu, rzuca na mnie okiem, rzuca torbą, wbiega na górę.

– Tosia! Gołąbki! – krzyczę za nią.

Za chwilę słyszę tupot z powrotem na dół.

– Tata przyjeżdża po mnie o czwartej!

– Przecież wiesz, że o czwartej przyjeżdża Adam!

– Robi mi się przykro, tak przykro, że nagle perspektywa wspólnego posiłku z Tosią przestaje mnie cieszyć.

– Czy ty to robisz specjalnie?

– Co? Mam oblać maturę tylko dlatego, że tu przyjeżdża Adam? Jak możesz się z nim spotykać po tym, co ci zrobił? Ty nie masz w ogóle honoru! – mówi moja własna rodzona córka. – Ja muszę być na zajęciach o piątej w mieście i to wspaniałe ze strony ojca, że po mnie przyjeżdża! Ty mi chyba zazdrościsz, że ktoś o mnie dba! – Tosia odsuwa talerz z gołąbkami i wstaje od stołu. – Nie umiesz docenić tego, co dla mnie robi tata...

Zostaję w kuchni w dwoma talerzami, z nieruszonymi gołąbkami. Nie chce mi się kłócić z Tosią. Dopadły mnie problemy dziecka rozwiedzionych rodziców. Wszystko to wiem, a jednak przykrość powoli wędruje od żołądka do krtani. Jeszcze tego brakuje, żebym z powodu własnej córki się poryczała, i to teraz, kiedy jestem wymalowana, i to bardzo dobrze i dwuocznie. Nie.

Zaraz wskakuje na stół i zbliża swój pyszczek do talerza. Prycha, nie muszę go przeganiać, bo odwraca się z niesmakiem i zeskakuje na krzesło. Potemek grzecznie siedzi przy nodze stołowej i myje pysio. Pakuję z powrotem gołąbki do garnka.

Dzisiaj mam do załatwienia najważniejszą sprawę w swoim życiu. Rozmowę z Adamem. I nie przeszkodzi mi w tym ani Tosia, ani Ten od Joli. Kiedy za dziesięć czwarta słyszę dzwonek do furtki, serce mi podskakuje znowu o wiele za wysoko. Wypadam z łazienki, ale Tosia jest pierwsza przy domofonie. To Eksio.

– Już idę, tatusiu – krzyczy Tosia, a ja wychodzę do furtki. Doprawdy nie muszę go przyjmować w domu, nawet jeśli jest to dom mojej córki. Może na nią poczekać przed wejściem. Narzucam płaszcz, Eksio stoi w ogródku, uśmiecha się do mnie.

– Pięknie wyglądasz, Judyto.

Podaję mu rękę, ściska mi ją o wiele za długo.

I tak właśnie zastaje nas Adam.

Nie słyszałam, Eksio nie wyłączył silnika, taki jest pewny, że tu nikt mu się do samochodu nie rzuci, Adam stoi w otwartej furtce i patrzy na mnie... patrzy na mnie po prostu, a ja uśmiecham się, wyrywam Eksiowi rękę i rzucam się w jego stronę.

I czuję, że bolały mnie oczy, ponieważ nie widziałam go tyle miesięcy i to był jedyny powód. Widzę, jak staje, jaki jest inny po tej Ameryce – jakiś smutny? – widzę, jak nie uśmiecha się na mój widok, i czuję, jak więdnę na tych paru metrach, które dzielą mnie od niego, i jak moja radość ucieka gdzieś i groźny niepokój, z którym walczyłam tak długo, zwycięża. Zatrzymuję się przed Adamem, staję jak słup, tak bym chciała, żeby mnie przytulił, ale on nie robi żadnego ruchu. Tak bardzo się zmienił przez tych parę miesięcy? To możliwe?

– Dzień dobry – mówi Adam, jakby przyszedł po jajka albo do sklepu, albo do urzędu pracy, albo odebrać dowód, albo paszport i sztywno wyciąga do mnie rękę.

– Dzień dobry panu – mówi Ten od Joli, który idzie ku nam także z wyciągniętą ręką.

– Cześć Adam – Tosia staje jak wryta, czerwieni się po raz pierwszy w życiu. Przybijają sobie jak zwykle piątkę, ale wypada to jakoś sztucznie. Tosia bierze pod rękę ojca. – Musimy już iść – mówi i odchodzą.

Zostaję sama, Adam nie patrzy na mnie, patrzy w drzwi domu.

– To co, mogę?

– Proszę bardzo – mówię, jakbym pracowała na poczcie i oddawała komuś list polecony.

Adam kieruje się ku domowi, ja idę za nim jak cielę prowadzone na rzeź.

– Może napijesz się herbaty?

Już nie patrzę na niego, nie wiem, jak się zachować, nie chcę widzieć jego omijającego mnie, chłodnego wzroku, wchodzę do kuchni, nastawiam czajnik.

– Dziękuję, ale się spieszę.

Borys podnosi łeb, wstaje, na sztywnych łapach podchodzi do Adama, macha opuszczonym ogonem, Adam klepie go po łbie, Borys podnosi łeb i patrzy za nami, a my idziemy razem do pokoju, Adam zeszczuplał, schyla się, wyjmuje wtyczkę od komputera, przekłada sznury, nie patrzy na mnie, nie widzi, jak ładnie wyglądam tylko dlatego, że miał mnie zobaczyć, miał zatęsknić, miało mu się przypomnieć, rozłącza wszystkie złączki, a ze mnie uchodzi życie i radość, że go widzę. Idę do kuchni po kluczyki i dokumenty. Ubrania wyjęte z szafy leżą na łóżku, nosi je do samochodu, musi wracać parę razy.

– Jeszcze wiertarka – mówi cicho.

Otwieram szafę i wyjmuję spod swoich swetrów wiertarkę, kładę na łóżku, niech wobec tego niczego nie zapomni, to już wszystko, cały majątek, raptem cztery razy obrócił, jeden samochód wypakowany, i nie ma śladu po mężczyźnie mojego życia.

I wygląda na to, że wcale nie chce ze mną rozmawiać.

Bierze monitor, przytrzymuję usłużnie drzwi, a serce mi tak krwawi, że podłoga robi się czerwona, widzę to wyraźnie, ale on tego nie widzi. Stoję przy tej framudze i słowa więzną mi w gardle.

Co ty robisz, Adasiu Niebieski? Dlaczego przestałeś mnie kochać?

– To trzymaj się – mówi Adam. – Muszę lecieć.

Sięga po wiertarkę, kładzie ją na komputerze, wyniósł już monitor, rozgląda się tak, jakby czegoś zapomniał, nie patrzy na mnie.

O mnie zapomniałeś – chcę krzyknąć, ale oczywiście nie robię tego.

– Do widzenia – mówię i patrzę, jak idzie do bramy, otwiera ją i wsiada do samochodu, zamykam bramę, wchodzę do kuchni i zagryzam do bólu ręce.

*

Wieczorem przychodzi Ula.

– Widziałam Adama – mówi i czeka, co powiem.

– Ja też – mówię i nawet nie mam ochoty na zrobienie herbaty.

– Rozmawiałaś z nim? – pyta Ula.

Chcę być sama! – krzyczę – chcę być sama, zawsze jestem sama, nic mi się nie udaje, nie ma nic stałego w moim życiu, nie chcę teraz z tobą rozmawiać, bo zacznę wyć z rozpaczy, a ty będziesz mi mówić, jak to wspaniale przeżyć życie z jednym mężczyzną, i jaki wspaniały jest Eksio, nie chcę tego słuchać! Twoje życie nie jest moim życiem!

Otwieram oczy i patrzę na życzliwą twarz Uli.

– Chcę zostać sama – mówię cicho. – Wybacz, Ulka, ale nie czuję się na siłach rozmawiać z nikim, nawet z tobą. Muszę – i słyszę, jak głos mi się załamuje – muszę się zastanowić, co robić. Jak żyć... Muszę... zrozumieć... dlaczego...

Ula nie wychodzi, wprost przeciwnie, mija mnie, idzie do kuchni, nastawia wodę.

– Zrobię ci herbatę – mówi – nie martw się, teraz się wszystko ułoży...

– Ułoży? – Smutek tak nagle zamienił mi się w zdziwienie, że mnie samą to zaskoczyło. – Co ma się ułożyć? Ja już jestem na innym etapie, niż byłam... a teraz... teraz muszę się nauczyć bez niego żyć i... – I nie mogę nic więcej powiedzieć, bo nie można wytłumaczyć Uli, co to znaczy stracić kogoś, kogo się kochało całym sercem, kogoś, do kogo się miało zaufanie. Nie można wymagać od Uli, żeby poczuła to, co ja czuję. Ula tego nie zrozumie nigdy. I dlatego muszę zostać sama. – Ula, proszę cię.

A Ula odwraca się i zupełnie niepotrzebnie powtarza:

– Jutka, wszystko się ułoży, zobaczysz, Tosia już jest szczęśliwa, to i ty będziesz, pojmiesz, co jest dla ciebie najważniejsze...

Ula wychodzi, wpuszczam koty i z kredensu biorę pół tabletki ciocinego środka na sen. Kładę się do łóżka i zasypiam. Nie wiem nawet, kiedy wraca Tosia.

Gdybym był na twoim miejscu

Budzę się wcześnie i nie mogę zasnąć. Słońce wzeszło, poranek jest chłodny, rosa drży w promieniach słońca. Otwieram szeroko drzwi, koty ruszają niechętnie w ogród, Borys patrzy na mnie i nie wstaje. Idę do kuchni i nastawiam wodę. Sięgam po chleb i robi mi się niedobrze na myśl o jedzeniu. Nie chce mi się ani płakać, ani śmiać. Mam wrażenie, że oglądam jakiś kiepski film z własnym udziałem. Czy ja to ja, czy ktoś inny? Czy ta kobieta w zielonym szlafroku frotté z ciemnymi włosami ma na imię Judyta? Co ona będzie robić w życiu? Jak będzie wstawać codziennie i po co? Co się z nią stało?

Wchodzę pod prysznic i zlewam się zimną wodą, jakbym się chciała ukarać. Za swoje życie. Czy jakieś przekleństwo ciąży nade mną? Mam trzydzieści dziewięć lat. Czyli, nie oszukujmy się, czterdzieści. Mogę żyć bez niego. Nie umarłam z miłości, nie poderżnę sobie żył ani nie zażyję niczego, co mi może zaszkodzić.

Mam dom, córkę, koty i psa, który dogorywa. Nic się nie zmieniło. Przygotuję Tosi śniadanie, włożę pranie do pralki i siądę do komputera. W środę odwiozę listy do redakcji. Od czasu do czasu uruchomię sobie ten cholerny aparat do masażu i mój kręgosłup będzie zadowolony. Wkrótce przestanie boleć serce albo się przyzwyczaję, że boli. Ponieważ takie jest życie.

Więc dlaczego mi się wydaje, że jestem jak w szklanym kloszu? Ubieram się i jakbym ubierała jakąś inną kobietę. To nie ja. To sen. Obudzę się i znowu będę mogła czekać z nadzieją na przyjazd Niebieskiego.

Wyłączyłam ogrzewanie, w domu się natychmiast oziębiło. Jeszcze do lata daleko, zamykam drzwi do ogrodu i włączam radio.

I nagle w moim domu pojawia się Adam. Ma zmęczony głos, ale jest tuż obok, za srebrnym głośnikiem.

– Bywa że ludzie zamiast wyjaśniać ze sobą pewne rzeczy, wolą się rozstać. Mówią, dziękuję za współpracę, następny czy następna, proszę. Nie zdajemy sobie wszyscy sprawy z tego, że nierozwiązane w jednym związku problemy wcześniej czy później pojawią się w nowym związku. Tak jest ze strachem, niemożnością wyartykułowania uczuć, z zazdrością, z milionem innych rzeczy. One nie należą do naszego partnera, tylko do nas. Są naszą własnością i dopóki nie zrozumiemy, że gdziekolwiek uciekniemy, przeprowadzimy się, przeniesiemy ten bagaż ze sobą. Nawet dobrze ukryty, kiedyś przypomni o sobie, najczęściej w najmniej oczekiwanym momencie. Wszyscy oni są tacy sami – będą powtarzać kobiety, każda kobieta to dziwka – będą mówić mężczyźni. Dzisiaj o rozstaniach niekoniecznych rozmawiać ze mną i z państwem będzie psycholog Andrzej Walczeński i Wojciech Żyto. Czekamy na telefony, po wiadomościach wracamy na antenę.

Czy to nie znak, że włączyłam radio tak rano, chociaż nigdy tego nie robię? Nie będę dzwonić, pojadę. Muszę porozmawiać z Adamem. Muszę wiedzieć – muszę przeżyć to rozstanie do końca. Musi mi powiedzieć – DLACZEGO. I ja mu chcę powiedzieć, że go kocham. Tym razem nie zachowam się jak niedojrzała idiotka – to nie duma ma mną rządzić, nie ma w tym nic kompromitującego, że czuję to, co czuję, nawet jeśli dla niego jestem tylko wspomnieniem.

Jest po siódmej, ale biorę telefon i wykręcam numer rodziców. Odbiera Mój Ojciec.

– Judyta? Co się stało?

– Tato – szepczę – nie wiem, co mam zrobić... Wrócił Adam, nie wiem, co się dzieje, przyjechał tylko po komputer i nawet nie chciał rozmawiać...

– No ale przecież ojciec Tosi chce do ciebie wrócić! Rozmawiał z nami, gdybym był na twoim miejscu...

– Tatusiu – mówię cicho i bardzo zdecydowanie – nie jesteś na moim miejscu. Kocham Adama! Nic mnie nie obchodzi ojciec Tosi!

– A on o tym wie?

Mój Ojciec zadaje dziwne pytania. Jak może nie wiedzieć?

– Kto?

– No, Adam.

Śmieszny ten Mój Ojciec... Jakby się wczoraj urodził.

– Tato!

– Gdybym był na twoim miejscu...

Nie chcę tego słuchać. Myślałam, że mi jakoś pomogą, choć na ogół się od ich rad odżegnuję. Ale to jest zły adres, moi rodzice zawsze chcieli, żebym miała porządny dom, porządek w szafie, jednego męża i żyła szczęśliwie z Tym od Joli.

– ...gdybym był na twoim miejscu, tobym porozmawiał z Adamem – powtarza Mój Ojciec uparcie, a do mnie dochodzą jego słowa jak zza gęstej mgły.

– On nie chce ze mną nawet rozmawiać.

– To może ty zechciej – mówi Mój Ojciec – kończę, bo jak matka wstanie, to będzie chciała z tobą rozmawiać. I tak zrobisz, jak zechcesz. Pa, córeczko.

Jestem tak zaskoczona, że o mały włos, a zaniemówiłabym na zawsze.

Wypijam herbatę i idę na górę do Tosi. Śpi jak zabita. Delikatnie ją budzę.

– Tosia, jadę do Warszawy.

– A która godzina? – mruczy Tosia.

– Po siódmej.

– Ja idę na dziesiątą. Po co mnie budzisz? – Tosia przytula się do poduszki, a potem nagle podnosi głowę.

– Po co jedziesz? Coś się stało z babcią?

– Jadę spotkać się z Adamem – mówię, a moja córka podrywa się jak nigdy dotąd o tej porze.

– Po co mamo? Ty nie czujesz, że nie powinnaś? Kobieta nie powinna ganiać za facetem! Nie kompromituj się!

Nie czuję się na siłach, żeby wyjaśniać mojej dorosłej córce zawiłości losu dojrzałej kobiety. Zostawiam Tosię w łóżku i z prawdziwym męstwem podejmuję damską decyzję. Jak długo można uciekać od rzeczywistości?

Dawno nie jechałam kolejką o tej porze. Siedzę przy oknie i patrzę na świat, który budzi się do życia. Ozimina jest zielona, brzozy wypuszczają zieloną mgiełkę, tu i ówdzie z ziemi wystają tulipany, las pełen zawilców i pierwiosnków. Mijam sraczkowatą budowlę, tyle lat, a ja się nie mogę nadziwić kolorowi elewacji. Adam jest w radiu do dziesiątej, poczekam na niego. Jeśli rozmawia z obcymi ludźmi, mnie nie odmówi rozmowy, na pewno. To nie Eksio.

Przesiadam się do autobusu. Cała Warszawa jedzie do pracy, w autobusie tłok, z trudem kasuję bilet. Zapowiada się piękny dzień. W radiu strażnik nie chce mnie wpuścić.

– Pani do kogo? – zatrzymuje mnie.

– Do programu „Następny proszę".

– Nie mam dla pani przepustki – mówi i przygląda mi się ciekawie. – To się kończy za parę minut. Spóźniła się pani.

– Wiem. Poczekam.

Siadam w pustym holu i patrzę na zegar umieszczony nad zamkniętym sklepikiem. Jeszcze dziesięć minut, jeszcze pięć. Może zostanie dłużej, chociaż zwykle po audycji był zmęczony i wychodził od razu. Strażnik siada za swoim pulpitem i bierze do ręki gazetę. Patrzę na sekundnik, który sztywnymi drobnymi kroczkami przemierza tarczę. Piętnaście, szesnaście, trzydzieści, sześćdziesiąt, wskazówka minut drga i przeskakuje o jedną kreseczkę. I znowu dziesięć, jedenaście...

Widzę go, schodzi po schodach, w swojej brązowej kurtce, z wypchaną torbą, jak zwykle przewieszoną przez ramię. Nie widzi mnie, jeszcze mnie nie widzi, ale zaraz zobaczy. Podnoszę się i idę ku niemu. Adam przystaje na schodach, jest zaskoczony, twarz mu tężeje. Przyspiesza kroku, idzie mi naprzeciw.

– Co ty tutaj robisz? – Jak mogłam choćby przez moment myśleć, że się ucieszy?

– Muszę z tobą porozmawiać.

– Proszę, rozmawiajmy. – Siada na plastikowym krzesełku, siadam naprzeciwko niego.

– Adasiu, musisz mi powiedzieć, co się stało – zdobywam się na odwagę. – Proszę.

– Ale o co chodzi? – pyta, a ja czuję, że opuszczają mnie siły już na wstępie. – Co chcesz wiedzieć?

– Chcę wiedzieć, co się stało. Co się stało z tobą, co się stało z nami. Nie przyszłam cię prosić, żebyś ze mną był, ale o to, żebyś mi wytłumaczył.

– Tu nie ma nic do tłumaczenia, chyba wszystko jest jasne – mówi i patrzy gdzieś nad moją głowę.

– Ja jednak nie rozumiem, co takiego się stało... ten list... – Głos mi znowu odmawia posłuszeństwa, ale nie będę żebrać o jałmużnę, chcę jak dorosła osoba po prostu coś wyjaśnić, więc chrząkam. – Powiedz mi, dlaczego podjąłeś taką decyzję?

– Chyba po twojej myśli, prawda?

– Nie – mówię, choć mam ochotę krzyknąć: ,,Tak, bo takiego ciebie nie znam, nie takiego cię kocham!" – Nie, nie po mojej myśli. Ja ciebie kocham i dość trudno było mi się zdobyć na to, żeby przyjechać po naszym wczorajszym spotkaniu...

– Ale byłaś dość radosna wczoraj, zanim mnie zobaczyłaś, prawda?

Nie rozumiem, o czym mówi.

– Adam, rozmawiaj ze mną normalnie.

– Judytko, wszystko wiesz, więc o co ci chodzi? Trzeba mnie było uprzedzić, dorośli ludzie mogą rozstawać się jakoś godnie. A ty...

– Ja nic nie zrobiłam! Wytłumacz, bo to ty jesteś odpowiedzialny za tę sytuację!

– Ja? – Adam podnosi brwi. – Myślałaś, że nie dowiem się, że kłamiesz? Że sytuacja się zmieniła? Że ojciec Tosi jednak w twoim życiu znaczy więcej niż ja?

– Nic podobnego – przerywam. – Nie pleć głupstw.

– Nie, Judytko – Adam podnosi rękę – skoro tu jesteś, wyjaśnijmy sobie wszystko do końca. Dzwoniłem w Wigilię – zrobiłem to odruchowo, bo napisałaś, że jedziesz do brata! Odebrał ojciec Tosi, bardzo przyjacielski! Opiekował się domem? Nawet nie podeszłaś do telefonu... Dałem ci czas... A ty jak gdyby nigdy nic, krótkie liściki, co w Nowym Jorku, nic się nie stało! Myślałaś, że będę na zakładkę? Czekał, czy coś z tego wyjdzie, czy nie, i w razie czego? Zawiodłem się na tobie i tyle. Bywa.

– Adam, owszem, skłamałam. Tosia nie chciała jechać... Wymyśliłam, że brat... żeby ci nie było przykro... I to wszystko. Przepraszam, przepraszam, przepraszam. Ojciec Tosi jest dla mnie tylko i wyłącznie ojcem mojego dziecka. Nie kocham go, kocham ciebie.

Ale Adam nie słyszy tego, co mówię. Portier czy strażnik składa gazetę, a potem wychodzi na zaplecze. Jesteśmy sami.

– Widziałem was wczoraj razem. Rozjaśniona byłaś i piękna, bo z nim rozmawiałaś, a gdy mnie zobaczyłaś, to twarz ci się zmieniła. Byłaś zmieszana, nie wiedziałaś, jak się wytłumaczyć. Zresztą nie musiałaś. Wszystko jasne. Nie musisz mnie oszukiwać. Czyżby od wczoraj sytuacja się zmieniła? Napisałem w styczniu, dajmy sobie czas. Potem byłem zaniepokojony, co się dzieje. Prosiłem Szymona, żeby do was pojechał, sprawdził, czy wszystko w porządku. Przyjął go twój były mąż. Mieszkał z tobą.

– Czyś ty zwariował? Adam! Co ty za bzdury pleciesz!

– Nie oszukuj mnie, Judytko, bo to brzmi żałośnie. Rozmawiał z Ulą, Ula to potwierdziła. Co jeszcze chcesz wiedzieć?

– Adam, dlaczego nie potrafisz mi uwierzyć, tylko wierzysz całemu światu? Sam mnie uczyłeś, że miłość to zawierzenie i zaufanie. Dlaczego nawet nie chcesz mnie wysłuchać?

– Nie wiem, jak od wczoraj zmieniła się sytuacja, ale wybacz, już nie jestem zainteresowany.

Adam podnosi się i patrzy na mnie, a ja wiem, że nie mam tu już nic do zrobienia. Nie można rozmawiać z kimś, kto rozmawiać nie chce. Patrzę, jak Adam podnosi swoją ciężką torbę, znowu zarzuca ją na ramię. Nad jego głową zegar, wskazówka przesuwa się nerwowymi ruchami, Adam patrzy mi prosto w oczy, nie odwracam wzroku, widzę cień, wspomnienie tamtego Adama, ale ten teraźniejszy odwraca się i odchodzi, lekko zgarbiony.

Zamykam oczy i chcę sobie przypomnieć tamtego mężczyznę, który mnie kochał, ale widzę tylko pustkę i ciemność.

Strażnik pojawia się za swoim kontuarem, znowu rozkłada przed sobą gazetę, patrzy na mnie i uśmiecha się.

– No i co, doczekała się pani w końcu? – Głos ma miły.

– Tak – odpowiadam – doczekałam się.

Idę piechotą przez miasto. Chłodny poranek zamienił się w prawie letni dzień. Słońce odbija się w szybach wysokich domów, razi, obie strony ulicy błyszczą słonecznym światłem nierzeczywistego świata. Nie ma

cienistej strony ulicy. Pałac Kultury świeci jak wyfro-
terowany.

Widzę, jak przesuwają się samochody, ludzie, domy, wystawy sklepów, widzę, jak zmieniają się światła,
zielone, żółte, czerwone i znowu zielone, żółte, czerwone, i nic mnie to nie obchodzi. Tonę.

Koło dworca wchodzę do sklepu, biorę koszyk,
przechodzę koło serów, kasz, cukrów, mięsa i warzyw.
Każda decyzja jest dla mnie za trudna. Jest za głośno,
za jasno, za dużo. Odstawiam pusty koszyk przy kasie
i wychodzę. Schody w dół, w podziemia dworca, tłum
wysypał się z kolejki, która właśnie przyjechała. Przyglądam się obojętnie, czekam, aż kolejka opustoszeje
i siadam w ostatnim wagonie. Rusza dopiero za dwadzieścia minut, mogłam zrobić te zakupy, mogłam
jakoś wykorzystać czas, ale brak mi energii. Muszę pomyśleć, muszę zrozumieć, co się stało. Może mnie nie
kochał, przemyka mi przez głowę myśl, i czuję, jak robi
mi się słabo. Nie, nie wpadnę w taki kanał. Po prostu coś
się skończyło, ale nie mogę wszystkiego przekreślać.
Nic mi wtedy nie zostanie. Kochał mnie. Kiedyś mnie
na pewno kochał. Mężczyzna kocha kobietę, z którą
chce się ożenić.

Nawet nie zauważyłam, kiedy kolejka ruszyła.
Za Opaczem wszedł kontroler. Podałam swój bilet.

– Nieskasowany – powiedział z satysfakcją. – Dokumenty proszę.

Spojrzałam na niego. Lekko łysiał, zakola na czole
świeciły. Patrzyłam i nie bardzo rozumiałam, co do
mnie mówi.

– Pani skasuje – powiedział ugodowo.

– Dobrze – odpowiedziałam i dalej siedziałam. Patrzyłam w okno.

– Pani się dobrze czuje? – Kontroler nachylił się nade mną.

– Tak, chyba tak.

– To ja pani skasuję. – Wziął ode mnie bilet i ku zdziwieniu pasażerów, ruszył do kasownika.

– Dziękuję – powiedziałam, kiedy oddał mi bilet i odwróciłam się do okna.

– Pani na drugi raz kasuje – upomniał mnie kontroler.

– Oczywiście – odpowiedziałam.

Patrzył na mnie, jakbym była niespełna rozumu. Nie chcę budzić litości. Poradzę sobie, zawsze sobie radziłam.

Czy można kochać kogoś, kto nas nie kocha? Można. Tak właśnie będzie ze mną. Nie będę się złościć na los, może takie jest moje przeznaczenie? Po co z nim walczyć? Mogę sobie przecież przechowywać te wszystkie wspaniałe rzeczy, które mi się przydarzyły. Niektórym w ogóle nie zdarza się kochać. Mnie się zdarzyło. I tak mnie los obdarował. Będę się umiała jeszcze cieszyć z tego, że spotkałam Adama, kiedyś będę się umiała z tego cieszyć. Wiem to.

Przynajmniej umiem kochać. To nie szkodzi, że bez wzajemności. Za parę lat przestanie to mi przeszkadzać.

Wysiadłam u siebie na stacji i wolno ruszyłam w stronę domu. Zatrzymałam się przed swoją furtką i ruszyłam do Uli. Nie mogę udawać, że nie usłyszałam od Adama, że skłamała. Ula jest bliską mi osobą, ale jak żyć i przyjaźnić się z takim bagażem? Z nią też muszę porozmawiać.

Dzwonię. Otwiera mi Krzyś.

– Cześć, Jutka. Co ty tak oficjalnie? Przez bramę?

– Muszę porozmawiać z Ulą. – Mijam Krzysia i widzę Ulę, która obiera ziemniaki.

– Zjesz z nami obiad? – Ula krząta się, zgarnia obierki do kosza, przemywa blat.

– Nie, dziękuję, chcę z tobą porozmawiać.

– Co ty tak oficjalnie? – Ula uśmiecha się, nawet nie wie, że powtórzyła zdanie Krzysia. Czy to znak dobrego związku?

Wychodzimy na taras.

Ja wam pokażę!

Dzielę listy na kupki. Siedzę na podłodze w dużym pokoju, Borys leży na tapczanie, musiałam go tam wsadzić, nie ma siły się wgramolić. Napaliłam w kominku, jest ciepło, tylko serce mi nie chce odtajać. Muszę zająć się czymś, muszę nie myśleć; jak będę zajęta, będę miała mniej czasu na czucie.

Droga redakcjo, sprawa o podział majątku ciągnie się już ponad trzy lata. – Prawnik na prawą kupkę, *droga redakcjo, wypryski na całym ciele mają kolor czerwony, ale swędzą i pojawiła się temperatura, chociaż obkładałam się kwaśnym mlekiem* – Lekarz, kupka na lewo, *droga redakcjo, mąż bez powodu się wyprowadził* – Ja, kupka na tapczanie, koło Borysa, *droga redakcjo, chcę się rozwieść i nie wiem, jak mam napisać pozew i czy to drogo kosztuje* – Prawnik, na prawo, *droga redakcjo, moja córka wytatuowała sobie panterę na biodrze* – Ja, Borys, *droga redakcjo, chciałabym pracować z delfinami, gdzie mam się zgłosić* – Ja, tapczan, *droga redakcjo, chciałabym adoptować dziecko, tak jak to zrobił Jack Nicholson w filmie ,,Szmidt", podajcie mi adresy* – Ja, *droga redakcjo, zapłaciłam za amulet szczęścia czterdzieści dwa złote, bo reklamowaliście, a szczęścia jak nie ma, tak nie ma, proszę o zwrot pieniędzy* – Ja, *droga redakcjo, moja żona w czasie stosunku wkłada mi koraliki, ale wstydzę się napisać gdzie, czy to jest powód do rozwodu* – Prawnik albo ja, albo proktolog, *droga redakcjo, jesteście szmatławcem* – Archiwum, bez odpowiedzi, pod stół, *droga redakcjo, błagam o pomoc* – Bez adresu zwrotnego – archiwum, *droga redakcjo, niniejszym donoszę, że sąsiad mój Jarosław Kłyź ma firmę i ciągnie prąd od słupa i nie płaci, ani podatków ani nic* – Bez podpisu, kosz, *droga redakcjo, napisałem w klasówce że telimena w panu tadeuszu jest cool i dostałem dwóję, to jest cool czy nie?* – Ja, Borys.

Dla mnie 65 listów, 72 z powrotem do redakcji, do specjalistów. Mam zajęcie na najbliższe dni.

– Mamo, czemu tu taki bałagan?

– Segreguję listy. Tosia, zdejmij buty, wnosisz błoto, a sprzątałam.

– Przecież zdjęłam – mówi Tosia, a ja rzucam okiem na jej nogi. Ma kapcie. – Mamo, co się z tobą dzieje?

– Tosia, nie zajmuj się mną, poradzę sobie. Chciałabym tylko, żebyś zdała maturę, jeśli ci mogę pomóc, to powiedz, ale nie mam siły dzielić się chwilowo swoim stanem ducha.

– Ale mamo! Przecież ja jestem twoją przyjaciółką! – mówi z pretensją Tosia.

– Nie, kochanie – nareszcie rozumiem, o co chodzi – przede wszystkim jesteś moją córką, a ja twoją matką, potem się przyjaźnimy. A o niektórych sprawach nie chcę z tobą rozmawiać.

– Ale mamo, musisz! Ja ci mówiłam, żebyś nie jechała do Adama, prawda? To musiałaś się narazić! Czy on... coś ci powiedział? O mnie? To znaczy coś wspominał?

Przekładam kupki na stół, spinam spinaczami.

– Tosia, wybacz, nie rozmawialiśmy o tobie, ale o mnie i o nim.

– I co? – pyta Tosia i siada obok Borysa na kupce listów, na które mam odpowiedzieć ja.

– Siadłaś na mojej pracy, pomniesz. – Tosia wyjmuje spod pupy listy.

– No i co, mamo?

– Nic. Nie będzie Adama.

Odwracam się tyłem do Tosi, bo nie chcę, żeby widziała, jak mi łzy napływają do oczu.

– Ojejku, mamusiu! – Tosia podbiega do mnie i obejmuje mnie w pasie. – I bardzo dobrze! Tata powiedział, że ty zawsze byłaś kobietą jego życia i że pomyłki trzeba wybaczać. Tata chciałby z nami zamieszkać. Sorki, lubię Adama, ale, mamo, znowu będziemy rodziną!

Staję jak wryta. Tosia odsuwa się ode mnie i mina jej trochę rzednie.

– Mamo, ja wiem, że nie od razu, musisz się oswoić z tą myślą, ale zobaczysz teraz się wszystko ułoży...

– Tata chciałby z nami zamieszkać? Ułoży się? Tosia, co ty mówisz???

– To kwestia czasu, tak powiedział tata, a ja pamiętam, że jak kiedyś pytałam ciebie, czy ludzie mogą do siebie wracać, to powiedziałaś, że oczywiście, że trzeba wybaczać. To wybaczysz tacie, bo ta jego Jola...

– Ja nie mam czego tacie wybaczać.

– To cudnie! Bo on się martwił, że jednak...

– Ja nie mam czego tacie wybaczać i on nigdy z nami nie zamieszka. Nigdy – mówię ostro i widzę, że Tosi, jak małemu dziecku, buzia zmienia się w podkówkę. – Tosiu, nie ma powrotu do przeszłości. Ja już taty nie kocham i ty dobrze wiesz dlaczego.

– Nie mów tak! – Tosia nieopanowanie podnosi głos. – Nie mów tak! Widziałam was, jak się przytulaliście na moich urodzinach, jak było fajnie! Tata cię pocałował! I jest dla mnie taki dobry, a ty mówisz, że go nie chcesz! Bo ten cholerny Adam wrócił. A ja nie chcę Adama, ja chcę mieszkać z wami, tak jak inne dzieci! Jestem dorosła, nie jestem dzieckiem! Babcia i ciocia Hanka, i Ula powiedziały, że nie wszystko stracone!

– Nie jesteś już dzieckiem, Tosia, niestety – dodaję, bo widzę, że moja osiemnastoletnia córka jest maleńkim nieszczęśliwym dzieckiem, które sobie coś wymyśliło. – Musisz zaakceptować fakt, że masz rozwiedzionych rodziców. Że twój ojciec ma nową rodzinę i że ja jestem sama. To trudne, ale po prostu musisz.

– A twoi rodzice wrócili do siebie! Dlaczego nie możesz z nich brać przykładu! Nienawidzę cię! Nienawidzę! – krzyczy Tosia, odwraca się, trzaska drzwiami i biegnie do siebie. – Jeszcze wam pokażę! Wszystkim! Zobaczycie, pożałujecie!

Nie biegnę za nią. Nic jej nie wytłumaczę. Poproszę może Mamę, a może Ojca, żeby z nią porozmawiali. Tosia ubzdurała coś sobie. Jak mam wytłumaczyć własnej córce, że miły wieczór urodzinowy nie wystarczy, żeby się na powrót zakochać w byłym mężu łajdaku? Że tylko dlatego jestem miła dla Eksia, żeby Tosi się lepiej żyło na świecie? Łudziłam się przez chwilę, że można pogodzić te wszystkie rzeczy – starą i nową rodzinę, żyć w przyjaźni jak na amerykańskich filmach, mieć świetny kontakt z córką. Ona też nie może mnie zrozumieć. Dopiero kiedy się ma własne dzieci, wiadomo, o co chodziło naszym rodzicom. Muszę być cierpliwa, jeszcze dziesięć, dwadzieścia lat i będziemy się rozumiały.

Zaraz, zaraz, babcia mówiła, że nie wszystko stracone? Moja Mama?

Biorę słuchawkę do ręki.

– Mamo?

– Tak, kochanie?

– Czy ty kiedyś rozmawiałaś z Tosią na temat mnie i twojego byłego zięcia?

Milczenie po drugiej stronie.

– Tak. – Moja Mama waha się. – Ale nieobowiązująco.

– I co jej powiedziałaś?

– Nic. To znaczy prawie nic. To znaczy... no wiesz, kiedy Adam wyjechał i pojawiła się taka możliwość, żeby jednak, biorąc pod uwagę to, że dziecko potrzebuje ojca i jednak...

– Co jej powiedziałaś? – przerywam ostro, choć wcale tego nie chcę.

– Nie mów do mnie takim tonem, dziecko. – Moja Mama jest poruszona. – Zawsze chcieliśmy dla ciebie dobrze!

– Ja nie! – słyszę w tle podniesiony głos Mojego Ojca. – Mnie w to nie mieszaj!

– Jak możesz! – Moja Mama prowadzi teraz nie tylko rozmowę ze mną, ale również z Moim Ojcem. – Sam mówiłeś, że byłoby dobrze, gdyby się zeszli!

– Chcę wam oświadczyć, że rozwiodłam się...

– My też kochanie, ale widzisz, że można się jakoś porozumieć...

– I nigdy nie wrócę do ojca Tosi. Nigdy. Przykro mi, że manipulowaliście Tosią i zamiast ją wspierać, łudziliście ją nadzieją.

– Jak możesz tak o nas myśleć! – Moja Mama prawie płacze. – Że też doczekałam, że moja własna córka będzie do mnie...

– Judyta? – Tata odebrał jej słuchawkę. – Nie przejmuj się, matce przejdzie. Żyj tak, żebyś była szczęśliwa, kochanie.

– Za późno – powiedziałam i odłożyłam słuchawkę.

*

Tosia się do mnie nie odzywa. Ale chyba się uczy. Byłam na ostatnim zebraniu szkolnym.
– Nie ma powodów do obaw, jeśli chodzi o maturę. Nie mamy zastrzeżeń – powiedziała jej wychowawczyni. – Bardzo wydoroślała w ostatnim czasie.

*

Jakub przemyka na górę, kłania mi się w drzwiach, Tosia, zdaje się, poinformowała go, jaką to ma niedobrą matkę. A ja żyję. Nie rozpadłam się, nie rozchorowałam, tylko mniej mnie bawią różne rzeczy. Wczoraj wieczorem zadzwoniła zrozpaczona Renka, że nie przyszła pielęgniarka do Karmelii i czy mogę jej pomóc w kąpaniu maleństwa.

Oczywiście, poszłam. Wanienka ze specjalną siatką, włoska, łóżeczko włoskie, kosmetyki dla małej ze Szwajcarii, a Renka bezradnie przyglądała się, jak w trzy minuty wymyłam maleństwo.

– Zostań – powiedziała, kiedy Karmelia zasnęła słodko z butelką chicco w buzi. – Pogadamy.

A potem wyjęła cały stos pism i zaczęła się zachwycać pasami odchudzającymi, środkami z Ameryki, które likwidują łaknienie, oraz klinikami chirurgii plastycznej.

– Nie karmię piersią, bo to mi zdeformuje biust – wyjaśniła – ale i tak mam rozstępy, jakoś muszę się ich pozbyć. Jakbym wiedziała, że tyle mnie to będzie kosztowało...

Mózg ci się rozstąpił i zdeformował najbardziej – powiedziałam. – We łbie ci się pomieszało, Reniu kochana! – Szarpnęłam szklanką i wylałam herbatę. – Zwariowałaś zupełnie! Jesteś najdoskonalszym tworem nowego systemu w tym państwie! Bezmózgowa istota, dla której można produkować te wszystkie idiotyzmy i której celem w życiu będzie posiadanie coraz większej ilości rzeczy, przedmiotów, ubranek, kremów, tipsów, sztucznych cycków, silikonowego tyłka! A kiedy już zarżniesz swojego męża finansowo albo będziesz już miała całkiem nowe życie, to obudzisz się i...

Otworzyłam oczy i spojrzałam na Renkę.

– Mózg ci się zdeformował Reniu – powiedziałam.

– Nie przypuszczałam, że jesteś taką idiotką.

– No wiesz! – Renka zamknęła z hukiem kolorowy magazyn. – Ty nie wiesz, jakie ja mam głębokie życie wewnętrzne. Ja na pewno nie będę sama, jak ty. Mój mąż wie, co jest potrzebne kobiecie do szczęścia. Ja nie muszę pracować, żeby móc sobie pozwolić na operację plastyczną, a przez ciebie przemawia zazdrość. No cóż, takie są samotne kobiety.

– Wiesz co? – podniosłam się. – Nie mam siły rozmawiać o rzeczach nieistotnych. Dzisiaj nie. Raz na jakiś czas to jest dobre. Ale chyba mi to przestało odpowiadać. Nie chciałam cię urazić, ale to ty, Reniu, siedzisz do dziesiątej sama, tylko dlatego, żeby twój mąż przyniósł jeszcze więcej. Szkoda, że nie może pracować

dwadzieścia cztery godziny. – I kończę jadowicie.
– Nie zastanowiłaś się nad tym, że być może on woli
pracę niż ciebie?

Renka zbaraniała, a ja pewnie ze wszystkimi zepsu-
ję sobie kontakty. Ale jaka to przyjemność, mówić,
co się myśli i robić, co się mówi!

*

W domu czekała na mnie Agnieszka.
– Nie odpowiadasz na telefony, Jutka, tak nie
można!

Opowiedziałam jej pokrótce, co się dzieje. O rozmowie z Ulą, która też myślała, że będzie dla mnie lepiej, a była tak tego pewna, że Szymonowi, który przyjechał w czasie mojej nieobecności, nie wyjaśniła,
że mnie nie ma i ojciec Tosi jest u mnie bezprawnie.
I o tym, jak strasznie się pokłóciłyśmy, kiedy jej powiedziałam, żeby nigdy nie wtrącała się do mojego życia,
ponieważ ja do jej życia się nie wtrącam. I że nikt nie
wie lepiej od nas samych, co czujemy. I że jeśli ona,
Agnieszka, chce mnie przekonać, że...

Ale Agnieszka machnęła ręką.
– Judyta – powiedziała poważnie – najwyższy czas,
żebyś zrobiła porządek ze swoim życiem. Ty, tylko ty
i nikt za ciebie. Bardzo dobrze jej powiedziałaś. I rodzicom też. A Tosia... z Tosią pogadam sama, jeśli
pozwolisz. Za bardzo ci świat wszedł na głowę.

*

Od dwóch dni jestem chora. Był lekarz, stwierdził zapalenie płuc. Nic dziwnego – zapalenie płuc, brak wsparcia. Ale wyzdrowieję. Tosia wróciła od Grześków i coś się zmieniło. Ja leżę w sypialni i czytam po raz dwusetny *Trylogię* i *Idiotę* oraz *Anię z Zielonego Wzgórza*, na zmianę, wyrywkowo, co świadczy o moim ciężkim stanie. Czytam, płaczę, śpię. I tak będzie do końca życia, jak sądzę.

– Mamo, zrobić ci herbatę?

– Nie, dziękuję.

– A może chcesz coś obejrzeć? To pójdę do wypożyczalni... jakiś film.

– Nie, ale to miło, że pytasz. – Wypożyczalnia jest dobry kilometr od kolejki.

– To co chcesz?

– Nic.

– A chcesz, żebym z tobą posiedziała? – Powinnam się ze zdziwienia przewrócić, ale leżę.

– Nie, dziękuję.

– Nie chcesz pogadać?

– Nie – mówię i jednak zwlekam się z łóżka. Tosia podaje mi szlafrok.

– Masz leżeć.

– Przypomniałam sobie, że nie wyjęłam mięsa na jutro. Jest w zamrażalniku.

– To dlaczego mi nie powiedziałaś?

– Nie wiesz, które – mówię i idę do kuchni.

Kręci mi się trochę w głowie. Koty na dworze, zamiast leżeć na mnie i wyciągać chorobę. *Drogi Czytelniku, to przesąd, że kocie skórki używane niegdyś do okładania nerek usuwają chorobę...* Żywe kocie skórki na pewno by mi pomogły.

Tosia wyprzedza mnie i staję przy lodówce.

– Z tobą tak zawsze, mamo. Nawet jak chce ci się pomóc, to nie można. Dlaczego nawet nie chcesz ze mną rozmawiać? Masz do mnie pretensję, tak? Ja to czuję! Że wszystko przeze mnie, tak! I na pewno Adam ci powiedział o tym liście, i ty dlatego nawet rozmawiać ze mną nie chcesz. – Tosia nagle zaczyna płakać, a ja siadam na krześle, bo jednak jestem bardzo słaba.

– O jakim liście? – pytam słabiuchno, nie mam siły na kłótnie z Tosią.

– Nie udawaj! – krzyczy Tosia przez łzy – nie udawaj! Jesteś fałszywa tak samo jak ojciec! On też kłamie! Jola pojechała do Krakowa i oni tam budują dom! Wspólny!

– To dobrze – mówię, ale w dalszym ciągu mózg odmawia mi posłuszeństwa.

– Wcale nie dobrze! – Tosia siada koło mnie i chowa twarz w dłoniach. – Ja myślałam, że on chce do ciebie wrócić, a on po prostu się kłócił z tą swoją żoną! Ja chciałam dobrze...

Wyciągam rękę i dotykam Tosinych włosów. Dobrze, że już nie farbuje, ma taki ładny mysi kolor i takie piękne oczy.

– Nie martw się, Tosiu, każdy może się pomylić...
Ja jestem bardzo szczęśliwa, że dziadkowie są razem... Ale to się zdarza niezwykle rzadko... My z ojcem... naprawdę przestaliśmy się kochać. I chociaż rodzina jest najważniejsza – korzystam z tego, że Tosia mi po raz pierwszy chyba w życiu nie przerywa – to rodzina jest takim tworem, w którym musi być miłość, przywiązanie, szacunek albo przyjaźń. Inaczej to jest tylko podstawowa komórka społeczna. Nam z ojcem została ty, ale dziecko nie może być jedynym spoiwem związku. Dziecku potrzeba czegoś dużo więcej, dziecko musi czuć, że ludzie się przynajmniej lubią, bo inaczej zwariuje.

Tosia podnosi zapłakane oczy i patrzy na mnie po raz pierwszy od miesięcy z pełnym zrozumieniem.

– Chcesz jajecznicę? – pyta z nadzieją. – Ja bym zjadła...

– Zrób – mówię, choć na samą myśl o jajecznicy robi mi się mdło. – Trochę zjem.

Tosia wyjmuje z lodówki jajka pani Stasi. Stawia patelnię na ogniu, wrzuca masło, a potem rozbija jedno jajko, drugie jajko, trzecie jajko.

– Tosieńko – mówię ostrzegawczo – ja tyle nie zjem.

– Ale ja zjem, jestem głodna. – Tosia nie reaguje, jak to zwykle robi, na znienawidzone zdrobnienie.

Czwarte jajko, piąte jajko, szóste jajko.

– Tosia! Wbiłaś sześć jaj!

– Żałujesz mi, czy co?

375

Tosia łapie za metalową łyżkę, napotyka mój wzrok, bierze drewnianą, soli, pieprzy, kruszy ser pleśniowy, miesza. Jajecznica pachnie. Tosia zestawia patelnię na stół, podaje talerzyki. Nakładam sobie odrobinę, Tosia zaczyna jeść z patelni.

– Tosia, zaszkodzi ci – mówię, bo widzę, że myśli o czym innym.

– Nie zaszkodzi – mówi moja córka – Nie gniewasz się na mnie?

Biorę głęboki oddech.

– Nie. Córki robią głupstwa. A matki muszą i tak je kochać.

– Ale ty mnie musisz kochać, czy chcesz?

– Ja ciebie po prostu kocham – mówię, a Tosia się uśmiecha i zabiera do następnej porcji jedzenia.

– Tosia, wbiłaś sześć jaj.

– Tak, wiem – mówi Tosia i zagryza chlebem z ziarnem. – I nie gniewasz się o ten list?

– Nie wiem jaki.

– Że napisałam do Adama po świętach, żeby nam dał spokój, bo tata wróci. Żeby nie przeszkadzał. Ja mu długo napisałam. Że go proszę i że tata przyjeżdża, i że zajmuje się nami... Nie powinnam była tego robić, przepraszam, mamuś. Na pewno ci powiedział.

A więc to tak było... Eksio w Wigilię odebrał telefon, nie powiedział, że rozmawiał z Adamem, nie poprosił mnie do telefonu... Potem Tosia napisała do niego list... Potem przyjechał Szymon i zobaczył Eksia... Potem Ula, podobnie jak Moja Mama, moja

Ciocia Kombatantka, Tosia, wiedziały, co dla mnie najlepsze. Adam przyjechał i tylko się upewnił, jak to wygląda.

– Nie powiedział. Nic nie mówił o żadnym liście.

– Ja go poprosiłam, żeby nie mówił, ale myślałam, że powie...

Wcale nie chcę zacząć płakać, ale niestety płaczę. Tosia patrzy na mnie niepewnie, nie płaczę przy niej nigdy, ale nie mogę się powstrzymać.

– Mamo, mamo – mówi bezradnie – to jeszcze da się naprawić...

– Nie. – Pociągam nosem – Nic się nie da naprawić.

– Możesz przecież mu powiedzieć, że to ja... – Tosia zdobywa się na wspaniałomyślny gest. – On zawsze rozumiał takie rzeczy...

Patrzy na mnie z nadzieją. Właśnie tego jej zazdroszczę, jej i wszystkim nastolatkom. Nie ma rzeczy ostatecznych, wszystko można odwołać, naprawić, jakoś to będzie, dziś jest tak, a jutro może być inaczej, wystarczy jeden ekskjuz, żeby świat odwrócił się do góry nogami...

Uśmiecham się przez łzy.

– Już z nim rozmawiałam. On już nie chce. Ale cieszę się, że mi powiedziałaś. I bardzo cię proszę Tosia, nie wtrącaj się już. Obiecaj.

Tosia skrobie patelnię.

– Jezu, ty to wszystko zjadłaś?

Tosi zawsze jest po jajkach niedobrze, a wrzuciła w siebie prawie sześć, i to jeszcze z serem pleśniowym. Jak nic będzie nieszczęście.

– Mamo, ja naprawdę nie chciałam... – Tosia wypija szklankę soku pomarańczowego.

– Wiem. Już nie rozmawiajmy o tym. Chodź, pooglądamy telewizję.

Zostawiamy bałagan na stole, Tosia przynosi mi koc, włączamy dziennik.

– Trzystumetrowy tankowiec właśnie zawitał do portu gdyńskiego – informuje mnie spiker, a pod spodem ukazuje się napis: – Dwóch japończyków zeznało...

– Mamo, Japończyk się pisze dużą literą czy małą? – pyta Tosia i nie mogę mieć o to do niej pretensji.

– Pewnie Pearl Harbour też się tak zaczęło. Tankowce i Japończycy małą literą. – Nie ma co do tego wątpliwości. Owijam się kocem i oczy mi się same zamykają.

Nie słyszę, kiedy Tosia wychodzi z domu.

*

Z drzemki wyrywa mnie dźwięk telefonu. Dzwoni Moja Mama, żeby mi powiedzieć, że choć nie tak mnie wychowywała, to jednak chyba mam rację, ale ona jest stara, choć zawsze się stara i myślała, że tak będzie dla mnie lepiej. Potem dzwoni Mój Ojciec i mówi, że gdyby był na miejscu Mojej Mamy, toby przynajmniej przestał mówić, bo to woła o pomstę do nieba, i żebym się na matkę nie gniewała. Potem dzwoni Moja Mama i mówi, żebym nie słuchała, co ojciec plecie, bo on zawsze jakieś głupoty gada, tylko kierowała się własnym rozumem. Potem dzwoni Ojciec i mówi, żebym się nie martwiła, bo życie się nie kończy i że jeszcze jestem młoda, chociaż ostatnio nie wyglądam. Potem dzwoni Moja Mama i mówi, żebym nie słuchała ojca, bo jestem młoda, tylko muszę o siebie zadbać.

A potem widzę, że nie ma Tosi.

*

Jest wieczór. Borys leży przed kominkiem, w którym się przestało palić. Ja jestem spocona, oba koty na mnie leżą i wyciągają ze mnie chorobę. Postanawiam zadzwonić do Uli, może Tosia poszła do Agaty. Dzwonię do Uli z drżeniem serca.

– To ja, Judyta...

– O Boże, jak dobrze, że dzwonisz – Ula mi chlipie w telefon – myślałam, że już nigdy się do mnie nie odezwiesz...

Robi mi się miękko w okolicach serca. Przecież Ula naprawdę nie chciała mi zrobić krzywdy. Po prostu nieszczęśliwy zbieg okoliczności. I tyle.

– No co ty, Ula – charczę w telefon, nie wzięłam po południu lekarstw i to słychać. – Nie gniewam się już... po prostu musiałam ci to wszystko powiedzieć...

– Co ty, chora jesteś? – Ula się niepokoi.

– Trochę, czy jest u was Tosia?

– Zaraz do ciebie przyjdę – krzyczy Ula i nie słyszę, czy jest Tosia u nich, czy nie.

*

Ula zrobiła mi podwójną herbatę z poczwórną cytryną, wyściskałyśmy się mimo zapalenia płuc, przecież nie może być tak, że nas jakiś głupi Eksio rozdzieli, rozkłóci i zepsuje naszą przyjaźń. Właściwie to dobrze się stało, bo mogłam wszystko Uli powiedzieć, a tak pewno nie byłoby okazji. Może z przyjaźnią jest tak jak z miłością, to, co nas drażni, nie może być odsunięte na potem? W każdym razie dobrze, że Ula jest.

Kiedy zostaję sama, dzwonię do Jakuba, ale nie widział się dzisiaj z Tosią. Potem dzwonię, bardzo oględnie, do rodziców, ale również nic nie wiedzą. Potem dzwonię do Eksia, odbiera Jola, że nie, oczywiście Tosi u nich nie ma, a gdyby była, to przecież bym wiedziała, prawda?

Nieprawda.

Nie będę się niepokoić ani denerwować. Nie jest tak strasznie późno, a Tosia na pewno nie chciała mnie budzić. Nie muszę jej sprawdzać ani kontrolować. Wyszła gdzieś na moment i zaraz wróci.

Wlokę się do łóżka ze słuchawką w ręce, Borys idzie za mną. Idzie to dużo powiedziane. Wiem, że nieuchronnie nadchodzi ten moment, kiedy wezwę Mańkę i odprowadzę Borysa tam, gdzie żadne psy nie cierpią, gdzie będzie sobie mógł do woli biegać, wcinać w tajemnicy przed innymi psami kocie żarcie i nikt mu z tego powodu nie zrobi awantury, ani go nie wyśmieje. Borys kładzie łeb na kołdrze, patrzy na mnie, podnoszę mu tylne nogi, niech leży, póki jeszcze jest.

Owijam się kołdrą i ssę tabletkę od bólu gardła. Dopiero jak przestaję się mościć, dochodzi do mnie dźwięk telefonu i w słuchawce słyszę najukochańszy głos na świecie, pełen miłości i ciepła:

– Jutka? Jutka, straszny ze mnie ku......, straszny ze mnie idiota, co?

Zatyka mnie.

– Tosia się porzygała. Co ona jadła? Obawiam się, że nie nadaje się do powrotu kolejką. Mogę ją przywieźć? Jutka? Jesteś tam? Moja wiertarka chciałaby cię zapytać, czy masz dla niej miejsce w swojej szafie...

Spis treści

Redakcja: Katarzyna Leżeńska
Korekta: Jadwiga Przeczek, Emilia Słomińska
Redakcja techniczna: Urszula Ziętek

Projekt graficzny cyklu: Maciej Sadowski
Fotografia na I stronie okładki:© Jarosław Madejski
Fotografia autorki: © Zbigniew Wichłacz

Wydawnictwo W.A.B.
02-502 Warszawa, Łowicka 31
tel./fax (22) 646 01 74, 646 01 75, 646 05 10, 646 05 11
e-mail: wab@wab.com.pl
www.wab.com.pl

Skład i łamanie: Komputerowe Usługi Poligraficzne
Piaseczno, Żółkiewskiego 7
Druk i oprawa: Drukarnia Wydawnicza
im. W.L. Anczyca S.A., Kraków

ISBN 83-89291-84-3